Visions de Jude

COLLECTION
LITTÉRATURE
D'AMÉRIQUE

Visions de Jude

DANIEL POLIQUIN

roman

ÉDITIONS QUÉBEC/AMÉRIQUE
425, RUE SAINT-JEAN-BAPTISTE, MONTRÉAL (QUÉBEC) H2Y 2Z7 (514) 393-1450

Données de catalogage avant publication (Canada)

Poliquin, Daniel
Visions de Jude
(Collection Littérature d'Amérique)

ISBN 2-89037-409-2
1. Titre. II. Collection.
PS8581.044V57 1990 C843'.54 C90-096204-6
PS9581.044V57 1990
PQ3919.2.P64V57 1990

Les Éditions Québec/Amérique bénéficient du programme de subvention globale du Conseil des Arts du Canada.

Dépôt légal : 1er trimestre 1990
Bibliothèque nationale du Québec
Bibliothèque nationale du Canada
Réimpression : août 1993

Diffusion :
Québec Livres
4435, boul. des Grandes-Prairies
Saint-Léonard (Québec)
H1R 3N4

(514) 327-6900 – région métropolitaine
1-800-361-3946 – extérieur
(514) 329-1148 – télécopieur

Montage : Andréa Joseph

Du même auteur

Temps pascal, roman, Montréal, Éd. Tisseyre, 1982.

L'Obomsawin, roman, Sudbury, Prise de parole, 1987.

Nouvelles de la capitale, nouvelles, Montréal, Éd. Québec/Amérique, 1987.

Traductions:

Pic, roman de Jack Kerouac, Montréal, Éd. Québec/Amérique, 1987.

Avant la route, roman de Jack Kerouac, Montréal, Éd. Québec/ Amérique, 1990.

À Madeleine Renaud. La vraie.

I

L'Épiphanie

À l'instant qui passe, je pourrais dire alors :
« Arrête-toi, tu es si beau ! »

Gœthe, **Le second Faust**

1

On dit que Jude sent la mort venir. La conscience de la célébrité accomplie lui aurait ôté l'appétit de vivre, d'où sa débauche suicidaire d'enfant prodigue interdit de retour.

Jude le marin, le géographe, l'écrivain, le fondateur de l'Institut arctique, l'aventurier, le découvreur, le Don Juan érudit et courageux. Il faut le voir à la fête que donne madame Élizabeth le premier samedi de janvier. Debout au milieu du salon, grand, vêtu de noir, la gauloise caporal à la main, sa voix envoûte : une anecdote n'attend pas l'autre, il fascine, il fait rire, on l'écouterait toute la nuit. Les invités se servent au buffet sans cesser de le regarder. Madame Élizabeth parle de lui, de ses débuts, de ses exploits, de la fois où il s'est fait lacérer le dos par un grizzli kodiak aux îles Aléoutiennes. Un habitué de la fête, le professeur Pigeon, éminent latiniste et grécisant, chante sa louange avec un brin d'envie dans la voix. C'est chaque année la même scène, mais on ne s'en lasse pas.

Un soir comme celui-là, il y a cinq ans, je suis tombée amoureuse de Jude pour de bon. Cachée derrière un couple obèse, j'observais le sourire amusé qu'il faisait en réponse à l'éloge du professeur Pigeon : «Voilà un homme glorieux. Si je mourais demain, moi le poète qui ne suis rien, ma mort ne me vaudrait tout juste qu'un entrefilet à six sous le mot dans la page nécrologique. Si lui, le grand Jude, disparaissait demain, sa photo serait dans toutes les revues; le roi de Norvège se déplacerait pour ses obsèques; à la Chambre des communes, un député réclamerait une minute de silence; des diplomates à tête d'enterrement et pantalon rayé viendraient fleurir sa tombe. On nommera à sa mémoire des rues, des écoles, des brise-glaces, vous verrez!»

Mon mari a voulu alors placer un mot : «En tout cas, c'est pas la modestie qui va l'étouffer, le grand Jude!» Il a ricané, seul. Pour faire oublier son rire jaunissant, il est allé proposer ses services à madame Élizabeth qui avait besoin d'un auxiliaire au buffet. Parfait de galanterie, Jude n'a pas relevé le mot d'esprit raté; au contraire, il s'est approché de moi et m'a offert l'apéritif : «Vous devez avoir soif, laissez-moi vous servir.» La langue nouée, je l'ai regardé me concocter un martini-picon comme je l'aime, avec beaucoup de glace, comme s'il avait connu mon goût.

Mon mari voulait rentrer tôt. Il avait mal à l'estomac et le buffet ne lui disait rien : il y avait trop de viandes pour lui, le végétarien. «On s'en va. Viens, mon amour, viens dire au revoir à madame Élizabeth.» Je l'ai dévisagé un instant, j'ai écouté sa voix rechignante, et pour la première fois de ma vie avec lui, j'ai su que je le quitterais un jour. Habituée à la politesse, je n'ai pas fait d'histoires. J'ai pris mon manteau et je l'ai suivi. Nous sommes rentrés à pied sans dire un mot. Des enfants qui jouaient dans une cour m'ont redonné espoir : ils venaient à peine d'achever un bonhomme de neige qu'ils le détruisaient aussitôt à coups de pied. Ils m'ont fait sourire.

J'ai su plus tard que Jude s'est enivré ce soir-là et qu'il a insulté un invité de madame Élizabeth. Puis il est parti avec une nouvelle conquête au bras. Je l'ai enviée.

2

Quand Jude m'est apparu pour la première fois, j'avais douze ans. C'était le soir de la guignolée. Dans ma paroisse de la Côte-de-Sable, à Ottawa, ce rituel se déroulait le deuxième dimanche de décembre : les garçons et les filles mendiaient pour les pauvres de maison en maison, en petits groupes, ramassant des conserves et des vêtements usagés qu'on leur donnait en échange de trois ou quatre chansons gaies mais pudiques d'un certain bon vieux temps. Les guignoleux faisaient entendre leur clochette et entamaient toujours la même chanson : «Bonsoir le maître et la maîtresse / Et tout le monde de la maison...» La nuit était froide, on faisait entrer les guignoleux; je me rappelle aussi que les gars et les filles se retenaient de se moucher quand ils chantaient, qu'on faisait le tri de la cueillette au presbytère dans la soirée et qu'il y avait souper de fèves au lard au presbytère sous la présidence du vicaire chargé de l'opération. La guignolée passait toujours chez nous parce que ma mère prévenait les organisateurs qu'elle avait préparé une boîte mais qu'il faudrait chanter juste pour l'avoir. Je n'ai jamais vu les pauvres pour qui on guignolait. C'est le seul souvenir qui me manque.

Ce soir-là, Jude était parmi les guignoleux. Il devait avoir dix-sept ans. Mes frères aînés parlaient souvent de lui à la maison. Un petit garçon modèle comme en faisait la comtesse de Ségur. Premier de classe, scout de la Reine, athlète complet; il ne blasphémait pas, fumait juste la pipe de temps en temps pour faire l'homme mais sans plus; il servait à la grand-messe le dimanche, en soutane rouge et surplis blanc, thuriféraire enveloppé dans son nuage d'encens. Il travaillait à temps partiel comme emballeur chez Steinberg pour payer ses études et le samedi soir, il était chaperon aux danses à la salle paroissiale : c'était l'époque où il était interdit aux garçons et aux filles de danser trop collés et où il fallait se cacher aux toilettes pour fumer. On disait qu'il ferait un prêtre. Moi, je trouvais seulement que son nom n'était pas de son âge. Mais je ne le disais à personne chez nous parce que je craignais qu'on remarque mon intérêt pour lui. Et si, par malheur, mes frères s'en étaient aperçus, ils l'auraient dit à tout le monde, à Jude en premier; en plus, ils se seraient moqués de moi à n'en plus finir parce que j'étais trop petite pour aimer. Alors je gardais toutes mes pensées pour moi, ça valait mieux.

Papa a ouvert aux guignoleux, qui avaient chanté avec plus de cœur que de voix, puis maman les a invités à entrer. «C'est votre dernière maison. Entrez vous réchauffer, je vous ai fait du café pis du chocolat chaud avec des beignes pis des biscuits. Mon mari ira vous reconduire au presbytère en auto tout à l'heure. Entrez, entrez. Seigneur! c'est-ti assez beau de voir des jeunesses comme vous autres se dévouer de même pour le pauvre monde! Viens ici, toi, m'avait-elle dit, aide-les à ôter leurs manteaux.» J'ai pris la vareuse et la tuque de Jude qui est entré sans me voir, moi, la petite de douze ans. C'était lui qui portait la cloche de la guignolée; il ne chantait guère mieux que les autres mais il savait déjà se faire remarquer. Mon père lui a dit : «T'as l'air gelé, mon grand, m'as te mettre une goutte de rhum dans ton café.» Puis il lui a tendu son paquet de cigarettes, des Sweet Caporal : «Si t'as envie de fumer, gêne-toi pas, prends-en une...» Ma mère a crié de la cuisine : «Voyons, papa, tu vas pas te mettre à les débaucher, ces pauvres enfants-là!»

Mes frères et ma sœur sont descendus, il y avait de la vie dans le salon, tout le monde parlait en même temps. Assis devant le feu de cheminée, Jude racontait des histoires drôles. À un moment donné, il a dit : «On est même allés passer la guignolée à l'ambassade soviétique sur la rue Charlotte, pas loin d'ici. Ils nous ont rien donné. Le gars qui est venu à la grille nous a répondu : "On connaît pas ça, la guignolée; des pauvres, chez nous, y'en a plus!"» On a ri avec lui, mais on riait surtout de le voir rire : on aurait cru que ses yeux se fermaient presque complètement sous l'effet de la gaieté, il ne restait que deux lueurs très vives. Même que je n'ai pu me retenir de lui demander : «Jude, quand tu ris, est-ce que t'es encore capable de voir?» Le salon s'est esclaffé, j'aurais voulu rentrer six pieds sous terre. Mon frère m'a donné un coup de coude : «Tais-toi donc!» Pour me sauver, ma mère m'a dit en me passant la main dans les cheveux : «Va faire tes devoirs, ma chouette, t'as de l'école demain. T'es petite encore pour veiller si tard.» Je suis remontée dans ma chambre, le cœur gros, moi qui voulais seulement savoir s'il pouvait me voir de ses yeux rieurs. Heureusement, tout le monde a vite oublié cet épisode, et quand j'ai revu Jude chez madame Élizabeth, il y a cinq ans, le nom de ma famille ne lui disait rien. «Moi, c'est Marie. Marie Fontaine.»

Le lendemain de cette dernière soirée chez madame Élizabeth, au café le matin, mon mari m'a demandé à quoi je pensais. «Qu'est-ce que t'as? Tu dis plus rien...» Je lui ai alors demandé si on passait encore la guignolée de nos jours. «Non. Peut-être parce qu'il n'y a plus de pauvres au Canada.» Il a ri.

3

Pour voir Jude, il faut aimer l'aventure. Remonter l'Outaouais en canot, contourner l'île du Calumet, portager aux rapides de l'île aux Allumettes, longer Mattawa où le courant est traître, pagayer jusqu'au lac Témiscamingue. On entre alors dans la terre des lacs. Il faut tourner à droite, monter vers les savanes de l'Abitibi, «l'endroit où se partagent les eaux» en langue crie, descendre la rivière Harricana jusqu'à la baie James, c'est tout droit, on ne peut pas se tromper. Longer la côte de maskeg, franchir le cap George, doubler Inoucdjouac, Ivugivik, Saglouc. C'est l'Ungava, la terre arctique, le pays inuit, il n'y a plus d'arbres depuis longtemps, il ne reste que le ciel, la pierre et la mer. Un voyage de six mois au moins.

On arrive enfin à un promontoire qui pointe vers la

terre de Baffin. À l'époque coloniale française, on y trouvait un poste de traite baptisé Iberville, du nom du conquérant canadien. Sur la plage, on voit Jude qui dépèce un phoque en compagnie de trois chasseurs inuit. Coiffé du bonnet montagnais aux couleurs vives, habillé de caribou, chaussé de bottes de loup-marin, Jude éventre la bête et en arrache les entrailles qu'il jette à ses samoyèdes.

Ou alors, on peut prendre l'avion, c'est moins long. Il y a un petit aéroport à Iberville, la cité arctique que Jude a ouverte.

Ou encore, il n'y a qu'à regarder le long métrage réalisé par l'Office national du film sur l'œuvre de Jude. C'est ce que j'ai fait.

Un narrateur à la voix virile raconte les débuts modestes du héros. L'Institut arctique qu'il a fondé à l'âge de vingt ans, seul, sans un sou. Il voulait alors, dit le narrateur, révéler l'Arctique dans la foulée des grands explorateurs, exploiter ses richesses, donner un élan nouveau à la civilisation du froid, éclairer l'épopée inuit par la technologie moderne.

Il a réussi, tout le monde le sait. À l'origine, il n'y avait qu'un petit périodique savant, les *Cahiers de l'Institut arctique*, ronéotypé, avec couverture de carton. Les collaborateurs, pour la plupart des étudiants et des chercheurs inconnus, étaient priés d'adresser leurs textes à l'adresse suivante : L'Institut arctique, Sac postal 2001, Territoires du Nord-Ouest, Canada.

Jude faisait tout lui-même : il choisissait le thème de la publication, trouvait le financement, sollicitait les collaborateurs, triait les textes, voyait à l'impression, postait les exemplaires. Quoique d'apparence modeste, c'était une revue de haute qualité, on n'y trouvait jamais de coquilles ou de fautes de style. Pour la révision et la lecture des épreuves, Jude faisait appel au professeur Pigeon, qui ne demandait pas mieux que de mettre sa science du langage au service de cette entreprise courageuse. C'était la belle époque où Jude conservait les archives de l'Institut dans le garage désaffecté de madame Élizabeth, rue Blackburn, à Ottawa, entre les vieux pneus et les outils rouillés du jardin.

Au fil des ans, des chercheurs suédois, américains et soviétiques se sont intéressés au sort de la petite revue. Aujourd'hui, les textes qui y paraissent sont signés des plus grands noms de la recherche boréale; le papier est glacé, les photographies sont en couleurs; il y a un secrétaire permanent de la rédaction, et il n'y a toujours pas de coquilles ou de fautes de style même si le professeur Pigeon a cessé son bénévolat.

Les jours sont loin où les mauvaises langues de la communauté universitaire tenaient l'Institut arctique pour une carabinade et son fondateur pour un petit arriviste plus doué pour les relations publiques que la recherche scientifique. Jude a été patient. On a fini par le prendre au sérieux. Des entreprises danoises et hollandaises se sont associées à l'Institut pour mettre en marché des produits brevetés par Jude et ses compagnons de la première heure. Les grandes sociétés écologistes des États-Unis ont suivi, ensuite les gouvernements, enfin des donateurs milliardaires. Puissamment soutenu, Jude a ainsi réalisé son rêve de fonder à Iberville, qui n'avait été qu'une misérable bourgade de marchands de fourrures au dix-septième siècle, un laboratoire boréal digne de l'avenir. C'est le plus grand temple de la recherche polaire au monde, toutes les disciplines scientifiques y sont représentées, toutes les nations nordiques aussi.

Le film se poursuit. Pour la caméra, Jude traduit obligeamment les paroles des chasseurs inuit. Outre l'inuktitut, il parle aussi très bien le cri et le déné, précise le narrateur. On voit Jude diriger un traîneau tiré par des rennes, comme le lui ont appris les Esquimaux de Sibérie. On visite avec lui les installations modernes du complexe d'Iberville, on rencontre des informaticiens amérindiens, des biologistes américains, des architectes canadiens qui cherchent à marier les avancées futuristes des Suédois et des Finlandais avec les traditions esquimaudes. On y encourage les grands exploits sportifs, l'archéologie sous-marine, le sauvetage des dernières langues amérindiennes parlées au Yukon.

C'est un beau film. On le trouve maintenant en vidéocassette. Moi, je ne le regarde plus. J'ai dû le voir au moins trente fois, je le sais par cœur.

4

La légende de Jude a commencé tôt.

Il est de la Côte-de-Sable comme moi; il a fréquenté la même école élémentaire que mes frères aînés; avec eux, il a fait ses études secondaires au collège oblat. On entendait toujours parler de lui chez nous, comme s'il avait fait partie de la famille.

Jude est entré à l'Université d'Ottawa contre le gré de son père qui voulait quitter la ville pour s'installer à la campagne. Ma mère, qui raffole des histoires tristes mais héroïques, s'est fait raconter longuement par madame Barabé, la commère du quartier, comment Jude s'est retrouvé un beau matin seul sur le trottoir, la valise à la main, avec trente dollars dans les poches. Maman en était toute remuée : «Pauvre petit gars! Partir tout seul dans la vie comme ça, quand tes parents veulent même plus de toi, personne pour t'aider! Ah! le monde a tellement pas de cœur!» Mes frères avaient eu beau expliquer à maman que c'est un peu normal de quitter la maison quand on entre à l'université, qu'il se trouve tout plein de jeunes gens dans cette situation et qu'ils en meurent rarement, rien à faire : maman préférait croire au drame de l'enfant miséreux dont personne ne veut et qui fera son chemin dans la vie.

Jude s'est bien débrouillé. Très bien, même. Afin de payer ses études, il s'est engagé dans la marine comme étudiant-officier. Ses frais de scolarité étaient acquittés et sa solde mensuelle le faisait bien vivre; l'été, il naviguait dans l'Arctique. On le revoyait à l'automne, à la rentrée : les cheveux coupés court, bronzé, musclé, les yeux toujours aussi rieurs, beau comme Jack Kerouac. Pour nous, les petites filles du quartier qui l'admirions, il vivait l'aventure; il était libre; il semblait heureux, tout lui réussissait.

Son baccalauréat terminé, il a servi pendant quatre ans comme officier. Comme il était bien noté, la marine lui a fait faire sa maîtrise d'océanographie dès son entrée dans le service actif; après, il a surtout fait des recherches scientifico-militaires sur la côte du Labrador et au Yukon. La marine aurait voulu se l'attacher, il aurait pu finir amiral. Il a préféré accepter un poste de professeur adjoint à l'université Memorial de Terre-Neuve. Un an après, il était à Londres, en congé comme boursier Rhodes; pendant son séjour de deux ans là-bas, il a écrit sa thèse de doctorat de géographie sur le mouvement des icebergs. Il en a aussitôt tiré un livre qui l'a consacré comme l'un des meilleurs géographes polaires au monde.

Jude a longtemps mené l'existence de l'intellectuel vagabond qui change d'université aux deux ans. Pour rien au monde, il n'aurait voulu d'une sinécure universitaire ou d'une place lucrative dans le privé. L'Institut arctique était la seule chose qui comptait à ses yeux, il s'y est donné avec toute la passion dont il est capable. Encore là, ce n'était pas assez pour un bourreau de travail tel que lui. Entre deux articles savants, il partait à l'aventure : on connaît ses chasses au kodiak dans les îles Aléoutiennes, ses escalades dans les monts Torngat en Ungava, ses expéditions où il a failli laisser sa peau vingt fois.

Aujourd'hui, il s'acquitte de sa charge d'enseignement l'automne; l'hiver, il écrit ou fait des recherches; on se demande toujours s'il lui arrive de prendre des vacances. Depuis trois ans, il est directeur du département de géographie de l'Université d'Ottawa où il conserve le même régime de travail. Pour ce poste-là, on est venu le chercher, on l'a supplié d'accepter, lui qui aurait pu prendre des charges autrement plus prestigieuses. Il a fini par accepter, un retour aux sources en quelque sorte.

Un jour, chez *Scholar's Bookstore*, le bouquiniste de la rue Friel où on trouve des chefs-d'œuvre pour quelques dollars, j'ai mis la main sur tous les livres de Jude, les cinq. Le premier n'est que sa thèse de doctorat remaniée. Je n'y ai rien compris mais je l'ai lu quand même. Le deuxième est un traité sur l'élevage du caribou, une sorte de plaidoyer écologique. Le troisième, qui a été traduit en quinze langues, est sans conteste le plus passionnant : c'est le récit de l'expédition qu'il a entreprise en compagnie de l'archéologue anglais Edmund Gwynne et qui avait pour objectif de refaire le voyage américain que la légende prête au moine irlandais saint Brendan. En quarante jours, dans une barque faite de peaux et de bois, les deux hommes ont repris l'itinéraire de l'apôtre hibernien pour prouver que celui-ci avait été en mesure, techniquement parlant du moins, de précéder les Vikings en Amérique. Cet exploit lui a valu une pléthore de décorations d'une demi-douzaine de gouvernements. De là lui est venu aussi le statut incontestable d'explorateur savant et téméraire.

Le quatrième livre est un ouvrage presque poétique sur l'Amérique russe; c'est celui que je relis avec le plus de plaisir, ces histoires de marchands de fourrures qui prennent racine en Alaska, y bâtissent des cathédrales de bois et découvrent la Californie; c'est toute une épopée muette qui reprend vie dans ce beau livre. Le cinquième, qui m'est tombé des mains à quelques reprises, je l'avoue, est un essai de stratégie militaire sur la nécessité d'affirmer la canadianité de l'océan Arctique par l'usage de sous-marins à propulsion nucléaire; c'est le texte sur lequel se fonde aujourd'hui la politique de défense nationale du Canada. Jude préparerait aujourd'hui un recueil de légendes vikings et inuit sur les origines du Canada, une sorte de long poème en prose, un conte d'explorateur.

Il paraît que sa puissance de travail a faibli dernièrement. Il s'occupe moins de son Institut arctique, il donne ses cours sans conviction, il ne publie plus. Il se soûle partout où il va, il fait scandale, on le voit souvent au Marché By entouré de petites putes en mal d'héroïne. En septembre, à une fête intime chez le gouverneur général, il a provoqué en duel le ministre Baumgarten qui avait déclaré en Chambre ce matin-là que l'argent du contribuable canadien était trop précieux pour subventionner la curiosité scientifique ou le théâtre. Jude l'a soulevé par la ceinture et après lui avoir dit mille injures, il l'a giflé pour l'assommer et lui a dit qu'il attendait ses témoins à l'aube dans le parc de Rockcliffe. Le ministre a voulu porter plainte, puis il a changé d'avis quand on lui a fait comprendre qu'il mettrait son avenir en péril en se couvrant de ridicule, tout le monde saurait que sa femme l'avait jadis trompé avec Jude, etc. Non, Jude fait ce qui lui plaît, il n'y a jamais de conséquences; on le respecte trop pour lui en vouloir.

Il n'y a rien de légendaire dans la carrière de Jude. Tout est authentique, j'ai vérifié.

5

Pendant que Jude naviguait dans l'Arctique en tenue d'officier de marine, j'épousais son ancien camarade de pension; je me mariais enceinte de trois mois, obligée, comme on dit, à un homme que je connaissais à peine. C'est mon histoire.

J'ai fait la connaissance de mon futur dans le jardin de mes parents. J'avais seize ans. Il étudiait la gestion à l'Université d'Ottawa; c'était un grand gars originaire de Sudbury, comme mes parents. Il bûchait dans les chantiers l'été pour payer ses études; il avait de l'ambition et ne trouvait rien de sentimental ou d'héroïque à se faire dévorer par les mouches noires dans le bois, à fabriquer du bois de planche dans une scierie pour l'amour d'un salaire de famine. Il était arrivé à Ottawa à dix-huit ans après ses études secondaires chez les jésuites de Sudbury.

C'était l'automne de ma dernière année à l'école secondaire. Papa faisait faire des petits travaux de peinture à la maison. Mon futur achevait ses études à l'Université d'Ottawa, et il avait proposé ses services. Mon père l'avait engagé parce qu'il aimait encourager les étudiants qui avaient le cœur de payer tout seuls leur passage à l'université. Ma mère était heureuse aussi d'avoir quelqu'un de son coin qui pourrait lui donner des nouvelles : «Tu dois connaître ça, toi, madame Mercure, celle qui mettait un bébé au monde par année pis que son mari avait pas le cœur de faire vivre comme du monde parce qu'il buvait tout le temps sa paye à la taverne? Tu dois la connaître, elle restait sur la rue Notre-Dame, une petite maison grise de mineur. En tout cas, il paraît qu'elle se meurt d'un cancer, qu'on lui a amputé les deux jambes pis que son mari, l'écœurant, l'a laissée pour une petite jeune. C'est-ti vrai, ça?» Lui, il répondait du mieux qu'il pouvait.

Il avait passé trois semaines dans la maison, déguisé en peintre avec sa casquette difforme et une salopette verte tachetée de blanc. Ma mère l'avait adopté : elle lui faisait un gros souper tous les soirs parce qu'un homme qui travaille fort de même, faut que ça mange! Mon père aimait parler politique avec lui quand il restait à veiller; avec mes frères, il bavardait hockey. Il jouait des tours à ma sœur; il était drôle, des fois. Le soir, quand il restait à veiller, il jouait de l'harmonica;

toujours le même morceau, mais il le jouait bien. La cancaneuse du quartier, madame Barabé, disait de lui : «J'ai pris mes renseignements : votre petit nouveau, c'est du bon petit monde, un beau grand gars pauvre, mais propre pis courageux, qui travaille bien à part de ça!» C'était vrai.

Ma sœur m'avait dit : «Fais attention, je pense qu'il t'aime. T'as pas remarqué? Il te parle jamais, mais il te regarde tout le temps...» Moi, il ne me disait rien; j'avais seize ans, je me demandais bien comment je pourrais intéresser un gars de vingt ans qui achevait son baccalauréat à l'université. Il n'était pas laid, pourtant, avec ses six pieds et sa coupe de cheveux à la James Dean.

La maison repeinte, il est parti vendre des chaussures à temps partiel chez Freiman, rue Rideau. À la fin de ses études, il a réussi à entrer au gouvernement, au ministère des Finances. Il est revenu nous voir, après s'être placé, comme il disait. Il habitait toujours la Côte-de-Sable, un petit appartement meublé. Le soir, il poursuivait ses études par correspondance pour devenir actuaire. Il a demandé à mes parents s'il pouvait revenir à la maison de temps en temps, pour faire son tour, dire bonjour. Bien sûr, mon grand, n'importe quand! La porte est grande ouverte!

Il restait très réservé avec moi. Il m'a parlé une seule fois. C'était au jardin, je me berçais dans la grande balançoire de bois. Il a voulu me dire bonjour, mais s'est étouffé avec ses mots. J'ai eu pitié de sa gêne, je lui ai parlé, ça l'a encouragé. Il m'a appris qu'il logeait chez madame Élizabeth. Est-ce que tu connais Jude? Oui! Comment il est pour vrai? «Si tu veux, je peux te le présenter?» Du coup, je l'ai trouvé intéressant. Gentil aussi.

Il me regardait beaucoup, mais il ne se décidait pas vite, alors ma sœur a pris les choses en mains. Pour me rendre service, comme elle me l'a expliqué plus tard.

Elle est allée le trouver, ils ont pris un café ensemble, et il lui a confié qu'il était fou de moi. Comme elle trouvait qu'il ferait un bon parti, elle s'est mise à jouer les entremetteuses. Pour me rendre service, toujours. Je terminais ma douzième année chez les sœurs, au Couvent Rideau, je comptais entrer en préuniversitaire en septembre : je voulais étudier les langues étrangères, aller à Genève, devenir interprète aux Nations unies, voyager, voir du monde neuf, des pays inconnus. Je venais d'avoir dix-sept ans et je n'avais pas d'ami; je n'en cherchais pas non plus, je n'étais pas pressée, je me disais que je finirais bien par rencontrer quelqu'un à l'université. Je n'avais nulle envie de me marier au plus vite, comme la plupart de mes camarades d'école qui seraient à peu près toutes mères de famille avant vingt ans. On était en mai, le bal des finissants approchait; ma mère et ma grande sœur tenaient absolument à ce que j'y aille. «Ce sera un des plus beaux jours de ta vie; faut pas manquer ça.» Comme je craignais un peu d'y aller, je leur répondais que je ne pourrais pas parce que je n'avais personne pour m'y accompagner. «On va t'arranger ça, t'inquiète pas», a dit ma sœur. Le soir même, le téléphone a sonné, c'était lui qui me demandait à sortir : il voulait aller voir un film samedi. Même si je savais comment expliquer cette spontanéité suspecte, j'avoue que je ressentais un certain plaisir à marcher dans le piège qu'on me tendait, comme si tout cela n'avait été qu'une immense farce où je serais actrice et spectatrice à la fois. Je me trouvais astucieuse d'accepter son invitation. Et puis, j'y trouvais l'avantage supplémentaire de clouer le bec à mes amies du couvent qui disaient toutes que j'étais trop petite pour embrasser un gars, qu'on ne trouve pas facilement d'amis quand on mesure seulement cinq pieds, que j'avais encore trop l'air d'une petite fille, etc. Là, elles verraient. Enfin, il y avait ma mère qui était heureuse de me voir sortir, elle trouvait que j'aimais trop les livres pour mon âge; et il y avait ma sœur, déjà très pressée d'épouser son fiancé instituteur, qui s'imaginait qu'il n'est point de bonheur plus grand que d'avoir un homme dans sa vie.

6

Il est arrivé le samedi à six heures tapant : cheveux bien lustrés, veston bleu marine, pantalon gris, chemise blanche, cravate rouge, l'air parfait du jeune homme qui a de l'éducation et sait le montrer. Les trente minutes de visite réglementaire aux parents ont dû le faire souffrir sans fin. Il était nerveux, fumait une cigarette après l'autre et, pour se donner contenance, il parlait surtout à mes parents : de base-ball, de sa mère malade, de politique. J'avais hâte qu'on parte.

Il m'a emmenée voir *Easy Rider*, avec Dennis Hopper et Peter Fonda; il a acheté mon billet, même si je lui ai dit que ça n'était pas nécessaire, mais il y tenait beaucoup : «C'est moi qui paie. Qu'est-ce qu'ils penseraient de moi, tes parents, s'ils savaient que je te fais payer ta part? Ils penseraient que je suis un pas-de-cœur, ou que je sais pas vivre! Jamais de la vie!» En toute sincérité, je dois dire que je n'étais pas plus intelligente que lui et que j'ai accepté de bonne grâce la convention du temps.

Il portait des souliers blancs, c'était la mode pour les jeunes hommes chic. Mais ce c'était pas la mode pour tout le monde : quand nous sommes sortis du cinéma, un groupe d'enfants s'est mis à se moquer de lui. «Regarde le monsieur, il a eu un accident. Regarde-le, il a les deux pieds pris dans le plâtre!» Le pauvre, il a eu toute la misère du monde à faire semblant qu'il n'avait pas entendu.

Je lui ai dit que j'avais aimé le film. Lui, il l'avait trouvé un peu long; il préférait les films de guerre où, au moins, il se passe quelque chose. On est allés au *Del Rio*, sur Rideau, le restaurant étudiant de l'époque. Ce n'était décidément pas sa soirée : il a commandé des spaghettis, et pour les manger, il a noué sa serviette de papier autour du cou et a tranché les nouilles avec son couteau et sa fourchette. Au moment de commencer à manger, il a entendu le client d'à côté demander tout haut à sa compagne si le monsieur était venu pour la barbe ou les cheveux. Une vieille blague. Il en a eu l'appétit coupé et a dit : «Je sais pas pourquoi j'ai commandé ça, j'ai plus faim tout d'un coup.» Pour une des rares fois de la soirée, il est resté silencieux pendant plus de deux minutes.

Il m'a raccompagnée sous la pluie. J'avais mon manteau, il n'avait pas de parapluie. Devant la maison, on a parlé un peu sous un arbre. Il n'a pas essayé de m'embrasser, et moi, je n'arrivais pas à avoir envie de sa bouche. Trois fois, il m'a demandé s'il pouvait me rappeler et j'ai répondu oui pour pouvoir rentrer au plus vite. Des années plus tard, il m'a gentiment reproché ma froideur de ce soir-là : «Après tout, c'est moi qui avais payé pour les deux...»

Dès son départ, la lumière de la cuisine s'est allumée. Ma mère et ma sœur étaient là qui m'attendaient en robe de chambre. «Pis, comment ça s'est passé? Au moins, c'est pas un gars gêné, ça paraît qu'il aime rire. Est-ce que le film était bon? De quoi avez-vous parlé? Est-ce qu'il a payé pour les deux ?» Je les ai laissées sur leur faim en montant me coucher tout de suite.

Le lendemain dimanche, il a téléphoné à midi. Il voulait m'emmener voir les tulipes sur la Colline du Parlement. Ma sœur s'est jetée sur moi dès que j'ai pris le téléphone. Elle m'a soufflé à l'oreille que je devais dire non pour le faire languir un peu, tactique légitime parce qu'il ne faut pas montrer aux hommes qu'on s'intéresse trop à eux, sinon ils ne te respectent plus, toutes les femmes savent ça. Là, j'en ai eu assez et je lui ai répondu que tous ces jeux quétaines m'agaçaient et que j'irais respirer le parfum des tulipes parlementaires avec lui, même si je n'en avais aucune envie. «T'es trop vite en affaires, tu vas le regretter, ma sœur a dit. Regarde-la faire, maman, elle va se marier avant moi!»

C'est lui qui était vite en affaires. Quand il m'a emmenée boire une orangeade au Château Laurier après les tulipes, il m'a fait sa grande déclaration. Je n'en revenais pas : «Mais tu me connais presque pas; c'est la deuxième fois seulement qu'on se voit; tu peux pas dire que tu m'aimes juste comme ça, de même...» Pour lui, c'était tout réglé d'avance. Il avait déjà un poste permanent au ministère des Finances; avec un peu de temps, il deviendrait actuaire et finirait sous-ministre aux Finances ou au Conseil du Trésor. Il avait vingt-deux ans, voulait se marier tôt, s'établir, avoir des enfants, acheter une maison. Mener une vie normale, comme il disait, faire comme tout le monde, être heureux. «Écoute, je le sais que t'as rien que dix-sept ans, mais ça fait rien, ça. T'es une fille à mon goût, y a que ça qui compte. Ça fait que... repenses-y comme il faut; je suis certain que tu vas finir par voir que c'est une bonne idée. On peut sortir ensemble pour le moment, pis on verra dans le temps comme dans le temps. Je serai patient. Moi, je t'aime, pis ça finit là, O.K.?» Là-dessus, il a avalé son Coke d'un grand trait, puis a dit à la serveuse, d'un ton décidé : «Mademoiselle, un autre grand Coke, s'il vous plaît!»

Ce n'était pas un mauvais gars, mais il donnait tellement l'impression d'être sûr de lui qu'on aurait dit qu'il était sûr pour les autres aussi. À mon avis, il constituait un parti d'avenir si on aime le genre planificateur financier qui pense à tout. La vie qu'il concevait était si parfaite qu'il s'offusquait qu'on pût désirer autre chose. Si j'avais été chef d'entreprise, je n'aurais engagé que des gens comme lui, ma fortune aurait été assurée. Seulement voilà, je n'étais pas chef d'entreprise : j'étais une petite femme de dix-sept ans.

J'ai commis la sottise d'aller raconter cette aventure à ma sœur, qui est évidemment allée tout répéter aux autres. Du coup, j'étais faite à l'os. Oh! le beau couple! À compter de ce jour-là, pour la famille, pour tout le quartier, pour mes amies à qui je n'avais pourtant rien dit, j'étais un peu fiancée. Maintenant, je sortais avec lui, j'étais sa «blonde», j'étais la sienne. La première chose que j'ai sue, mon futur était toujours à la maison : il venait souper tous les dimanches, il venait me chercher pour sortir le vendredi et le samedi et me téléphonait tous les soirs. C'est lui aussi qui m'a accompagnée au bal des finissants, comme de raison : il a loué une auto pour l'occasion, une Oldsmobile grise, et quand il est passé me prendre, mon père lui a serré la main en disant : «Faites pas de folies, hein, les enfants...» Et ma mère, par derrière : «Prenez soin l'un de l'autre, là...»

C'est au bal que j'ai dansé un slow pour la première fois : *The Sound of Silence* de Simon et Garfunkel, c'était bon, je me rappelle. Pour la première fois de ma vie, je tenais un homme contre moi, il me serrait fort et j'ai senti à ce moment de l'affection pour lui. Je l'ai laissé me caresser et j'ai tenu à l'embrasser à la fin. Il avait l'air si heureux, c'était comme si je lui avais donné un million.

Après le bal au Château Laurier, on est allés à une fête chez une amie dont les parents avaient eu la galanterie de partir pour la fin de semaine. On avait toute la maison à nous, on s'est tous mis en jeans et en t-shirts. Pendant qu'on se changeait, une des filles m'a dit : «Il est beau, ton ami, mais mon Dieu qu'il a l'air sérieux! Il doit être plus vieux que nous autres.» Pour rire, j'ai répondu : «Il a vingt-deux ans, mais en dedans, il en a quarante-cinq!» Les gars ont sorti les caisses de bière; on faisait jouer *Can't Get No Satisfaction* à pleine tête, on dansait autour de la piscine, deux gars se sont jetés dedans tout habillés. C'était une belle fête, ma première vraie sortie, j'étais heureuse. C'était le bal des finissants, bientôt l'université pour certains, le travail pour d'autres; une nouvelle vie pour tout le monde; on était heureux de devenir adultes. Je suis rentrée à cinq heures du matin puisque c'était permis ce soir-là. Sur le perron, il m'a demandé si je l'aimais. «Je sais pas.» C'était la vérité.

7

L'été parfait. Les gars et les filles laissaient allonger leurs cheveux; on écoutait Jimi Hendrix, Led Zeppelin, Leon Russell, Joe Cocker. On entendait parler de gars dans le voisinage qui prenaient de la drogue; on prévoyait des grèves étudiantes partout pour la rentrée; un camarade de mon frère à l'université avait annoncé à sa famille qu'il partait pour l'Amérique du Sud pour un an; sa sœur, elle, faisait déjà le tour de l'Europe sur le pouce. On aurait dit que notre génération venait d'entrer en bloc dans le monde; nous nous ressemblions tous, de San Francisco à Berlin, en passant même par Ottawa.

Pour la première fois, je me sentais maîtresse de ma vie. Je travaillais comme secrétaire-dactylo dans un bureau d'assurances, je gagnais bien, je m'habillais à mon goût, je dépensais sans trop penser. Je ne m'inquiétais de rien, mes études universitaires étaient payées d'avance, j'avais toutes les bourses d'excellence qu'on pouvait désirer. La vie était belle, facile. L'été des enfants-fleurs.

Il m'a rappelée le lendemain du bal pour me dire qu'il m'aimait et qu'il m'attendrait toute sa vie s'il le fallait. Pour ma part, je trouvais sa détermination touchante et je m'habituais à lui; je commençais même à le trouver beau, à éprouver du désir pour lui. On se voyait souvent, mais ça me pesait moins. Il venait me chercher au bureau tous les soirs et on marchait jusque chez moi. Parfois, il restait à souper. La fin de semaine, on sortait. C'était bien.

C'est en septembre que j'ai décidé de faire l'amour

avec lui. Depuis le début, on se contentait de longues embrassades passionnées d'où nous ressortions tout palpitants : au cinéma, avec quarante autres couples qui faisaient la même chose autour de nous; le soir, dans le salon, quand tout le monde était sorti et qu'il arrêtait de m'embrasser pour ne pas trop manquer le film; au parc Strathcona, le long de la rivière Rideau, où on passait plus de temps à tuer des moustiques de nos mains qu'à nous aimer. L'automne venu, avec cet air de liberté qu'on respirait partout, j'avais envie d'aller plus loin. Je savais bien que je ne l'aimais pas, mais quelque chose au fond de moi me le faisait désirer un peu plus chaque jour.

Quand je lui en ai parlé la première fois, il s'est cabré; ma foi, il avait l'air presque offensé! «Je te respecte bien trop pour ça!», qu'il m'a dit. Sa réponse m'a déçue : je m'attendais à autre chose d'un gars de vingt-deux ans, même s'il avait sacrifié sa vie de jeunesse pour se payer des études universitaires. Il en mourait d'envie, c'était évident, mais son catholicisme mêlé de machisme le retenait. Son mensonge me décevait aussi dans la mesure où il semblait s'en vouloir de ne pas avoir eu le premier la présence d'esprit d'en parler.

– Je te croyais pas prête!

– On est un homme et une femme, non? On est libres, on a le droit.

– Si on le fait ensemble, ça veut dire que tu m'aimes?

– Pas forcément.

Là-dessus, il m'a regardée comme si j'étais folle ou, pire, la dernière des dernières.

– Hé! je le sais ce que tu viens de penser, pis j'aime pas ça. Fais très attention à ce que tu vas dire...

Il s'est calmé sur le coup. Puis il a paru réfléchir.

– Mais si tu tombes enceinte, on se marie?

J'ai haussé les épaules parce que je croyais la question superflue. Je n'aurais pas dû : pour lui, ça voulait dire oui.

La semaine suivante, dans sa petite garçonnière de la rue Stewart, nous nous sommes décidés. Ça s'est bien passé, c'était très tendre, très beau. Pour lui aussi, c'était nouveau. Il était tellement nerveux qu'il fumait des cigarettes à la chaîne; pour lui donner confiance, j'en ai même allumé une. À la troisième tentative, cette fin de semaine-là, il a connu l'extase et moi, la paix. Il s'en voulait, je me rappelle, de crier sa joie; il avait peur d'alerter les voisins ou de passer pour un animal, je ne sais plus. Il n'arrêtait pas de dire qu'il m'aimait à la folie, que nous nous rappellerions ces moments-là quand nous serions vieux. Même dans le plaisir, il demeurait le planificateur de métier qu'il était, l'homme qui pense pour l'avenir.

Le plus souvent, nous faisions l'amour à la sauvette parce que mes parents se doutaient de quelque chose et qu'ils n'auraient pas apprécié. Leurs doutes faisaient d'ailleurs qu'ils commençaient à le trouver moins bien; allant même jusqu'à lui trouver des défauts : il riait trop fort, n'utilisait pas toujours sa serviette à table, tutoyait mon père des fois et, après le souper, ne partait plus. Un de mes frères m'a même demandé ce que j'attendais pour me faire un nouvel ami.

Quand mes nausées ont commencé, j'ai couru chez le médecin de l'université pour me faire rassurer. C'était un brave homme qui en voyait d'autres : «Écoutez, je ne veux pas vous faire de peine, mais...»

J'ai pensé devenir folle. La moitié de la journée, j'essayais de me faire croire qu'on me jouait un tour, que le malaise s'en irait comme par enchantement et que j'en serais quitte après pour une bonne peur. L'autre moitié de la journée, je savais que c'était vrai et que j'étais seule. Je n'avais personne à qui parler, et dans mon catholicisme innocent, j'ai mis longtemps à envisager la solution des faiseuses d'anges. Encore là, je ne savais pas où m'adresser, quoi faire. Puis j'ai vu une annonce dans le journal, j'ai trouvé un numéro de téléphone, je me suis renseignée. C'est ainsi que je me suis retrouvée dans une rue de Montréal un dimanche matin, devant un autobus qui avait pour destination un avortoir de New York. Au dernier moment, je n'ai pas eu le courage de monter.

Pendant un mois, j'ai vécu dans un état somnambulique; je ne reprenais mes esprits que pour me retenir de vomir devant ma mère. J'allais aux cours distraitement, mes travaux n'avançaient pas, je me dirigeais tout droit vers l'échec. Je n'ai pas vu passer les Fêtes cette année-là. Lui ne se doutait de rien : il me téléphonait, je lui raccrochais au nez, il rappelait le lendemain; je m'arrangeais pour l'éviter, il ne désarmait jamais; je l'envoyais promener, il revenait toujours. Je devais parler à quelqu'un. Finalement, sur les conseils du médecin, je suis allée voir l'aumônier de l'université, un brave homme qui portait le col romain et citait Saint-Exupéry à tout bout de champ. Ma conversation avec lui m'a fait beaucoup de bien; il ne m'a pas donné de conseils, il m'a juste aidée à ordonner mes réflexions. Après l'entrevue, je me suis enfin résolue à parler à l'autre. On s'est vus au *Del Rio*, dans un coin sombre, un soir de semaine, pour être tranquilles.

Sa réaction m'a sidérée. En de telles circonstances, m'étais-je dit, les hommes doivent plutôt avoir tendance à sacrer le camp. Pas lui : il était fou de joie.

– Ça veut dire qu'on va se marier, toi pis moi! Tu te souviens de ce qu'on disait à propos de ça? Que si tu tombais enceinte... Bon, ben, ça y est! On va avoir un bébé, mon amour, penses-y! Ah! je sais bien qu'on aurait mieux aimé attendre... mais tu vas voir ça, il va être bien avec nous, ce petit-là. Ah, ma chérie, aie pas peur, on va être heureux ensemble, les trois. J'ai tellement hâte de l'annoncer chez nous...

Puis il s'était repris pour dire d'un ton plus grave :

– Tes parents le savent-ti? Non? Pas encore? Bon, ben, écoute, on va leur annoncer la nouvelle dimanche, O.K.? Veux-tu avant ou après souper?

Je n'en revenais pas. Il n'y avait donc rien de compliqué pour ce gars-là! Je m'étais tout à coup sentie plus seule que jamais avec mes pensées, pendant que lui se demandait tout haut s'il valait mieux attendre un an ou deux avant d'acheter une maison, et vivre en appartement en attendant, mais où : au centre-ville, près de son travail, mais c'est plus cher, ou en banlieue?

– Ça va être mon gars... ou ma fille! Tu vas voir ça, je vais m'en occuper comme il faut, pis je vais t'aider dans la maison. Cet enfant-là, en tout cas, il aura pas besoin de bûcher dans le bois toute sa vie pour gagner ses trois repas par jour...

Je lui ai souri, pour reprendre contenance. Au même moment, j'ai aperçu dans le coin un camarade de l'université, un grand Berbère aux cheveux frisés et aux yeux bleus immenses, un gars qui m'intéressait beaucoup. Il m'a vue lui aussi et il m'a renvoyé le sourire que j'adressais à mon futur. Attristée par la méprise, je n'arrivais plus à écouter l'autre qui continuait de planifier :

– Bien sûr, on pourra pas faire des grosses noces

comme on aurait voulu, parce qu'il faut se dépêcher... mais un jour, tu vas voir ça, on va se payer une belle petite lune de miel rien que pour nous deux, pis quand les enfants seront assez grands pour se garder tout seuls, on ira en Europe. Paraît que c'est beau par là, je connais quelqu'un qui y est déjà allé.»

La machine était lancée et je n'ai eu ni la force ni le courage de m'opposer à son mouvement.

L'annonce faite aux parents s'est bien passée. L'aumônier nous a accompagnés pour la circonstance; c'était un dimanche après-midi, ma mère avait fait du thé et du sucre à la crème. En guise d'entrée en matière, l'aumônier a fait un petit commentaire sur l'Évangile selon Saint-Exupéry : il disait en substance que chacun est responsable de sa rose. Surpris mais toujours attentifs, mes parents lui ont demandé ce qu'il voulait dire par là : «Monsieur, madame, votre fille et son ami ont un secret à vous dire. C'est une bonne nouvelle, vous verrez...» J'avais prévu leur réaction : maman m'a serrée contre elle et mon père, la larme à l'œil, est allé serrer la main au futur. Le prêtre est resté à souper et à dix heures le soir même, tous les détails de la noce étaient arrêtés.

On a fait un petit mariage : c'est comme ça quand on fête Pâques avant les Rameaux. On était une dizaine dans la chapelle de l'Université d'Ottawa, avec l'aumônier qui n'a pas manqué bien sûr de citer un passage de *Terre des hommes* et un autre de *Vol de nuit*. Mon mari n'avait qu'un ami avec lui; personne de sa famille n'avait pu descendre de Sudbury à cause du mauvais temps. Il a dit qu'il n'en était pas mécontent de toute façon, parce qu'il craignait de voir ses parents déplaire aux miens à cause de leurs manières de bûcherons. En sortant de la chapelle, ma sœur m'a soufflé à l'oreille : «Je te l'avais bien dit que tu te marierais avant moi...» Celle-là, je l'attendais depuis un moment déjà.

Dehors, il avait tellement neigé qu'il a fallu se frayer un sentier à la file indienne sur le trottoir. Dans la nuit tombée, encapuchonnés comme nous l'étions, courbés sous la rafale, nous devions faire penser à une colonne de moines rentrant de la prière.

Ma fille est née à l'été. J'ai eu le temps d'achever ma première année universitaire, au grand étonnement de ma sœur qui disait que c'était inutile de poursuivre mes études maintenant puisque, de toute façon, j'étais mariée. J'ai continué par après à temps partiel, quand les soins du bébé me laissaient libre. D'abord le baccalauréat, puis la maîtrise d'administration publique. Ce n'était pas la gloire de l'interprétariat genevois, mais c'était tout de même mieux que rien; je pouvais difficilement faire plus sans bouger d'Ottawa.

Pendant ce temps-là, Jude gagnait la médaille de bravoure militaire, en temps de paix. À la tête d'un parti de rangers inuit, il avait surpris un sous-marin soviétique emprisonné dans les glaces de la baie d'Hudson. Il avait arrêté le commandant et son équipage, et comme la tempête interdisait l'envoi de renforts, il avait guidé tout son monde dans la nuit arctique : une marche forcée de cinquante kilomètres où ils auraient tous péri n'eût été de sa science du Nord. Pour ne pas blesser ses hôtes forcés, on a qualifié son intervention d'humanitaire : les sous-mariniers soviétiques ont été reconduits sagement à leur consulat, à l'exception d'un mécanicien qui a fait défection. Son aide fut précieuse par la suite dans l'opération de récupération du sous-marin, lequel a ensuite été gentiment remis aux services secrets de la marine américaine. L'affaire ne s'est pas faite sans photographies sur lesquelles Jude apparaissait avantageusement, entre le commandant soviétique au visage triste et un ranger inuit au sourire éclatant. Jude était déjà un héros.

8

Je n'ai jamais été malheureuse avec mon mari, du moins pas à cause de lui. Non, mon angoisse me venait surtout de mon incapacité à trouver le moindre bonheur nulle part; j'étais constamment envahie de sentiments de culpabilité à cause de mon inaptitude à les aimer, ma fille et lui, alors qu'eux m'étouffaient de leur joie de vivre. Lui disait son bonheur chaque fois que l'occasion se présentait : quelle chance formidable il avait d'avoir une femme qui tenait bien maison tout en faisant des études difficiles, une bonne mère qui faisait aussi de la poterie et jouait du piano, une femme bilingue mais qui savait tenir sa langue dans les mondanités du bureau, qui savait faire la cuisine, qui savait recevoir, qui faisait toujours bonne impression sur tous! Il n'y a pas à dire : on peut faire parfaitement les choses sans en avoir le goût ni la vocation.

Notre mariage a toujours conservé les apparences d'une union modèle. On ne se chicanait jamais : gestion des finances, affaires du ménage, éducation de notre fille, le train-train, l'entente était parfaite. Il avait ses idées, j'avais les miennes; il avait sa carrière, j'avais mes études. Il est resté au ministère des Finances, je suis entrée dans l'administration universitaire. Il s'entendait bien avec ma famille; j'ai peu vu la sienne.

Au tréfonds de moi, je craignais constamment d'exploser, de tout envoyer promener, de ne plus pouvoir me retenir un jour. Le récit des malheurs d'autrui n'arrivait pas à soulager mon angoisse. J'entendais ma mère dire tout le temps : «C'est sûr que la vie, c'est pas drôle tous les jours, même si on a tout pour être heureux, mais quand on pense à la misère des autres, faut pas se plaindre, faut s'endurer...» Ces paroles n'avaient aucun effet sur moi. Je regardais ma petite grandir et je me répétais souvent : «Attends, tu vas voir, un de ces jours, ce sera mon tour!»

Mon mari a fait ce qu'un homme comme lui fait normalement. Il a travaillé d'arrache-pied et attendu les promotions qui sont venues en temps et lieu. Il s'est tué à la tâche pour un ministre qui l'a récompensé : il a fini directeur général au Conseil du Trésor. La première année, nous avons habité en appartement; la deuxième année, nous avons acheté une maison en banlieue, à Orléans, l'autre bout du monde pour une fille de la Côte-de-Sable comme moi, mais mon mari tenait à ce que notre fille ait une grande cour derrière la maison pour jouer. Quand la petite est entrée à l'école, nous avons profité de l'inflation immobilière à Ottawa pour acheter une vieille maison du centre-ville que nous avons retapée puis revendue à prix d'or; nous avons acheté, retapé et revendu comme ça pendant huit ans, chaque fois pour emménager dans plus beau, plus gros, plus cher. Nous y avons gagné un argent fou et une superbe maison. «Si c'est pas nous autres qui en profitent, ça va être les autres», disait mon mari. Jusqu'au jour où nous sommes revenus dans la Côte-de-Sable pour y occuper une ancienne résidence d'ambassade dont mon mari rêvait depuis ses jours d'étudiant. Avec le profit d'une autre transaction immobilière, il s'est offert une Jaguar. «Regarde, mon amour, tout ce qu'on a : la maison historique restaurée, la Jag, les meubles suédois, pis dire que le jour de notre mariage, il y a dix ans, on buvait de la bière. Astheure, on est au champagne. Tu trouves pas qu'on a fait du chemin?» Ses calculs étaient exacts.

La rencontre avec Jude a tout fait basculer. Ce soir-là, alors que mon mari et moi rentrions à pied sous la neige qui tombait dru, je me suis dit que la fin était proche, que j'avais décidément trop envie d'amour pour continuer longtemps comme ça, qu'un jour je me donnerais à un homme que j'admirerais de tout mon cœur et que je serais à lui dans la démesure totale. C'était il y a cinq ans.

Ma vie m'est alors apparue dans toute sa vacuité. J'avais trente ans; j'étais mère d'une fille de douze ans; je vivais dans une belle maison à l'abri de la misère pour toujours; j'étais bien ancrée dans ma carrière à l'université, gestionnaire du programme des prêts et bourses; je m'adonnais à l'artisanat, je suivais des cours d'aérobie pour garder la forme, j'allais au théâtre, au ballet et au cinéma avec des amies. Tout cela pour tuer le temps.

J'avais un mari qui suivait toutes les modes avec passion. Il a cessé de fumer et s'est mis à jogger le matin, il a découvert l'alimentation naturelle, il s'est laissé pousser les cheveux et la barbe; il s'est entiché d'une bande de khmers rouges platoniques qui ne parlaient que de retour à la terre dans le délire du repli fœtal célébré au lait de chèvre et au végépâté; il s'est ensuite converti à quelque secte de fous de la Bible qu'il a laissé tomber le jour où son fondateur s'est fait prendre dans une histoire de mineurs sodomisés. Puis, il s'est donné une sorte de look nouveau genre, il a pris goût aux costumes bien taillés et aux restaurants français moins les viandes; il lisait, même. Enfin, comme dernière trouvaille, il s'est fait poser un accent français : il a tempêté pendant des mois pour me faire accepter l'idée de mettre notre fille au lycée français d'Ottawa, le fameux lycée Claudel, où elle apprendrait à parler comme du monde, selon son expression. Il interdisait désormais à notre fille de dire «mon oncle» et «ma tante», il fallait dire «oncle Marc» et «tante Lise».

Toutes ces métamorphoses, toutes aussi ridicules que brusques, lui venaient du stress d'une carrière qu'il avait appris à détester muettement, de la crainte du vieillissement et de la conscience coupable qui vient avec l'aisance. Nous avons essayé de nous parler, de nous rejoindre : peine perdue, on ne peut discuter avec celui qui n'est que l'ombre d'un autrui multiple. Toutes nos tentatives de dialogue se soldaient par une invitation à aller visiter une maison que nous pourrions acheter et revendre très cher le lendemain. Une fois la transaction réalisée, il invitait ses amis khmers rouges à la maison pour un dîner végétarien fait de ses mains à lui et il discourait sur la nécessité malheureuse de gagner de l'argent sur le dos des pauvres dans l'attente du jour où il pourrait ouvrir son atelier de poterie quelque part, dans une campagne reculée.

Tout ce temps, il m'aimait, fidèle comme un chien, sans jamais se douter que je pouvais le tromper.

9

Si Jude est devenu l'homme phare de ma vie, c'est aussi parce que j'ai connu tous les autres hommes.

Il y a eu d'abord le Berbère du *Del Rio*, que je trouvais si beau à l'université et que j'ai retrouvé un jour embourgeoisé à souhait, traducteur de profession. Dans ses moments de lyrisme séducteur, il se disait réfugié politique, lui qui n'était resté ici que pour la piastre et ne rêvait que de Floride. J'étais une proie facile : je ne demandais qu'une escapade discrète avec un amant ardent qui se contenterait de me contenter, si je puis dire. Le seul moment désagréable de cette liaison a été notre rupture. Je savais qu'il avait trouvé une nouvelle maîtresse, et il a préféré à la franchise un mensonge gros comme le Parlement. Il m'a raconté que sa famille lui avait trouvé une fiancée dans son pays et qu'il devait mettre de l'ordre dans sa vie pour l'accueillir dignement. Il a commandé à ses yeux de s'embuer, m'a serré les mains et dit : «Allez, tu m'oublieras, va. Ça sera dur pour moi aussi, tu sais, mais je tâcherai de survivre malgré tout...» Aux dernières nouvelles, il couraille toujours et le voile de sa fiancée du désert doit avoir bien jauni.

Ensuite, il y a eu un petit Brésilien beau comme l'Amazone, au cœur très nomade. Son diplôme de chimiste ne valait rien au Canada et il vivotait en faisant des travaux de ménage normalement réservés aux Portugais. Il ne dédaignait pas de vivre au crochet de ses conquêtes et l'avouait avec une franchise très comique. Je ne l'ai pas vu longtemps, juste assez pour retrouver le goût perdu de l'amour physique, car il y avait longtemps que mon mari et moi vivions comme des pandas.

Son humour m'a séduite. Je l'ai rencontré dans un café du Marché By; il était attablé à côté de moi et racontait à un ami comment il s'était trouvé un jour dans un cinéma de Rio et que le film montrait justement des images de la rue où était situé ce même cinéma, et que les spectateurs s'étaient mis à hurler, à rire et à applaudir quand la caméra avait montré le cinéma où ils se trouvaient justement. Cette scène avait été pour lui la révélation de la fraternité humaine. Il était si beau à rire, comme ça, qu'on avait envie de le manger tout rond.

Nous avons engagé la conversation tout naturellement; il m'a demandé s'il pouvait me revoir et j'ai dit oui sans hésitation. Un jour, il m'a téléphoné. Il se trouvait à Toronto ce matin-là et il avait eu soudainement très envie de me voir, alors il avait pris l'autobus de midi, mais comme il n'avait pas d'argent, il avait convaincu le transporteur de le «livrer» à Ottawa port dû; on n'aurait qu'à téléphoner au destinataire arrivé à Ottawa, j'irais le chercher et je devrais payer son passage pour prendre livraison de lui. Il m'attendait à la gare du *Voyageur Colonial* : «Pis dépêche-toi, parce que les chauffeurs ici, ils ont pas l'air de me trouver drôle...» Je n'ai pas attendu une seconde : je trouvais son idée sublime, il ne fallait pas le laisser languir; qu'il ait eu sincèrement envie de moi ou non, ça ne comptait pas. Je l'ai retrouvé au *Voyageur Colonial*, son beau sourire détonnant parmi les visages grognons des chauffeurs fatigués. Je suis partie avec mon «colis» et je l'ai tout de suite emmené dans une boutique du centre-ville, car il ne lui restait plus que des guenilles sur le dos : je lui ai fait prendre un jean neuf pour remplacer le sien troué aux genoux, un chandail, quelques chemises. Ensuite, je l'ai emmené dans une pizzeria, à la *Colonnade*, parce qu'il n'avait pas mangé depuis deux jours. J'étais seule à la maison ce soir-là; mon mari avait emmené ma fille skier à la ferme de ses amis khmers rouges à Hawkesbury. Alors j'ai traîné le petit Brésilien avec moi au *Waterbed Motel*, dans l'ouest de la ville, après avoir acheté quelques bouteilles de mon vin préféré. Je l'ai quitté au petit matin, morte de fatigue mais sans le moindre regret.

Nous nous sommes revus souvent par la suite. Puis, nous nous sommes lassés. Il n'était plus drôle, la volupté s'attiédissait. Il est allé poursuivre ses études en Europe et je n'ai rien fait pour le retenir.

Tout ce temps-là, mon mari n'a rien vu; il continuait à faire ses comptes, à rêver d'une maison sur le bord du Canal Rideau ou à Rockcliffe. Chaque année, il parlait d'aller voir l'Europe avec la petite l'été suivant. Je finissais toujours par y aller seule avec elle; il avait peur de l'avion. C'était le train-train. Quand je revenais d'une aventure, je m'étonnais de le voir me regarder comme si de rien n'était alors que j'étais si bouleversée au-dedans. Il ne sentait même pas l'odeur de l'autre homme sur ma peau, cette odeur que je conservais le plus longtemps possible, avec le dessein inconscient sans doute de provoquer un échange violent qui mettrait un terme à notre ennui.

Enfin, Jude. Ma rencontre avec lui a été décisive dans la mesure où je me suis enfin vue quittant mon mari, ma fille, la maison; je ne voulais rien, juste m'en aller et vivre honnêtement avec moi-même. Quand

Jude a été nommé à l'Université d'Ottawa, il y a trois ans, pour mon plus grand bonheur, j'ai résolu de passer à l'action. Il fallait en finir avec le mensonge et l'habitude, faire ma vie une fois pour toutes. J'irais trouver Jude, j'apprendrais à le connaître, je l'aimerais et je le suivrais jusqu'au Pôle Nord s'il le fallait.

L'explication définitive avec mon mari n'a jamais eu lieu. Il est mort un matin de printemps, foudroyé par une crise cardiaque alors qu'il faisait son jogging quotidien. À l'enterrement, j'ai vu ma fille qui pleurait comme une Madeleine et pour la première fois, j'ai eu du chagrin de l'avoir si mal aimée tout ce temps. Comme d'habitude, après avoir été l'épouse parfaite, j'ai été la veuve accomplie, celle qui prend en mains l'avenir de la famille et console sa fille orpheline de père. J'ai fait cela consciencieusement, avec chaleur même, sans avoir besoin de feindre car je savais proche le jour où toutes ces obligations prendraient fin.

Mes fonctions m'ont amenée à revoir Jude à l'université. À titre de directeur du département de géographie, il lui arrive de présider des cérémonies; on le voit aussi aux cocktails du doyen de la faculté ou du recteur. J'ai assisté religieusement à toutes ses conférences. Chaque fois, je priais pour que le hasard nous rapproche. Quand j'ai pu lui parler pour la première fois, à un vernissage, il a été très aimable mais sans plus. Oubliée, la petite fille de douze ans qui le trouvait si beau; oubliée, la femme qui avait épousé son ancien camarade; oubliée, celle qui le dévorait des yeux. Je n'étais rien pour lui; déjà trop vieille à trente-cinq ans, avec une vie ordinaire derrière moi, je n'étais pas de taille.

Après cette rencontre ratée, je me suis copieusement botté le derrière, trouvant tout à coup mon engouement pour lui parfaitement ridicule, indigne d'une femme, de quiconque. Évidemment, le moment était mal choisi : je ne ressemblais pas à la femme que j'étais vraiment, mon veuvage n'avait que deux ans, la transformation n'était pas complète, on ne change pas comme on veut après quinze ans d'hibernation. Je sortais à peine du cirque pénible des formalités de succession, je n'avais pas toute ma tête à moi et je devais avoir l'air d'une pauvresse ce soir-là avec ma robe démodée et mes cheveux trop courts. Non, décidément, le moment n'était pas propice, je n'étais pas prête. Un jour, peut-être.

Il m'arrivait de me trouver sotte, moi qui avais deux fois l'âge de ses admiratrices consentantes, moi qui ne pourrais jamais le suivre dans aucune de ses expéditions téméraires. Quand ma rêvasserie me reprenait, pourtant, je me comptais heureuse d'éprouver autant de passion pour cet homme lointain; l'âge et l'habitude ne m'avaient pas faite encore trop raisonnable. Il m'en restait une impression fugitive de bonheur. Je le revoyais parfois au Marché By, dans le Petit Édimbourg, dans la Côte-de-Sable, chaque fois richement accompagné, l'heureux homme, mais je ne haussais jamais les épaules de résignation. Je me contentais de le regarder.

Entre temps, par stricte mesure d'hygiène, je l'avoue, il m'arrivait de voir un officier supérieur de marine, un sympathique contre-amiral qui n'a jamais navigué, veuf et déjà grand-père. Un brave homme à l'image de mon défunt mari, d'une bonne famille de Nouvelle-Écosse, bilingue par ambition, ingénieur de formation, qui a fait une longue carrière de gestionnaire; l'homme tout désigné pour décider de l'achat d'un sous-marin nucléaire mais qui serait bien en peine de le piloter. Un autre marin. Il voulait, mon prétendant, que je m'établisse avec lui en Nouvelle-Écosse quand il prendrait sa retraite pour gérer là-bas la ferme familiale; je pourrais l'y suivre, entrer au service d'une petite université. Et puis un jour, on irait vivre dans sa villa des Bahamas où il n'y a pas d'impôts et où il fait toujours beau. Non, merci : ma vie a été suffisamment planifiée par d'autres. Je répondais évasivement, pour ne pas le blesser. Parfois, comme avec mon mari, je l'aurais préféré laid, bête et méchant, car c'est difficile d'être dure avec un homme bon et sincère.

10

J'en étais à peu près là quand, vers la fin décembre, je suis rentrée à la maison et j'ai trouvé un message de ma fille près du téléphone : «Rappelle madame Élizabeth quand tu rentreras. C'est urgent, on dirait.»

«Ah, c'est vous, ma petite Marie Fontaine! Comme c'est gentil à vous de me rappeler si vite. Occupée comme vous l'êtes, vous êtes bien aimable de trouver une minute pour parler à une vieille comme moi. Comment allez-vous, ma petite? C'est dur d'être veuve, n'est-ce pas : on a l'impression de porter malheur, d'être maudite, de ne plus être aimée de personne... Et puis, entre nous, ma petite Fontaine, ça doit être encore plus dur à votre âge de tomber seule quand on a eu un mari à soi si longtemps, non? Vous n'êtes pas obligée de répondre, je ne suis qu'une vieille folle qui pose des questions indiscrètes; ne vous occupez pas de moi...

«Dites, ça ne vous dérange pas que je vous appelle

ma petite Fontaine, au moins? Je me souviens de vous quand vous étiez toute petite, quand vous passiez chez moi habillée en jeannette pour vendre des gâteaux ou des tablettes de chocolat. C'était toujours pour quelque bonne œuvre paroissiale, en tout cas. Vous étiez toujours gênée, polie, vous vous rappelez? Et vous avez si peu grandi depuis l'adolescence, soit dit sans méchanceté, c'est pour cela que vous êtes restée ma petite Marie.

«Et puis, il y a eu votre mari que j'ai si bien connu. Il habitait chez moi, il y a si longtemps... Jude aussi était dans la maison à l'époque, vous devez le connaître, tout le monde le connaît, la terre entière doit savoir son nom! Qui l'aurait cru à l'époque où lui et votre mari pelletaient ma cour l'hiver?! Comme tout le monde, je l'ai aidé un peu, et il me l'a bien rendu. Vous savez, il ne m'a jamais oubliée, moi, sa vieille madame Élizabeth, qui l'a tant encouragé à ses débuts. Il vient me voir souvent.

«Dites, je ne vous dérange pas au moins? Vous avez sûrement mieux à faire que de causer au téléphone avec moi, non? On me dit que vous vous êtes bien débrouillée, que vous avez une belle carrière devant vous. C'est bien, c'est très bien, je vous félicite! Vous pourrez dire que vous aurez fait quelque chose de votre vie, alors que vous auriez pu vous laisser vivre comme tant d'autres... Alors permettez que je vous admire! Votre mari aussi était un bon petit gars, un peu limité si vous voulez mon avis, mais une crème d'homme, ça, oui! J'ai eu de la peine quand il est mort, c'est la seule peine qu'il nous ait jamais faite, n'est-ce pas? Vous avez une fille aussi. Elle vous quittera à l'automne pour l'université, comme ça va vite, il me semble que vous vous êtes mariés hier... Le temps passe.

«Mais, dites-moi, vous êtes venue chez moi deux ou trois fois, vous devez vous souvenir de cette fête que j'organise chaque année. Vous savez, pour les Rois? Eh bien, je veux vous réinviter cette année; auparavant, vous veniez parce que vous étiez mariée à mon ancien pensionnaire, eh bien, à compter de maintenant, je tiens à ce que vous veniez pour vous-même, parce que vous me plaisez, voilà. Et puis, je me suis dit aussi que les distractions doivent être bien rares pour une veuve, même jeune, intelligente et jolie dans votre genre. Je vais vous parler franchement, il y aura beaucoup d'hommes à ma fête, on ne sait jamais, vous pourriez rencontrer le grand amour. Rassurez-vous, je plaisante, je ne vais tout de même pas me mettre à faire carrière de maquerelle ou d'entremetteuse, à l'âge que j'ai, tout de même... Alors, c'est oui? Ce sera le premier samedi de janvier, c'est à côté de chez vous, je vous attends!»

Elle avait dit le mot magique : Jude. Bien sûr que j'y serais, à sa fête. Peut-être même que j'y serais allée sans lui car je n'ai que de bons souvenirs de madame Élizabeth : elle est si accueillante, si charmante malgré sa franchise.

Madame Élizabeth ne doit pas avoir eu de mal à me retrouver. Nous habitons la même rue, Blackburn : elle, dans ce qu'on appelait le «bout riche» quand j'étais enfant, et moi dans le «bout pauvre», qui ne l'est d'ailleurs plus. C'est une rue qui a la forme d'une vallée; elle commence à tomber rue Laurier, fait un creux à Somerset, puis remonte vers Templeton et Mann. Autrefois, quand j'étais petite, le «bout riche» appartenait aux hauts fonctionnaires et aux ambassadeurs de petits pays; dans le «bout pauvre», il y avait des familles nombreuses, particulièrement canadiennes-françaises. Entre les deux bouts, on trouvait surtout des maisons d'étudiants. Quand mon mari a acheté la maison, il tenait à se rapprocher un jour le plus possible de Laurier; le «bout pauvre» lui rappelait trop l'odeur tenace de la soupe aux restes, du pâté chinois trois fois réchauffé, du tabac à pipe bon marché. Il a vite constaté qu'il n'avait rien à craindre : toute la rue Blackburn s'est gentrifiée au fil des ans, toutes les maisons ont été restaurées par des spéculateurs; il n'y a plus d'étudiants de nos jours, la rue est trop chère pour eux.

J'en étais encore à ce souvenir quand madame Élizabeth a lancé son harpon pour la deuxième fois :

– Je vous ai dit que Jude serait là... Vous vous souvenez de lui, n'est-ce pas?

– Oui, oui, très bien. Il s'entendait assez bien avec mon mari...

– C'est un homme très occupé, mais il sera là quand même, j'ai insisté. C'est que je lui ai confié une mission de confiance, voyez-vous? Je lui ai demandé de tenir à l'œil un de mes invités, un monsieur à qui je ne pourrais pas fermer ma porte : le professeur Pigeon. Lui aussi, vous devez le connaître.»

Le professeur Pigeon. Un autre nom qui se promène autour de moi depuis mon enfance. Il a enseigné toute sa vie à l'Université d'Ottawa; il doit être près de la retraite maintenant. Un autre personnage qui a vécu toute sa vie dans la Côte-de-Sable sans y coller tout à fait, mais qu'on n'imaginerait pas sans lui non plus. Un grand savant, du reste. Né à Ottawa, docteur de la Sorbonne à l'époque où ça se voyait peu, il vivait à Ottawa comme d'autres vivent en colonie huit mois par année, pour passer ensuite le congé d'été en Europe à courir les conférences savantes et les beaux monuments. À l'automne, il redevenait Ovide chez les Scythes. Presque tous ceux qui sont passés par l'Université d'Ottawa dans les années cinquante et soixante l'ont eu comme professeur de mythologie grecque et latine, ou d'histoire ancienne, à l'époque où ces cours étaient obligatoires.

Un érudit, ce Pigeon, qui se donnait un mal fou pour faire aimer Socrate et Salluste à de petits adultes qui n'avaient envie que de plaisirs quand ils débarquaient à la gare d'Ottawa. Sans trop réussir d'ailleurs, car on ne retenait de lui que ses cheveux hérissés, sa moustache à la Einstein, et ses habitudes à la taverne l'*Albion*. Parce qu'il prenait un sérieux coup, le bonhomme; on le trouvait à l'*Albion* tous les midis et tous les soirs, de septembre à mai, rarement ivre mais toujours entre deux bières. Les étudiants ne manquaient jamais de le saluer, mais ils se risquaient rarement à lui faire la conversation. On les comprend : il était à peu près impossible de suivre Pigeon dans ses longs discours sur le sanscrit, l'albanais, le turco-mongol. Cet homme, applaudi dans les amphithéâtres de Bucarest et de Milan pour ses communications sur l'art gréco-bouddhique, admiré pour ses livres sur les tables œgueubines, encensé pour sa traduction d'Hérodote, ce grand maître des langues anciennes était tenu ici pour un ivrogne aux préoccupations obscures.

– C'est que voyez-vous, ma petite Fontaine, le professeur Pigeon, qui a été mon premier pensionnaire, eh bien, il n'est plus sortable depuis quelques années. Il se soûle régulièrement comme un Polonais. Je pense que c'est l'idée de la retraite prochaine qui le fait boire comme un cochon.

– Mais le professeur Pigeon a toujours bu!

– Oui, ma petite Marie, mais maintenant, c'est comme s'il n'était plus lui-même, vous savez. C'est pourquoi j'ai tant insisté pour que Jude vienne.

– Jude?

– Oui, ce sont de vieux amis. Pigeon le protège depuis toujours et il ne dit que du bien de lui. Je ne crois pas que Pigeon se formalise si Jude le prend par le bras et le raccompagne chez lui, il ne fera pas d'histoires. Si c'est moi qui lui ôte son verre, je le connais, il va me traiter de vieille folle et d'inculte sénile, comme la dernière fois...

– La dernière fois?

– Oui, la dernière fois, il a été odieux. D'abord, il s'est soûlé tout de suite; au dessert, il ne tenait déjà plus debout. Plus tard, il s'est mis à injurier des invités à moi, des gens que j'estime beaucoup comme Théophile et Amédée, les deux Africains qui ont été pensionnaires chez moi si longtemps à l'époque où ils faisaient leurs études ici. Eh bien, il leur a dit qu'ils appartenaient à une civilisation inférieure. Ma foi, j'ai bien cru que la bagarre allait éclater!

– Pauvre monsieur Pigeon, lui qui est si aimable d'ordinaire...

– Quand il n'est pas soûl, ma petite Fontaine! Et vous ne savez pas le plus beau? Je sais que je ne devrais pas le répéter parce que vous l'estimez autant que moi, mais non seulement a-t-il refusé de partir quand je l'ai chassé, en plus, vers les dix heures, on l'a surpris en train d'uriner dans une des plantes du boudoir! C'est vous dire! Alors j'ai demandé à un invité, monsieur Sarrasin, de le mettre dehors. Dehors, dans la neige!

– Mais il aurait pu se tuer, tout seul dans le froid comme ça, soûl comme il était!

– Oh, j'étais tellement en colère, ça m'aurait été

bien égal. Grand savant ou pas, chez moi, on se conduit comme un monsieur, et lui, il avait manqué de respect à tout le monde. Heureusement pour lui, j'ai envoyé mes deux Africains à sa recherche sur le coup de minuit. Ces deux messieurs fort charitables ont retrouvé notre ami Pigeon au beau milieu de la nuit, couché dans un banc de neige derrière l'église luthérienne de la rue Wilbrod, et vous savez ce qu'il faisait? Il ronflait, le sans-cœur! Ce n'est pas tout! Pour remercier ses sauveurs, il leur a donné un pourboire en leur disant : «Merci, porteurs!» C'est un comble!

– Et vous le réinvitez cette année?

– Comment faire autrement? Où voulez-vous qu'il aille? Personne ne veut de lui maintenant, il est tellement seul. C'est mon plus ancien pensionnaire, le premier de la lignée, je ne peux pas lui faire ça. D'ailleurs, je ne me suis jamais fâchée pour toujours avec mes pensionnaires, malgré quelques froids bien légitimes, malgré certains affronts inqualifiables! Je suis faite comme ça, voyez-vous, ce n'est pas à mon âge qu'on se met à changer. Mais cette année, avec Jude qui sera là, je suis tranquille, il n'y aura pas de scandale. Si le professeur fait dans son pantalon comme il y a deux ans, Jude s'occupera de lui.

11

Pendant trois semaines, je suis retombée en adolescence. À la manière des fillettes qui s'imaginent qu'elles auront le coup de foudre à une date bien précise : le 15 juin, jour du bal des finissants, avec Untel qui s'est enfin décidé à me demander de sortir, comme on dit; ou alors, le 3 octobre, le jour du mariage de mon cousin, où il y aura Untel sur qui j'ai un œil, comme on dit encore. Et des fois, ça marche! Ça marche! Des fois.

Alors je me suis acheté une belle robe, j'ai fait rafraîchir ma coiffure, je suis allée chez l'esthéticienne deux fois, j'ai renouvelé mon abonnement au club d'athlétisme. J'ai fait faire le ménage du printemps dans la maison, deux jours après Noël. J'ai convaincu ma fille d'aller coucher chez son amie Anne pour être bien sûre d'avoir la maison à moi toute seule ce soir-là, ou pour ne pas avoir à lui rendre de comptes sur mon absence cette nuit-là.

J'ai imaginé cinquante plans pour le séduire; j'ai trouvé tous les sujets de conversation capables de l'intéresser à moi. J'ai réinventé toutes les phrases qui conduisent mine de rien à une invitation : «J'ai trois sculptures inuit chez moi. J'aimerais te les montrer.» «C'est vrai que tu habites au Musée de l'Homme? Mon Dieu, j'y suis pas allée depuis un siècle.» «Je me sens pas bien, je crois que je vais y aller.» «T'as pas de voiture? Je peux te raccompagner; ma voiture est déneigée, je te reconduirai. Les taxis sont tellement lents, l'hiver.» «Si tu veux, je peux t'aider à raccompagner le professeur Pigeon chez lui, il a l'air tellement malheureux, le pauvre!» Il n'aurait qu'à dire un mot, je l'attendais à tous les coins.

J'aurais la chance de l'approcher et de lui parler librement, de lui faire une invitation directe sans avoir à user de subterfuge. «Faudrait qu'on se voie une bonne fois, si t'en as envie. On pourrait souper ensemble. J'habite pas loin.» Je le voyais souvent : au théâtre, aux films du Ciné-club français; dans les couloirs de l'université, au Marché By, partout. Mais je n'avais jamais le courage de m'avancer vers lui et de lui parler. Cette fois, la bonne madame Élizabeth me donnait une occasion en or et je n'allais pas la manquer.

Souvent, je me disais : «Et pourquoi pas? Pourquoi pas? Avec lui. Toujours.» Étendue dans la baignoire ou rêvassant devant un café noir chez *Wim*, je me surprenais à me demander si l'union parfaite était possible avec un homme comme lui. S'il y avait moyen que deux êtres s'unissent pour la vie, dans l'amour fou. Même bardée de mon réalisme de femme déniaisée, il m'arrivait de répondre par un oui lucide et joyeux à toutes ces questions. «Oui, ça se peut!» Je pouvais le posséder, Jude, cet homme dont on dit qu'il a le cœur assez grand pour aimer dix femmes à la fois.

Ou je doutais. «C'est pas sérieux tout ça... On ne se met pas à rêver à des choses pareilles à trente-six ans. C'est peut-être parce que je refuse de vieillir : un baroud d'honneur avant la quarantaine solitaire, je sais pas. Après tout, je le connais si peu, rien ne me dit que ça pourrait marcher. Je me raconte des histoires, voilà tout.»

Ou alors je riais. L'aventure prenait une allure comique, je n'arrivais pas à me prendre au sérieux. Pourquoi ne pas simplement lui téléphoner : bonjour, mon bel amiral, j'ai envie de toi depuis un bout de temps, tu sais, viens chez moi ce soir et ça durera le temps qu'il faut et tout sera dit.

Et puis je revenais tranquillement et inlassablement à mon point de départ : Jude, le marin, le géographe, l'explorateur, l'aventurier de l'Arctique, l'écrivain, l'homme du monde mal rasé qui sent la graisse de caribou dans le salon du premier ministre, l'alpiniste qui chasse à l'arc dans l'Ungava ou au Yukon, beau comme Jack Kerouac. Cet aventurier au dos strié par les griffes d'un grizzli, cet homme qui est tout le contraire de moi, dont la vie ne ressemble en rien à la mienne. Il peut être à moi.

Rien ne me retient ici, me disais-je, je suis maintenant sans racines dans ma propre ville natale. Je peux le suivre où il voudra et l'épauler de mes compétences administratives, à son complexe d'Iberville ou ailleurs. L'héritage de mon mari m'a rendue autosuffisante; j'ai des placements, des fonds mutuels, une maison qui vaut une fortune, j'ai ce qu'il faut pour vivre sans travailler, je suis entièrement disponible. Comme Jude est plutôt oiseau sur la branche et qu'il ne restera pas à Ottawa toute sa vie, il peut m'emmener où il veut, c'est d'accord d'avance. Ma fille est assez grande pour se débrouiller; elle entre à l'université à l'automne. Pour nous rejoindre, il nous restera le téléphone. Mes frères et ma sœur ont tous quitté la ville; ils vivent ailleurs avec leur famille, leur emploi, leur vie; mon absence ne blessera personne. Mon père est mort il y a dix ans, et ma mère a refait sa vie à l'étranger. Personne n'a besoin de moi, je suis libre, Jude.

Pour me fortifier dans ma résolution libératrice, je méditais l'exemple de ma mère qui a fait litière de toutes racines. Quand mon père est décédé, elle a liquidé la succession, réglé ses affaires, donné ou vendu tout ce qu'elle avait, puis elle s'est faite bohème sans prévenir. Elle avait coutume de dire alors : «Quand j'étais petite, on m'appelait la Noiraude parce que j'avais le teint foncé; pour me taquiner, mes frères me disaient que j'avais été laissée à la porte de mes parents par des gitans. Aujourd'hui, j'ai l'impression que c'était vrai tout ce temps-là. Je pars à l'aventure pour de vrai. Pis essayez pas de me retenir, vous pourriez pas. Je m'en vais pis je reviens plus. Des racines? Pas besoin!»

Sa nouvelle vocation de romanichelle trouvée, ma mère est partie avec ses valises de faux cuir. Il n'était pas question évidemment de rentrer à Sudbury puisque mes parents ont quitté la ville justement parce que l'avenir était ailleurs. Mon père est parti le premier, pour étudier d'abord, puis il a trouvé une place de commis-comptable dans une caisse populaire; plus tard, il est venu chercher ma mère, qui était très heureuse de voir du pays. Tous les enfants sont nés à Ottawa, nous avons tous fait nos études ici, et nous avons tous émigré pour de meilleures villes, sauf moi, qui ai épousé un homme qui, comme mes parents, fuyait la terre lunaire de Sudbury pour Ottawa. Mon père est devenu gérant de sa caisse populaire, il a acheté la maison de la rue Besserer où j'ai grandi; il a été élu marguillier, commissaire scolaire, tout ce qu'un bon père de famille faisait dans le temps. Il s'est tué au travail. Toutes ces années, maman a été la femme modèle, la mère parfaite qui reprisait les chaussettes de son mari, gardait ses enfants propres et bien habillés même si le père ne faisait pas des salaires à tout casser, faisait des biscuits et des tartes le jour, un bon rôti le dimanche; elle nous chantait des chansons en s'accompagnant au piano le soir et nous aidait à faire nos devoirs. Et puis, tout à coup, elle a entrepris de faire une nouvelle vie sans jamais se retourner.

Maman n'est pas restée veuve longtemps. À North Bay, chez sa sœur où elle est allée vivre quelques mois, elle a rencontré un vieux monsieur qui cherchait à se remarier. Trois mois après, on apprenait qu'elle vivait en

Floride avec lui. Elle refusait cependant de l'épouser parce que, disait-elle, les jeunes lui avaient appris qu'on n'a pas besoin de certificat signé du curé pour baiser avec qui on aime. Un an plus tard, fini le vieux monsieur, elle a fait la connaissance d'un homme de son âge pour qui elle aurait fait des folies. Celui-là, elle a bien voulu l'épouser. Ils vivent aujourd'hui à Santa Fe, au Nouveau-Mexique, dans une superbe villa, avec des serviteurs, des chevaux, la piscine, le grand luxe. Elle m'a écrit : «Sais-tu que c'est pas trop difficile, même à mon âge, de s'habituer à la richesse. On s'y fait très vite, pis je m'en plains pas.» Son mari est dans l'immobilier. Ils ont des amis là-bas, des gens de leur âge; des Canadiens entre autres. Dans leur club de bridge, par exemple, il y a un ancien vice-premier ministre de Nouvelle-Écosse venu fuir le froid et manger ses rentes avec une petite poulette; il y a aussi un ancien poète-fonctionnaire péquiste qui soigne ses rhumatismes à Sainte-Foi du Nouveau-Mexique; les deux bonshommes ont le bon goût de ne jamais parler de politique, paraît-il. Et ma mère qui vit parmi eux, insouciante : avec son golf tous les jours, les parties de cartes avec les politiciens asthmatiques en retraite, son mari qu'elle chicane seulement quand il boit trop de vin à table parce que cela mine sa vigueur; sa voiture, elle qui a appris à conduire à cinquante-cinq ans après avoir pris l'autobus toute sa vie. Dans sa dernière lettre, elle fait dire de l'enterrer là où on la trouvera, même en Australie, qui est un beau pays, il paraît. Ramenez-moi pas au Canada, ajoutait-elle, il fait trop froid dans les cimetières.

Je pensais à elle et je me disais que je serais folle d'attendre la vieillesse dans ma Côte-de-Sable! Non, monsieur, j'irais plutôt à la fête chez madame Élizabeth, et de là, on verrait bien. On verrait bien.

12

Madame Élizabeth habite une des plus vieilles maisons de la Côte-de-Sable dont la construction remonte à la Confédération. La brique est brune et sobre, le style est néo-victorien et la tourelle qu'on voit à l'avant donne à l'ensemble un vague air de parvenu ennobli par le passage du temps. Le baron du bois qui l'a fait construire l'a vendue à un ministre qui aimait tenir table ouverte. Toutes les célébrités qui ont visité Ottawa à la fin du siècle dernier y ont été reçues. Notamment, le grand Oscar Wilde, qui fit à l'hôtesse l'honneur inégalé d'y prendre le thé lors de sa tournée de 1882. Non seulement l'esthète accepta-t-il d'y prononcer quelques paroles choquantes pour charmer les quelques dames cultivées et pas toujours prudes du temps, il eut aussi l'extrême courtoisie d'écrire un mot dans le livre d'or de la maison. À tous les nouveaux venus, madame Élizabeth montre le fameux livre témoin de la haute culture d'hier, sans jamais oublier la page que Wilde y occupe seul et où on lit ceci : *«Dans la littérature, il faut tuer son père. O.W. 16 mai 1882.»* C'est écrit en français, qui était pour Wilde la langue de l'esprit conquérant et pour son hôtesse la langue du conquis.

La fête chez madame Élizabeth a beaucoup évolué au fil des ans. À l'origine, quand elle s'est mise à prendre des pensionnaires, elle a décidé un jour de leur offrir le repas traditionnel du Nouvel An ukrainien. Tout le monde a beaucoup apprécié, et l'année suivante, ses pensionnaires maghrébins et africains ont voulu lui faire goûter leurs plats nationaux. C'est ainsi que, peu à peu, le Nouvel An ukrainien de madame Élizabeth s'est mué en banquet des nations. Des étudiants de plusieurs nationalités sont passés chez madame Élizabeth, et chacun a laissé sa marque au menu : on y trouve de la vodka finlandaise, de la bière belge, du champagne de Crimée servi avec du caviar russe, du vin de l'Oregon et de Bulgarie, des poissons fumés de l'Ungava, des grands plats de légumes au cari parfumés à la thaïlandaise, du cassoulet, des haricots noirs du Mexique au cumin, du roquefort d'Irlande, du bœuf zoulou, du couscous, du porc malgache, des cidres, des eaux-de-vie de toutes sortes, même si les pensionnaires qui ont introduit ces aliments ou ces liqueurs ont cessé de venir.

Bien entendu, c'est table ouverte : ses anciens pensionnaires sont libres d'inviter qui ils veulent. On y fait ainsi des rencontres superbes, de même qu'on y voit de parfaits idiots.

La fête a toujours lieu le premier samedi de janvier, à peu près au temps des Rois. Il y vient un monde fou et madame Élizabeth fait tout elle-même, elle s'offense si on tient à l'aider. Elle est très malade, mais rien ne la décourage de fricoter pour ses amis. On lui dit chaque année de ne pas se donner tant de mal, qu'on pourrait aller ailleurs, changer, commander le repas d'un traiteur. Elle ne veut rien entendre : c'est le seul jour de l'année, dit-elle, où je suis hospitalière pour me faire pardonner tous les autres où je ne le suis pas. Non, le jour où on cessera de fêter les Rois chez moi, c'est que je serai morte.

Il n'y a qu'à voir la maison pour comprendre que

madame Élizabeth n'a plus sa jeunesse. Le jardin n'est plus entretenu, la pelouse est morte sous les mauvaises herbes, les haies ne sont plus taillées, les vitres ne sont jamais lavées. L'hiver, l'entrée de la maison est à peu près impossible, car plus personne ne pellette, sauf Jude, bien sûr, quand il vient faire son tour. Chaque année, un voisin, qui est pharmacien, menace de la poursuivre en justice parce que sa négligence fait baisser le prix des propriétés voisines. Il y a beau temps, paraît-il, qu'elle ne répond plus à ses lettres de menaces.

On reconnaît facilement sa maison : elle est située rue Blackburn devant le refuge des clochardes de l'église anglicane de la Toussaint. Il y a quelques années, le recteur a converti une partie de son presbytère en abri pour vagabondes : ce sont pour la plupart des femmes atteintes d'aliénation mentale et qui courent les rues d'Ottawa toute la journée, chargées de sacs lourds qui contiennent leurs effets personnels, toutes leurs possessions qui sont les derniers symboles de leur indépendance digne. Les vagabondes au regard vide, errant par le monde dans leurs habits baroques de pauvresses encore coquettes et leur liberté médicamentée, ont remplacé les dames anglaises à chapeaux fleuris d'autrefois. Madame Élizabeth, au grand désespoir de son voisin le pharmacien, s'est liée d'amitié avec des clochardes; elle leur fait la conversation sur le trottoir et leur offre quelquefois des friandises et du thé l'hiver, dans son salon, ou de la limonade l'été. Madame Élizabeth néglige son apparence, à l'image de sa maison pour qui elle ne ressent plus d'amour, et il arrive qu'on la prenne pour une de ces pauvresses itinérantes, ce qui la fait bien rire.

Les invités de Madame Élizabeth sont aussi hétéroclites que le buffet. Il y a des sénateurs, des vieillards, des antisémites, des entrepreneurs de pompes funèbres, des Palestiniens, des avocats, des taxidermistes, des diplomates et des épiciers; il y a aussi des jeunes femmes pour tous les goûts, des pédérastes, des catholiques, des hypnothérapeutes et des journalistes. Madame Élizabeth a eu toutes sortes de gens dans sa maison et ses pensionnaires ont eu toutes sortes d'amis. Certains y viennent sur l'invitation de quelqu'un qui a connu quelqu'un qui, jadis, a logé chez elle. Chose certaine, tous sont les bienvenus et chacun est régalé royalement.

Ce soir-là, il y avait des gens absolument intéressants et d'autres, absolument inintéressants. Parmi les premiers, il y avait par exemple le grand poète-kleptomane d'Alberta, Ian Broom; un cinéaste polonais dont le nom comptait une voyelle et neuf consonnes; une lexicographe québécoise qui rédige le premier dictionnaire tamoul-français pour se remettre d'un chagrin d'amour qu'elle a vécu à Madras il y a vingt ans; et le plus beau sujet de tous, le conseiller culturel de l'ambassade du Japon, qui a appris le français en Gaspésie, capable de réciter par cœur les monologues d'Yvon Deschamps et de longues scènes de Marcel Dubé, et qui a accompli le tour de force d'apprendre à jouer des cuillers et de l'égoïne pour accompagner les rigodons. Un phénomène.

Les ennuyeux étaient aussi fort bien représentés. Au premier chef, les deux Africains, Théophile et Amédée, dont la conversation est surtout politique. Le premier a été ministre de l'Éducation nationale du Centrafrique sous le régime de l'empereur Bokassa; après la révolution, il est revenu à Ottawa pour y ouvrir une pizzeria. Le second a été général d'infanterie au Togo; chassé par un coup d'État, il vend de l'immeuble maintenant. Il y avait aussi un ancien ministre de Terre-Neuve qui est aujourd'hui dame de compagnie de la vice-reine du Canada. Dans un coin, un vieux monsieur chauve se fabriquait un sandwich avec huit tranches de jambon bavarois; j'ai appris que cet affamé était l'ancien conseiller municipal Sam Chaput et qu'il s'occupe à écrire ses mémoires. Il y avait une cantatrice italienne qui chantait Fauré, accompagnée au piano par la très jolie Maud Gallant, l'ancienne maîtresse fort aimée de Jude. Enfin et surtout, il y avait monsieur et madame Sarrasin.

Avec ma chance, c'est sur eux que je suis tombée en mettant le pied dans la maison. Elle, je la soupçonne d'être traductrice, mais elle aurait dû être échotière dans un journal jaune. Quand Jude est entré, elle m'a soufflé à l'oreille : «Vous le connaissez? Il paraît qu'il est explorateur, on dit qu'il est très intéressant; c'est ce que j'ai entendu en tout cas.» Tous ses propos étaient de ce tabac-là : «J'ai vu *Andromaque* jeudi soir. C'était bien. En tout cas, c'est ce que la critique a dit. Vous savez, j'achète *la Presse* et *le Devoir* tous les samedis pour mon mari qui aime faire les mots croisés, et j'en profite pour lire les critiques de Montréal; je les lis toutes. Moi, j'ai trouvé que la pièce était un peu longue, mais ça doit être parce que je connais pas ça, parce que les critiques ont dit que c'était une des meilleures mises en scène de René-Fernand Girouard-Sigouin. J'ai été voir l'exposition bulgare à Québec; les critiques ont aimé ça, moi aussi. Mais allez pas voir *les Bonnes* de Jean Genet, il paraît que c'est pas aussi bien que la production parisienne; à part de ça, les acteurs sont pourris. En tout cas, c'est ça que j'ai lu.» Pendant ce temps-là, je regardais

Jude au bar qui se servait généreusement en bourbon, faisant la cour à une comédienne en tournée dans la région, une fille superbe du nom d'Hélène, habillée d'une robe en peau de phoque qui la moulait comme une sirène. «C'est une actrice, m'a dit madame Sarrasin, je l'ai vue au théâtre; il paraît qu'elle est excellente...»

Il m'a fallu ourdir cent plans de fuite pour échapper aux deux Sarrasin qui m'avaient adoptée pour la soirée puisque personne ne leur parlait. Le mari n'était guère mieux; on serait mort d'ennui même à jouer aux cartes avec lui. Un historien, barbu, à peu près chauve, une touffe de poils fous sur un œuf, des lunettes épaisses comme des culs de bouteille, gros, en habit brun. Il parlait peu, et quand il a ouvert la bouche, j'ai compris que ça valait mieux. Il m'a confié à un moment donné : «Je travaille aux Archives. Au bureau, je mange deux muffins tous les matins avec mon café. J'aime ça, les muffins. Ça fait quinze ans que je travaille, et ça fait quinze ans que je mange deux muffins tous les matins. Ma femme a lu quelque part que c'est bon pour la santé. Mais pensez-y un peu : si vous calculez deux cent soixante jours ouvrables par an, moins vingt jours de vacances et dix jours pour absence quelconque, en moyenne, soit deux cent trente jours moins les onze jours fériés, ce qui fait, disons deux cent vingt jours par année en moyenne, fois trente-cinq ans de service, ça fait au bout du compte, à raison de deux muffins par jour, quinze mille quatre cents muffins. C'est extraordinaire, vous trouvez pas? Et si vous décortiquez ce total-là en calculant ce qu'il faut pour faire une douzaine de muffins : farine, mélasse, beurre, noix, raisins, dattes, lait, etc., j'aurai mangé pendant ma carrière d'historien fonctionnaire vingt sacs de farine, quarante livres de beurre, six cents litres de lait, trois barils de raisins secs et deux caisses de dattes. C'est fantastique! Pensez, madame, que j'aurai avalé tout ça au jour où je prendrai ma retraite. Tout ça, ici, disait-il en massant son gros ventre, j'en reviens pas, c'est formidable! J'aurai fait ça, moi, dans ma vie. Le seul problème, c'est que dernièrement, on a changé de fournisseur de muffins, et les nouveaux sont moins bons que ceux d'avant, mais ça fait rien, j'en mange deux pareil.» Coincée entre la liseuse de critiques et le mangeur de muffins, je voyais Jude impitoyablement séduit par la belle Hélène habillée de phoque. Ce ne sera pas pour ce soir, j'ai pensé.

Quand j'ai finalement réussi à larguer les deux Sarrasin, que j'ai laissés en compagnie des deux Africains, Jude montrait déjà des signes d'ivresse. Il parlait fort, commandait d'autre bourbon, caressait les mains d'Hélène, lui faisait les yeux doux; il a même manqué de respect à madame Élizabeth qui voulait lui faire manger quelque chose. Par contraste, le professeur Pigeon était tout à fait correct; il s'était contenté d'un pastis à l'apéritif et de quelques verres de vin au repas. S'il était redevenu lui-même, il n'avait pas oublié pour autant son sujet de conversation favori : la méconnaissance dans laquelle on le tient, lui, le poète connu en Grèce, en Roumanie et en Pologne, lui, le traducteur d'Hérodote, lui, l'auteur du livre le plus célèbre sur l'art étrusque, et le reste, et le reste. Je l'ai écouté tout de même, car je le trouve intéressant; sa répétitivité ne me dérange pas. Nous avons causé un peu, puis nous avons été séparés par Maud Gallant. Elle était venue ce soir-là avec Hélène, à qui Jude faisait maintenant des avances précises à voix haute, sans se gêner. Maud faisait semblant de ne rien voir; je lui ai parlé un peu; elle a enseigné le piano à ma fille et m'a demandé de ses nouvelles. C'est une femme aimable, belle à regarder avec ses longs cheveux noirs striés de fils argentés, un regard généreux; Jude avait bien raison de l'aimer.

Madame Élizabeth est venue se joindre à notre petit groupe. Elle semblait alarmée : «Regardez mon pauvre Jude : il n'est pas neuf heures et il est déjà ivre. Voyez comment il harcèle cette pauvre petite Hélène, ma foi, il ne sait plus se tenir! Quelques verres d'alcool et il oublie toutes les bonnes manières que je lui ai enseignées dans le temps... si ce n'est pas malheureux! À son âge, se conduire en collégien, lui qui a tout pour être heureux, pour faire une vie sans histoire! C'est à n'y rien comprendre! Expliquez-moi!» Elle monologuait, sans prêter attention à nos réponses ou à nos questions, seule dans son désarroi. Pigeon tentait d'excuser Jude, mais sans trop de succès : «Notre Jude est en crise, madame Élizabeth, il traverse une sorte de dépression spirituelle, et il est le seul à ne pas le voir; tous ses proches le savent gravement malade, et lui, il s'entête dans la négation du remède. Cet homme a pris à la vie tout ce qu'il pouvait prendre : la griserie de l'aventure, la gloire de l'érudition, la faveur sans limites des femmes, il a accumulé toutes les décorations, tous les honneurs, tous ces hochets qui flattent la vanité des hommes. Il n'a plus rien à désirer, et c'est justement ce qui fait son malheur. C'est un homme rassasié, il s'ennuie de sa soif parce qu'il sait bien maintenant que la notoriété est un plaisir vain, éphémère et si relatif! Jude sait qu'après le prochain défi qu'il aura relevé de manière éclatante, il y aura le même ennui, la même misère de vivre, la même fatigue, le même néant. Voilà. Il lui faudrait apprendre la sagesse des princes exilés qui se sèvrent des fastes et du vain renom, dans une ascèse noble et sereine. Tenez, moi-même, je...»

13

Soudain, plus personne n'écoute Pigeon : on regarde Jude qui cherche à se coller contre Hélène, Jude qui tombe assis sur un fauteuil sous la poussée qu'elle lui donne, son verre de bourbon qui se renverse sur lui, on dirait qu'il rit. Hélène quitte le salon, Maud l'accompagne, les deux enfilent leurs manteaux; elles partent après avoir salué madame Élizabeth qui s'excuse pour la conduite de Jude.

Le professeur Pigeon poursuit son cours de morale comme si de rien n'était, je suis sa seule auditrice. Madame Élizabeth revient s'asseoir avec nous, troublée; elle défait son chignon, ses longs cheveux blancs s'étalent sur sa robe noire. Sa voix est pâteuse, son accent slave alors plus prononcé; elle dit : «Allez me chercher à boire, ma petite Fontaine, puisque c'est tout ce qui nous reste à faire. Et vous, Pigeon, taisez-vous, vous n'êtes qu'un vieux courtisan bavard et moraliste, vous ennuyez tout le monde. Marie, versez-lui un autre cognac pour qu'il se taise! Que voulez-vous? Il ne comprend rien à Jude, il faut être femme pour cela! Moi qui le connais, je vous dirai qu'il est peut-être malade, ou alors qu'il a le goût de mourir entouré de plaisirs maintenant qu'il a vécu tous les dangers qui lui ont donné la célébrité. Cet homme a toujours mené une existence difficile, et quand on vit dans l'imminence de la mort comme lui, on peut bien se faire pardonner quelques écarts de conduite. Qu'en dites-vous? Cet homme mourra peut-être le mois prochain dans quelque expédition chez les pingouins, alors laissez-le s'amuser un peu... Il ne fait que boire comme ces aviateurs de la dernière guerre qui voyaient tous les jours la mort en face, et qui se soûlaient sans rémission dans la plus parfaite impunité...» Madame Élizabeth est étendue sur sa causeuse, Pigeon est assis bien droit à côté d'elle avec son cognac et son cigare; dans le coin, le conseiller culturel japonais joue un concerto triste à l'égoïne.

Il est vrai que Jude défraie la chronique ces temps-ci. Il n'est pas rare de le voir ivre mort dans des salons du Glebe où l'on récite de la poésie; dans certains dîners de célébrités, on l'invite maintenant pour être témoin du prochain scandale qu'il fera. Mais combien de temps pourra-t-il durer ainsi sans qu'il lui arrive malheur? C'est cela qui inquiète madame Élizabeth, le professeur Pigeon et tous ceux qui l'aiment.

La fête s'essouffle. La sortie bruyante de la belle Hélène a jeté un froid, personne n'a faim, chacun réchauffe dans sa main le dernier verre de vin ou la tasse de café. Un grand bruit dans le salon; madame Élizabeth se lève d'un bond, Pigeon la suit. C'est Jude, complètement ivre, qui vient de débouler l'escalier. On a peine à le relever, il veut dormir sur le tapis, dit-il, c'est là qu'il est le mieux; il ne veut plus rien savoir de personne, ni de madame Élizabeth qui le conjure de reprendre sa dignité, ni du professeur Pigeon qui l'exhorte à se relever en latin. C'est l'émoi dans la maison : la cantatrice italienne crie au scandale, le conseiller culturel japonais dit que ce sont des choses tout à fait normales dans son pays, madame Sarrasin murmure à son mari qu'il paraît que Jude boit beaucoup. Tout à coup, madame Élizabeth, qui en a décidément assez, ordonne à monsieur Sarrasin d'expulser Jude. Monsieur Sarrasin s'exécute, et voilà Jude dehors, au grand froid, la vareuse défaite, la tuque de travers sur la tête.

Jude me fait pitié; à le voir tituber dans la neige épaisse, je décide d'agir. Le professeur Pigeon me voit prendre mon manteau, il s'approche et me dit, comme s'il m'avait devinée : «Attendez, Marie, laissez-le se dessoûler un peu, prendre de l'air, et puis, il a trop honte de lui, il ne veut voir personne, j'en suis sûr. Restez plutôt avec moi pour consoler cette pauvre madame Élizabeth. Nous retrouverons Jude tout à l'heure quand il aura cuvé son bourbon, vous verrez...» Je me laisse convaincre sans peine, me fichant d'ailleurs pas mal de savoir s'il devine mes intentions ou non. Je veux revoir Jude, ce soir même.

L'émoi passé, madame Élizabeth semble fort bien prendre la chose. Elle parle de sa jeunesse à Kiev, des intellectuels qu'elle a connus là-bas et qui se soûlaient comme des cochons, comme quoi on a tort de juger sévèrement le savant qui boit. «N'est-ce pas, professeur Pigeon?» L'interpellé acquiesce de bonne grâce; le reste de la compagnie fait des sourires gênés. Peu à peu, les invités partent, les Sarrasin, l'Italienne, les Africains, le Japonais québécisant; tout le monde a oublié l'incident, remercie madame Élizabeth de sa charmante hospitalité en lui disant à l'année prochaine, j'espère. Madame Élizabeth me serre contre elle : «Soyez heureuse, ma petite Fontaine, vous le méritez.» Je sors avec Pigeon qui me prie de l'accompagner chez lui, à son appartement sur Laurier où nous pourrons attendre le retour de Jude.

«Ne vous inquiétez pas, ma chère Marie, il reviendra, me dit le professeur. Il me revient toujours quand il s'enivre ainsi. Et notre bonne amie, madame Élizabeth, cette femme exquise, finit toujours par lui pardonner. C'est impossible de lui en vouloir longtemps, charmant comme il est. Vous me comprenez...»

Je l'écoute à peine. Du revers de la main, je viens d'épousseter toute une vie d'éducation, de bonnes manières calculatrices, de conventions insignifiantes. J'ai si envie de Jude qu'il m'importe peu de savoir que Pigeon sert de rabatteur au glorieux marin qui chasse le caribou à l'arc dans la nuit arctique. «Vous voulez dire qu'il ne rentrera pas à son logement de fonction au Musée de l'Homme ce soir, monsieur Pigeon?» «Hé, non, il a trop bu. Le gardien lui refuserait l'entrée. Une fois, on l'a laissé entrer ivre et il n'a pu trouver le chemin de son appartement dans le noir. On l'a retrouvé le lendemain matin ronflant à côté du bison empaillé. On a même menacé de le jeter dehors cette fois-là; une chance qu'il a un crédit à toute épreuve, autrement...»

Il me fait entrer dans son appartement. Je savais le professeur très vieux garçon et négligé dans son apparence, mais je ne m'attendais pas à autant de saleté dans son logement. Les murs n'ont pas été repeints depuis des années, la moquette n'a probablement jamais été lavée; ça sent la poussière, le vieux livre, le tabac à pipe, la sardine, les fèves au lard qui ont collé au chaudron, l'urine séchée. Tout ce mélange d'odeurs donne la nausée. La vaisselle empilée dans la cuisine n'a probablement jamais été lavée convenablement, et je ne mettrais pas le pied dans la salle de bains pour tout l'amour de Jude. «Ne faites pas attention à la saleté. On s'y habitue vite d'ailleurs. Le croiriez-vous : je n'ai jamais fait le ménage et je vis ici depuis plus de vingt ans. C'est une perte de temps. J'ai toujours dit qu'on ne passe pas à l'histoire en tondant la pelouse, en pelletant la neige ou en récurant l'évier. Il faut savoir ce qui est essentiel dans la vie, et pour moi, la propreté a toujours été contingente. Il faut accepter un peu d'inconfort et le jugement dur de ses voisins pour donner tout son temps à la science ou à la gloire. On a décerné le prix Nobel de littérature à des écrivains qui sentaient la transpiration ou qui avaient mauvaise haleine, alors... Le vieux crotté que je suis a traduit Hérodote et percé le secret de l'étrusque, on peut bien me pardonner l'opacité de mes vitres, me dis-je. Je pense que vous êtes femme à comprendre cela, Marie. Mais rassurez-vous, je suis bon hôte : donnez-moi votre manteau, je le mettrai sur un cintre pour éviter de le salir, je vais aussi laver un peu de vaisselle, ainsi, vous aurez la certitude de boire votre café dans du propre. Entrez.» Le professeur a raison : on s'habitue à la puanteur et à la saleté. Je m'enfonce dans un vieux fauteuil de cuir tout mou et bientôt, je ne pense plus qu'à ma résolution d'y attendre Jude pour l'emmener chez moi. Ce sera ce soir ou jamais. Le café du professeur est corsé, tant mieux, j'en aurai peut-être besoin.

14

Pigeon est un excellent homme, capable de grande délicatesse. Sa conversation, quoiqu'un peu égotiste, est fascinante; il discourt de tout sans effort, dans un français impeccable, il n'ennuie jamais. Ce soir-là, il a parlé d'Aristophane, de Virgile, de la résurrection du hittite. Le temps passait bien. Puis, la conversation s'est mise à languir; j'avais pour ma part peu de choses à dire, je le laissais parler, mais là, il semblait se taire volontairement comme un confesseur qui attend l'aveu. Nous ne disions plus rien depuis quelques minutes quand, tout d'un coup, il a lâché : «Ainsi, vous aimez Jude? Ne niez pas, c'est si évident... Mais si j'étais vous, je m'en irais tout de suite. Vous êtes un être de qualité, Marie, et vous n'êtes pas faite pour un homme comme lui qui a passé toute sa vie à écrire son épitaphe. Il a du charme, je le reconnais, son prestige est mérité, mais cet homme n'a pas de cœur! Il n'a pas de cœur au sens où nous, simples mortels, savons aimer. Ne faites pas l'erreur de lui donner le vôtre, Marie.» J'étais mal à l'aise, je ne m'ouvre pas facilement, je ne disais rien. «Ce qu'il vous faut, Marie, c'est un poète, car il y a tant de poésie en vous, je le sais, moi. Or Jude est un guerrier : il vous piétinera le corps, croyez-moi. Il a crevé le cœur de madame Élizabeth, il a crevé le mien, nous qui avons été une mère et un père pour lui. Je le connais et je vous aime trop pour omettre de vous prévenir, ma petite Marie. C'est un poète qu'il vous faut pour amant et ami. Un poète!» Dans la pénombre crasseuse, sous l'éclairage anémique de la vieille lampe qu'atténuait la fumée de la pipe, la voix de Pigeon avait baissé d'une octave, le son qu'elle rendait était grave et doucereux. Il était temps que je parte. Je ne voulais pas d'un poète.

Sa cour s'est arrêtée quand on a frappé à la porte. Sans se lever, il m'a fixée et dit : «Vous êtes sûre, Marie? Vous croyez que c'est la chose à faire?» On frappait de nouveau. Je me suis levée, les yeux tournés vers la porte. «Rassurez-vous, Marie, je vais aller ouvrir. Pardonnez-moi, j'étais bien naïf de penser vous intéresser à moi avec ma science poussiéreuse, je ne suis qu'un pauvre poète naïf dont le seul tort est d'aimer les cœurs purs.» Sa voix tremblait, son sourire de séducteur rusé n'était plus qu'une moue de bouffon chagriné. Je l'ai supplié : «Allez ouvrir, monsieur Pigeon, vite...»

La porte s'est ouverte sur trois hommes : Jude, entre les deux Africains exilés, Théophile et Amédée, les deux Noirs affichant des sourires complices, chacun tenant un bras de Jude à son cou. Lui, la tête enneigée, sans tuque et sans mitaines, faisait penser à un Christ qu'on aurait descendu de la croix pour le sauver de la neige. Pigeon ne disait rien. «Faites-le entrer, ai-je dit, allez l'étendre sur le lit dans la chambre, je vais m'occuper de lui.» J'ai remercié avec l'effusion qui me restait Théophile et Amédée qui semblaient trouver l'aventure très comique. «Nous l'avons repéré au parc Strathcona, à côté de la rivière, là où madame Élizabeth avait dit qu'il serait. Il voulait se bâtir un petit iglou pour y passer la nuit, mais nous avons pensé qu'il serait mieux ici. Ne nous remerciez pas, madame Fontaine, nous avons l'habitude. Bonsoir, professeur!» Les deux hommes partis, j'ai fait du thé. Pigeon restait muet. Jude revenait tranquillement à lui dans la chambre.

Par miracle, j'ai trouvé des draps presque propres dans une commode et j'ai fait le lit devant Jude qui se déshabillait machinalement sans me regarder. Il m'a dit merci comme si de rien n'était et il s'est couché, apparemment décidé à dormir du sommeil du juste. Pigeon s'est enfin résolu à parler : «Je serai dans le salon si vous avez besoin de moi. Je n'ai pas envie de dormir cette nuit, j'ai du travail : je retraduis ces temps-ci la *Cyropédie* de Xénophon. La salle de bains est moins sale qu'il n'y paraît, n'hésitez pas à vous en servir. Bonsoir, Marie.» J'ai fermé la porte.

Il était à moi. Je l'ai regardé dormir quelque temps. À mon tour, je me suis déshabillée, je me suis glissée sous les draps dans la chambre à l'odeur forte et je me suis collée contre lui. J'ai dû dormir un peu. À l'approche du matin, dans la chambre éclairée seulement par la réflexion de la lumière lunaire sur la neige au dehors, je l'ai caressé. Tranquillement mais sûrement, le souvenir du désir lui est revenu, sa peau étonnamment douce s'est faite à mon petit corps. Nous avons fait l'amour sans nous regarder. Je lui ai fait plaisir, je me suis fait plaisir. Puis, lové contre moi, il s'est rendormi. Le cœur battant, j'ai vu se lever l'aube tardive de janvier. Il fallait partir.

J'ai dû faire quelque bruit pendant que je me rhabillais. Il s'est réveillé et il s'est levé sur son coude un moment, les yeux absents et pourtant fixés sur moi, demi-vêtue. Je lui ai souri. Il n'a eu qu'une parole : «T'as l'air d'avoir douze ans.» Puis il s'est recouché, il dormait la seconde d'après.

Dans le matin naissant, j'ai continué de le veiller un peu. Je lui ai caressé le dos, qui ne porte pas du tout les marques du grizzli. Il n'a pas bougé quand je l'ai abrié, quand j'ai redit son nom, quand je lui ai dit au revoir, quand je l'ai embrassé sur le front, quand je suis sortie.

Pigeon m'attendait dans le salon, somnolant sur son fauteuil, la *Cyropédie* de Xénophon entre les mains. Il m'a vue, il s'est levé, il a écouté patiemment mes paroles de politesse, il a refermé la porte derrière moi.

* * *

Pigeon est bon prophète. Un silence de deuil. Un mois après, quand j'ai aperçu Jude un matin, près de l'université, je suis allée me planter devant lui pour qu'il me regarde. Il m'a bien vue, il m'a fait un signe de tête. Ce fut tout. Mon visage illuminé ne lui disait rien. Rien.

II

La Chandeleur

L'Amour? Mon cul!
Jude, quand il est soûl.

1

Jude est amoureux, il est venu me le dire lui-même, comme d'habitude. Il ne change pas : chaque fois que quelqu'une lui tombe dans l'œil, je suis la première avertie. Il arrive chez moi à toute heure de la journée et, quoi que je fasse, il faut que j'arrête tout pour l'écouter. J'ai beau lui dire que j'ai à faire, un rendez-vous, n'importe quoi, c'est comme parler à un mur. Il s'installe, il parle et j'ai le devoir sacré de l'entendre.

– Tu es ma seule vraie amie. La seule femme qui me comprend et à qui je peux tout raconter. Avec toi, je me sens vraiment à l'aise. Ici, j'ai confiance.

Oui, Jude, c'est ça, vas-y, raconte.

Il devait être neuf heures, quand il a sonné du hall de l'immeuble. Dès que j'ai entendu la sonnerie, j'ai su d'instinct que c'était lui, car personne ne me dérange le samedi matin. J'ai été faible, comme toujours, mais j'avais cette fois l'excuse qu'il devait faire moins quarante dehors : on ne laisse personne dehors par un temps pareil en février, même quand il s'appelle Jude.

Quand j'ai ouvert, je lui ai tout de suite demandé :

– C'est qui?

– Comment ça, qui?

– Son nom? La pauvre fille? C'est qui cette fois?

– Je peux entrer au moins? Tu vas pas me laisser dehors comme un chien? Je te dérange pas?

– Tu déranges jamais personne, mon beau Jude, les autres ont toujours le temps pour toi...

– Écoute, si on est pour se chicaner, je peux revenir une autre fois si tu veux...

– Ça va, entre. Tu tombes bien, de toute façon, j'ai un peu de temps à moi. Plus tard, ça sera peut-être difficile. Bon, son nom? Dis-le.

– C'est un ange, et tu la connais. Attends, je vais tout te dire.

En le regardant enlever sa tuque et sa vareuse, j'ai été prise de jalousie. Il ne vieillit pas. La même chevelure noire, épaisse; les mêmes yeux verts qui se ferment presque quand il rit; les dents blanches comme le sel; pas une ride, toujours pas de ventre; il a quarante ans, on lui en donnerait à peine vingt-huit. Il y a un bon Dieu pour les anciens amants.

– Mon Dieu, Jude, t'as vieilli. On dirait que t'as engraissé aussi. Ça te fait pas, la vie de professeur. Fais attention, tu vas finir par enlaidir.

– Merci, Maud. Moi qui pensais te faire plaisir en te faisant une petite visite...

Toujours aussi menteur en plus.

Il m'a embrassée sur les deux joues, deux baisers bien appuyés, il devait être d'excellente humeur. Je l'ai regardé faire le tour du salon rapidement comme un propriétaire qui vient chercher le loyer en retard : il a tout de suite remis d'aplomb une gravure qui était un peu croche sur le mur, tapoté les partitions sur le piano, épousseté le radiateur de la main. Il aime l'ordre autour de lui. Il s'est assis au beau milieu du divan, les jambes à l'indienne, pour prendre toute la place.

– C'est pas la petite Marie Fontaine, au moins?

– C'est qui, ça?

– Marie Fontaine. Fais pas l'innocent, dis-moi pas que tu te souviens pas : le petit bout de femme habillé en noir, qui te dévorait des yeux pendant que tu faisais le fou à la fête chez madame Élizabeth... Monsieur a encore oublié, pourtant, quand on sait la mémoire que t'as...

– Attends un peu... une petite habillée en noir... Oui! ça me revient maintenant... Celle qui m'attendait chez Pigeon, celle-là? C'est quoi son nom, t'as dit?

– Marie Fontaine. Elle est dans l'administration à l'Université d'Ottawa. J'ai enseigné à sa fille; elle, je la connais pas beaucoup, je sais juste qu'elle est très gentille, je lui ai parlé quatre ou cinq fois. La pauvre est tombée amoureuse de toi, il paraît. Moi, je trouve qu'elle a l'air bien; elle a de l'argent, elle te gâterait. Mais quand on y pense bien, laisse tomber, t'as bien fait de l'oublier : elle t'aimerait trop, ça finirait par te fatiguer; pis elle est dans la trentaine, elle est trop vieille pour toi.

– Tu peux faire tes farces plates tant que tu voudras, tout ce que je peux te dire, c'est que c'est pas... comment tu l'as appelée encore?

– Laisse faire. C'est qui?

– C'est justement la raison pour laquelle je suis venu te voir : je sais juste de quoi elle a l'air, je sais pas son nom, mais toi, tu le sais...

– Comment ça?

– T'étais avec elle à la fête chez madame Élizabeth. Celle qui avait une robe en peau de phoque. Je me rappelle que je lui ai parlé, mais j'avais trop bu, je me souviens plus du reste de la soirée. Mais je me rappelle que vous étiez arrivées ensemble à la fête.

– C'est Hélène.

– Oui! Elle fait du théâtre, je pense?

– C'est celle à qui t'as fait des passes devant tout le monde, comme un imbécile! C'est parce que t'arrivais plus à te retenir que la pauvre Hélène et moi, on a dû partir si tôt...

– C'est pas grave, ça, elle va me pardonner quand elle m'aura connu à jeun. Parle-moi d'elle.

Hélène. C'est une bonne amie, je la connais depuis trois ou quatre ans, on a fait connaissance en Jamaïque, en vacances. On avait échangé nos adresses, nos numéros de téléphone. Elle est comédienne, diplômée de l'École nationale de théâtre; elle danse, elle chante un peu, elle fait de tout. Elle gagne sa vie dans ce métier, en tout cas, ce qui est déjà très bien par les temps qui courent. J'en sais quelque chose.

– Hélène! J'ai rarement vu plus belle femme qu'elle!... Elle est tellement...

Le voilà qui rêve à voix haute. Il parle tout seul, il s'écoute. J'aurai beau dire ce que je sais d'elle, il n'entendra rien. Quand il tombe amoureux, il est tout seul : l'Autre n'est qu'une figurante dans une pièce où il est l'auteur, le metteur en scène, le premier rôle. Et quand l'Autre ne lui renvoie pas la réplique attendue et imaginée par lui, évidemment, c'est le choc, la rupture automatique. Il montre ensuite son beau cœur brisé à tout le monde, et il faut le consoler parce qu'il fait tant pitié.

– Penses-tu que je lui plairais?

– Si t'arrêtes de te soûler comme un cochon partout où tu vas, t'as peut-être une chance...

– C'est vrai que je bois trop ces temps-ci. Mais je vais me calmer, tu vas voir...

– Je pense que tu peux lui plaire, mais c'est avec toi que ça marchera pas. Tu le sais...

– T'es méchante...

Il a raison. Je le malmène un peu, juste pour le plaisir. Il a sincèrement envie de la connaître. Il a tellement l'air sincère quand il veut, on lui donnerait le bon Dieu sans confession.

Il ne dit plus rien; il rumine peut-être la réplique qui me clouera le bec, ou alors il se tait par calcul parce qu'il veut tout savoir sur la belle Hélène. Je ne dis rien non plus : il fait tellement bon juste le regarder, comme ça, sans amour comme jadis.

2

Il ne me fait plus l'effet d'autrefois. Ce qu'il y a de bon à le connaître comme moi, c'est qu'on oublie son côté lassant d'homme public qui sait ses répliques écoutées, son profil observé. Non, il ne m'impressionne plus avec sa gloire, ses exploits, sa vocation de viveur avide de sensations compensatoires. Si j'ai assisté à ses premiers triomphes, j'ai aussi été présente plus d'une fois où on lui répondait : «Écoutez, monsieur, moi je vous connais pas; vous avez beau vous appeler comme vous dites, moi je sais seulement que le restaurant ferme à trois heures pis qu'on sert plus d'alcool, O.K.?» Quand on entend ces paroles de la bouche d'un videur qui fait deux mètres et cent kilos, on se la ferme, Jude ou pas.

– Tu veux du café?

– Parle-moi d'elle.

– Attends. D'abord, du café. J'en ai besoin.

– Maud... Avant, tu pourrais pas aussi me jouer un *Nocturne* de Chopin. Mon morceau préféré, tu te souviens?

– J'ai rien que deux mains, Jude, pas quatre. Mets-toi au piano si le cœur t'en dit.

De la cuisine, je l'entends. Il n'a fait aucun progrès depuis quinze ans. De toute manière, il a eu raison de faire autre chose que de la musique; il n'avait pas assez de talent pour percer et, surtout, il n'aurait jamais eu la patience de travailler au piano huit heures par jour, pour aboutir dans un petit orchestre mal payé, admiré par trois cents mélomanes sympathiques. Jamais de la vie! Il lui fallait plus d'espace que ça, au beau Jude! Tout de même, depuis le temps il aurait pu apprendre autre chose que cette sonatine que je lui ai enseignée quand nous nous sommes connus.

– Un *la*, Jude, c'est un *la* qu'il faut ici! Tasse-toi, innocent, je vais te le montrer pour la millième fois, mais c'est la dernière!

– Comme ça...

Il m'embrasse doucement dans le cou.

– Ça suffit, Jude, tu m'auras pas cette fois-ci. Je gage que t'as fait exprès de te tromper pour me ramener au piano. Tu t'arranges toujours pour avoir ce que tu veux!

Il se lève en riant, le sans-cœur!

– Je voulais juste savoir si ton beau talent t'est resté. Ta fameuse technique!...

– Ta gueule, Jude!

Je le regarde d'un air qui ne trompe pas. Il se tait.

– Hélène. Parle-moi d'elle. On avait failli l'oublier.

J'entame les *Davidsbündler* de Schumann, qu'il aime

beaucoup. C'est pour faire la paix. J'hésite entre le chasser comme un malpropre et lui offrir le grand pardon.

– Et Marie Fontaine? Tu m'en parles pas? La pauvre petite madame Fontaine qui fondrait d'amour si tu lui téléphonais, même pour lui vendre un abonnement à ta revue arctique. Tu dis rien, Jude?

– Écoute, la Fontaine en question, je me souviens même plus de quoi elle a l'air, ça fait que...

– Pourtant, quand c'était moi qui parlais de même dans le temps... j'avais droit à un beau sermon en règle sur le caractère sacré du corps, la beauté éternelle de l'union charnelle. Ma parole, t'es débauché maintenant...

– Ça, c'était avant, maintenant, c'est Hélène qui m'intéresse!

Il a raison. Parlons d'Hélène, puisque le ton commence à monter. C'est ma faute d'ailleurs, c'est moi qui le cherche. Je sers le café, je m'habillerai plus tard.

– Elle est belle, ta robe d'intérieur, ça te va tellement bien le rouge, avec tes beaux cheveux noirs...

– Doux Seigneur, t'es en humeur de compliments ce matin, mon Jude! Pourtant, je l'avais déjà il y a dix ans cette robe-là, quand on se fréquentait, je suppose que t'as oublié ça aussi... Dans le temps où tu m'envoyais des fleurs, rappelle-toi... Pis j'en ai pas acheté d'autres depuis parce que j'en ai pas les moyens. Je suis sûre qu'Hélène en a une plus jolie, une plus neuve aussi.

– Pourquoi tu dis ça?

– Parce qu'elle a le foin, Hélène. C'est une fille de Westmount, mon cher ami. Papa est dentiste et spéculateur immobilier, il joue à la Bourse, il est plusieurs fois millionnaire. Il possède un petit château dans les Laurentides, j'y suis allée, c'est à voir! Je passe sur l'appartement de quatorze pièces en Jamaïque et la Rolls-Royce. Si Hélène a si bien supporté ses années de vache maigre comme comédienne, c'est parce que papa payait la voiture de l'année, l'appartement; il la comptait comme employée dans une de ses entreprises et lui versait un beau petit salaire. En plus, il payait toutes ses toilettes, toutes ses fantaisies, des petites vacances dans le Sud ou en Europe quand elle était déprimée, la pauvre...

– Elle est mariée?

– Divorcée. Elle a été mariée à un Dominicain, un an pas plus. Dans le temps, elle apprenait l'espagnol au soleil, un séjour de trois mois pour combiner la science et le plaisir. Elle a rencontré là-bas un garçon de table – Enrique ou Pablo, un nom comme ça – elle en est tombée amoureuse folle, ils se sont mariés au bout de trois semaines. Le coup de foudre parfait, le beau mariage romantique et morganatique. Puis, ça s'est gâté : elle est allée visiter la famille de son mari, qui habitait une espèce de taudis sur une petite terre sèche, des gens pauvres qui n'avaient ni électricité ni eau courante, avec des poules qui couraient partout dans la maison. Ils devaient y rester un mois, ils sont partis deux jours plus tard, direction Montréal. Ils ont débarqué au Canada un quinze janvier! Le pauvre Antillais qui n'avait jamais pris l'avion, qui n'avait jamais vu de neige de sa vie! Le choc a été dur. Le garçon n'avait pas un sou, il ne parlait ni anglais ni français. Ils sont allés vivre chez papa. Le nouveau marié passait ses grandes journées à regarder la télévision. On l'a pas trouvé drôle dans la famille. Tu vois la scène? Un mariage de fou, comme on en fait à vingt ans. Tu te rends compte : elle savait même pas l'âge qu'il avait, s'il était allé à l'école ou pas, rien... Il lui avait interdit de sortir, il voulait pas rester tout seul dans la grande maison. La seule avec qui il s'entendait bien, c'était la petite bonne guatémaltèque. Quand l'été est arrivé, il s'est mis à sortir, tout seul de son bord évidemment, il courait les bars. Un beau matin, Hélène a reçu un appel d'une amie qui lui a dit : «Viens le chercher, ton beau Dominicain, il est venu coucher ici hier – en passant, il est pas si terrible que ça – mais il veut plus s'en aller. Moi, j'en ai assez de lui, je comprends pas un mot de ce qu'il dit!» Alors, Hélène s'est plainte à sa famille qui commençait à en avoir assez de l'aventure de toute façon, et papa a payé un beau petit divorce à sa fille, il a offert le billet d'avion – aller seulement – au garçon qui est retourné à son taudis au soleil pis à ses poules. Hélène a promis à son père de faire attention la prochaine fois. C'est tout.

Jude est songeur. Il n'aime pas ce genre de frivolité, on dirait qu'il la trouve moins belle en ce moment. Il ne changera donc jamais.

– Ah. Pis quel âge elle avait quand elle faisait des folies pareilles?

– Dix-huit ou dix-neuf ans. C'était avant qu'elle entre au conservatoire.

– Ouais... Pis maintenant, est-ce qu'elle est seule?

– Tu l'as mal regardée, Jude. C'est une femme superbe, intelligente, pas assez folle en tout cas pour soupirer après un aventurier du Nord et tricoter en l'attendant. C'est pas une petite ingénue, elle en a vu d'autres. Je t'ai dit de laisser tomber, t'aimes pas les filles qui ont trop sorti, le gibier qui a couru, comme tu dis. C'est un agneau du printemps qu'il te faut.

– Arrête! D'abord, j'ai peut-être changé, depuis le temps qu'on se voit plus, je suis peut-être plus le même pis tu le sais pas...

Il est tout rouge maintenant, j'entends un tremblement dans sa voix. Mais j'aurais beau lui expliquer, tout lui redire de long en large, pour la millième fois, il ne comprendrait pas plus. Dans le fond, la petite Fontaine avec ses rêves amoureux ne sait pas la chance qu'elle a. La pauvre Hélène ne sait pas ce qui l'attend si jamais elle s'amourache de lui.

3

On était pourtant faits l'un pour l'autre. Je n'ai été heureuse qu'avec lui. Aucun homme ne le remplacera jamais. On ne peut pas se représenter le tonique qu'on sent couler en soi à force de le côtoyer, de l'aimer et d'en être aimée. Dans nos nombreux jours de vie commune, je me sentais constamment stimulée dans mon travail, je voulais conquérir le monde, j'aimais la vie, je n'imaginais pas le mal, je riais tout le temps.

Pour ma part, je n'arriverai jamais à me résigner à moins que lui, comme cette amie de Montréal, qui l'a aussi eu pour amant et qui est aujourd'hui mariée à un avocat connu, très charmant, dont elle dit elle-même : «Oh, il est bien, je peux pas me plaindre, ça vaut mieux que la solitude, mais tu sais, c'est pas Jude...» Voilà, je ne prendrai pas quelqu'un d'autre juste pour combler un vide, passer le temps, ne pas vieillir seule, ou quelque autre prétexte niaiseux dans le genre. Mais je ne devrais pas non plus perdre mon temps à l'écouter et à remuer mes souvenirs de lui; ça me fait tout le temps mal après; malheureusement, c'est plus fort que moi, dès qu'il entre ici, j'ai toutes les peines du monde à le mettre dehors.

– Toi, Maud, tu vois quelqu'un ces temps-ci?

– Tu prends toujours ton café noir?

– Je t'ai posé une question.

– Noir?

– Maud...

– Tu le sais que ça sert à rien de parler de ça. Ça finit mal tout le temps. Approche ta tasse.

Il ne dit plus rien. Pourvu que ça n'aille pas plus loin. C'est un sujet de discussion qui débouche toujours sur une chicane, on se crie des insultes, je finis par le chasser.

– Pourquoi tu me dis toutes ces choses-là sur Hélène? Elle t'a rien fait, t'es jalouse?

– Je te les dis pour pas que tu les découvres toi-même, pour pas que tu te mettes à la torturer toi-même avec tes maudites questions sur sa vie passée quand tu voudras la posséder entièrement depuis sa naissance! Parce que je croirai que t'as changé quand je le verrai, pis c'est pas demain la veille!

– Qu'est-ce que tu veux dire, «torturer»?

– D'autre café?

Je nous aperçois tout à coup dans le coin de la fenêtre où le soleil trace un miroir. C'est moi qui vieillis, pourtant, j'ai cinq ans de moins que lui. Je sais que je suis encore belle, je plais aux hommes quand je veux. C'est surtout au-dedans de moi que je sens mon âge, je suis usée à l'intérieur. Mais c'est pas que je me plaigne; je trouve juste triste parfois de ne pas être devenue plus que ce que je suis à trente-cinq ans. Je ne blâme pas Jude du tout, c'est vrai que j'ai été folle de l'aimer comme je l'ai fait, mais c'était si dur de lui résister quand il revenait. Chaque fois, c'était avec des promesses de vie commune, d'amour pour la vie, tout le bataclan. Je ne regrette pas non plus les occasions manquées par sa faute, car il faudrait aussi que je me pardonne avant celles que j'ai moi-même laissé échapper. Après tout, j'étais assez grande pour savoir ce que je faisais.

– Parle-moi de toi, Jude. C'est plus intéressant.

Il me répond avec l'enthousiasme vital et contagieux qui me le fait soudain retrouver.

Il revient d'une expédition d'archéologie sous-marine commanditée par l'Institut arctique : ses camarades et lui ont repêché un galion basque naufragé au large du Labrador au seizième siècle, une découverte sans précédent, qu'il me dit.

La carrière universitaire ne lui dit plus rien. Il a de l'argent à ne savoir qu'en faire, ses brevets l'ont rendu riche malgré tous ses dons à l'Institut arctique; il a sur le métier des projets pour quatre ou cinq livres, de la besogne pour vingt ans s'il le veut. Il a aussi des offres d'emploi des quatre coins du monde, il n'a qu'à choisir. Son seul problème, c'est qu'il boit trop ces jours-ci; il fait des folies et ça l'inquiète; il a des trous de mémoire à présent, des collègues remarquent qu'il prend un coup, on murmure et ça le dérange. Il veut autre chose, il ne sait pas quoi, il cherche.

Des fois, il a envie de se marier, me confie-t-il. Avoir une vie stable, se reposer des grandes courses d'exploration; donner ses trois ou quatre cours à l'université, publier son petit livre aux cinq ans; donner le minimum de communications savantes, répéter celles qu'il a déjà faites sous des titres différents comme la plupart de ses collègues; il aurait sa petite madame pot-au-feu, il achèterait un chalet ou une ferme près du lac

Ontario pour les fins de semaine, ou pour y passer l'été; il irait en vacances au Portugal ou en Colombie, il boirait du vin ou du rhum à cœur de journée, étendu au bord d'une piscine; il prendrait le temps de lire des romans épais et savants; il apprendrait le violon; il jouerait au golf. Plus de voyages dans l'Arctique; plus de plongée sous-marine dans les mers polaires; plus de chasse au kodiak aux Aléoutiennes; plus d'Esquimaux, plus de vie de fou à risquer sa peau tous les jours pour le bien de la science ou par goût de la renommée. Il a formé suffisamment de jeunes scientifiques capables de prendre la relève et d'assurer la pérennité de l'Institut arctique. Ou alors, il pourrait prendre un emploi dans quelque organisme international, il voyagerait en première classe, il sauterait de capitale en grande ville, mangerait au restaurant tous les jours; il irait au théâtre à Londres, au concert à Berlin. Il vivrait loin d'ici, gras de prestige, avec quelques photos de lui dans ses moments célèbres pour les jours d'ennui. Il aurait quelqu'un, quelque part, qui l'aimerait, penserait à lui et le gâterait au retour. Sa tasse de café est vide, il en redemande. Il allume sa huitième gitane.

Bien. C'est bien. Tout est normal. C'est un discours qu'il m'a tenu une cinquantaine de fois auparavant. Même quand on s'est connus, il y a quinze ans environ, il parlait déjà de fatigue, de retraite anticipée, de petite vie tranquille dans l'incognito, le confort quotidien avec la petite madame au pot-au-feu. La petite terre, le petit chalet de bois rond sur le lac, l'amoureuse qui l'attend. C'est le même refrain. Le discours de l'abattement qui le prend régulièrement quand il revient de quelque expédition, quand il achève un livre, quand on lui décerne quelque distinction. Après, il se voit comme s'il n'avait plus rien devant lui, plus de défi à relever, plus de projet exaltant. Il se met à craindre l'impuissance, la stérilité; il fait de l'angoisse, il se met à rêver de chaleur, de la tranquillité du professeur sommeillant. Dans un mois, il aura une idée nouvelle, il repartira pour la gloire et il aura une nouvelle crise dans deux ans. C'est seulement la fatigue, l'inactivité prolongée, l'angoisse de l'entre-deux-exploits, le manque de publicité, l'abus d'alcool. Je le lui dis. Il ne me répond pas.

Son silence est une pure nouveauté. Autrefois, quand je le croyais, mes protestations le piquaient : il se mettait à marcher dans tous les sens, à parler à voix haute, et il finissait par s'écrier : «Tiens! J'ai une idée! Tu sais ce que je vais faire? Écoute bien... » Cette fois-ci, rien. Il répond seulement qu'il a faim.

– Des crêpes? Pourquoi des crêpes?

– Parce qu'on est le 2 février aujourd'hui, c'est le jour de la Chandeleur. Quand j'étais petit, dans ma Bible illustrée, il y avait une image où des enfants mangeaient des crêpes le jour de la Chandeleur. Je trouvais le tableau appétissant, mais je savais pas que mon livre avait été fait en France, que la tradition n'existait pas ici. Pis je me souviens qu'un 2 février, j'ai demandé à ma mère de faire des crêpes pour fêter la Chandeleur. Elle m'a regardé comme si j'arrivais de la planète Mars; mes frères ont ri de moi. Je m'étais mis à pleurer, pis mon père a crié : «Si t'arrêtes pas, c'est pas des crêpes que tu vas manger, ça va être une volée, maudit innocent!»

– Des crêpes. Pourquoi pas? Si ça peut effacer un mauvais souvenir d'enfance, mon beau marin, je vais t'en faire. T'as toujours voulu corriger le passé... Je vais te faire des crêpes de sarrasin avec de la mélasse, si tu veux. Prendrais-tu d'autre café?

– T'es tellement gentille, Maud, je t'aime assez, toi, quand tu me fais plaisir de même! Des crêpes! J'en ai pas mangé depuis des mois!

– Mais il va me falloir du lait, des œufs...

– Je vais aller t'en chercher au Marché. Maud, je sais pas si je peux te demander ça, mais est-ce que tu peux me faire aussi des œufs au miroir pis des saucisses? Il me semble que ce serait tellement bon...

– Oui, grand bébé! Vas-y, dépêche-toi! Je vais me doucher pendant que tu seras parti; je vais en profiter aussi pour me faire une petite beauté.

– T'es belle juste comme ça, tu sais...

– Réserve tes compliments pour la cuisinière, grand flatteur. Il faut que je m'arrange un peu, comme ça je sentirai moins mon âge. Dépêche-toi!

– Je reviens tout de suite.

Il se jette à mon cou, me serre très fort contre lui et m'embrasse trois fois. Mais en frère, pas en amant, on sent la différence dans l'étreinte. Tant mieux : il ne faut pas se laisser aller avec lui.

Il a l'air heureux comme un prince : c'est comme si je lui avais donné la lune. Il est debout près de la porte avec sa tuque de marin sur la tête, l'air canaille comme toujours : «Pis quand je reviendrai tout à l'heure, on va se conter des histoires drôles, on va rire, pis on se fera pas de peine, O.K.? Ce soir, je t'emmène souper au Marché, je t'invite!» Il sort en claquant la porte; il n'a jamais appris à fermer une porte comme tout le monde, toujours trop pressé pour faire attention. C'est ça, Jude, tu peux compter sur moi pour te faire les crêpes de la Chandeleur, mais pour le souper, tu repasseras : j'ai des obligations, j'ai une vie à moi, et je ne suis plus à ta disposition, mon beau matelot de bibliothèque. Je vais même profiter de ton absence pour faire un petit téléphone galant.

4

Ça faisait une bonne heure qu'il était parti. J'avais eu le temps de régler toutes mes affaires : j'étais propre, parfumée, habillée, ma soirée était organisée, la cafetière remplie et lui qui n'était toujours pas rentré. Qu'est-ce qu'il pouvait bien faire? Encore parti faire la fête? Il a rencontré une admiratrice, me suis-je dit, qui lui fait du charme et avec qui il va oublier sa Chandeleur.

Ce ne serait pas nouveau. Une fois, il est allé rendre l'aspirateur que nous avions emprunté au voisin et il est revenu un mois plus tard. C'est son genre. Mais il est mieux de faire attention, parce que c'est la dernière fois qu'il me fait attendre. (C'est vrai que j'ai déjà dit ça...)

– Je l'ai revue...

Hélène, évidemment. Et il n'en revenait pas. Debout avec ses paquets dans la porte, il avait l'air d'un gars de quinze ans qui revient de sa première sortie avec une fille : il a dans ces moments-là un air qui ne trompe pas.

– Ça me dit pas où t'étais passé. Pis pourquoi t'es allé acheter du cognac?

– Une inspiration de génie! Tu me connais : j'ai au moins une bonne idée par jour. Je pensais qu'on pourrait s'offrir des petits cafés au cognac en bavardant cet après-midi. Chez Balzac, on appelle ça des glorias, c'est très bon. Ça fait que je suis passé par le magasin des alcools du Marché.

En sortant du magasin des alcools, il avait vu une femme dans un petit cabriolet britannique pris dans la glace. Le cabriolet avait dû passer la nuit dehors et comme il avait plu la veille et qu'il avait gelé après, les roues étaient restées emprisonnées dans le coup de froid. La voiture refusait de bouger. Comme personne n'avait la charité de l'aider, la pauvre fille, Jude avait proposé ses services. Bien sûr, il avait reconnu la belle Hélène, drapée dans un vison qui valait autant que la voiture. Du coup, Jude avait oublié ses commissions pour l'aider, en prenant bien son temps, naturellement, pour lui faire la conversation.

– J'espère qu'elle t'a pas reconnu, pauvre fou, après le scandale que t'as fait l'autre soir chez madame Élizabeth?

– Sur le coup, non. Elle a rien dit, elle était bien trop contente de se faire aider.

Il avait trouvé une sorte de pic à glace et dégagé les quatre roues du cabriolet en lui parlant de choses et d'autres, le bon Samaritain. Puis il lui avait fait prendre le volant et avait soulevé le cabriolet par le devant. Fort comme il est, ça n'aurait pas dû être long, mais il avait bien pris son temps en lui enjoignant de ménager le moteur.

– Pendant que je poussais, je la regardais par le pare-brise. Elle m'encourageait de son sourire, ah! elle est tellement belle! j'aurais été capable de faire basculer le cabriolet en l'air si je m'étais pas retenu. Mais quand la voiture s'est dégagée, elle est partie en écrasant la pédale comme si elle voulait plus me voir maintenant qu'elle avait plus besoin de moi...

– C'était pas très gentil de sa part. Qu'est-ce que t'as fait?

– Il y avait un feu rouge au bout de la rue. J'ai couru, j'ai eu le temps de la rattraper. J'ai frappé à sa vitre, elle a bien été obligée de la baisser, pis elle a dit : «Excusez-moi, combien je vous dois, je suis très pressée?» Me demander ça, à moi!

– Je le sais ce que t'as répondu : «Trois nuits d'amour et une vie à m'attendre.»

– Arrête donc tes farces plates! Je lui ai juste donné ma carte de visite, comme ça, elle est libre de me rappeler si elle veut...

– Elle a dû reconnaître ton nom sur la carte.

– Je sais pas. Peut-être. J'ai pas pu voir l'expression de son visage, elle avait remis ses verres fumés. À cause du soleil.

– À cause du soleil, évidemment. T'oublies que c'est une comédienne pis qu'elle est trop bien élevée pour montrer qu'elle se souvenait de l'ivrogne qui lui faisait des passes chez madame Élizabeth.

– Tu penses?

– Ça marchera pas, Jude. Tu l'intéresses pas, je pense. Autrement, elle se serait au moins arrêtée pour te remercier. Peut-être que c'est justement parce qu'elle t'a reconnu qu'elle est partie si vite. T'avais pas pensé à ça?

– Ouais, c'est vrai...

– Viens, Jude, on va manger.

Je lui ai fait ses crêpes de la Chandeleur, à mon pauvre amoureux déçu. Ça sentait bon dans l'appartement, il faisait un beau soleil dehors malgré le froid, il faisait chaud à l'intérieur, on était bien. Il a mangé comme un ogre, sa peine vite oubliée. On a parlé; c'était agréable. Il m'a demandé ce que je faisais de bon.

Toujours la même chose. Je donne toujours mes cours à l'université, au département de musique : éducation de l'oreille, harmonie et contrepoint, histoire de la musique pour les étudiants adultes de l'éducation permanente. Il n'est évidemment pas question d'obtenir une charge à plein temps : je n'ai pas le doctorat, je ne l'aurai jamais, et chaque fois qu'un poste s'ouvre, c'est un docteur en musique qu'on engage, et moi, je reste là à donner des cours dont les professeurs réguliers ne veulent pas parce que ça n'est pas assez avancé, pas assez sérieux. Ça fait que je vivote. J'accompagne la chorale de l'Université d'Ottawa à son spectacle annuel. Le Théâtre lyrique de l'Outaouais, qui monte chaque année une opérette d'Offenbach, loue mes services pour l'accompagnement aux répétitions; cette année, on joue *la Périchole*. De temps en temps, je remplace la pianiste du Centre des Arts, toujours pour les répétitions seulement. Tout ça me paye un peu. En tout cas, je vis bien, je m'arrange, dans l'absence de sécurité la plus complète, mais ça ne me dérange pas du tout.

Je donne des leçons aussi, je ne manque pas d'élèves. Il y en a un l'autre jour qui s'est présenté ici et qui voulait seulement apprendre la *Grande Polonaise* de Chopin, un morceau qu'il a toujours aimé et qu'il voudrait jouer pour sa mère qui est sur son lit de mort. Pour lui prouver qu'il l'aime. C'est un brave vieux garçon dans la cinquantaine, juge de son état, qui n'a jamais touché un instrument de musique de sa vie parce que le droit a mangé tout son temps. Il pensait pouvoir apprendre le morceau en quelques semaines. Je lui ai répondu que s'il était doué, avec la formation voulue, il faudrait compter à peu près dix ans; sa mère aurait le temps de mourir trente fois. Il a eu l'air surpris, mais il a insisté. Ça fait six mois qu'il vient ici trois fois par semaine; il fait ses gammes, il travaille bien. Il sent l'eau de Cologne, il est toujours tiré à quatre épingles, il fume le cigare cher. Un monsieur très gentil, très prévenant. À toutes les deux ou trois leçons, dès que je lui dis qu'il fait des progrès, il me fait un petit cadeau : une fleur, des bonbons, des truffes, des fruits confits. À Noël, il a voulu m'offrir un toucan : j'ai refusé parce que les oiseaux ne sont pas faits pour les cages, lui ai-je répondu, pour ne pas le blesser. (La vraie raison, c'est qu'un oiseau dans un appartement, ça pue. Mais qui répondrait une chose pareille à un pauvre vieux garçon qui tremble à l'idée de peut-être un jour tromper sa mère mourante en tombant amoureux de sa maîtresse de musique?) À la place, il m'a offert un coucou bavarois, une splendeur de mécanique fine et de bois ouvragé, qui serait mieux chez une authentique vieille fille que chez moi. J'ai eu la bonne idée de ranger son hommage kitsch dans le placard et je le ressors quand il vient à la leçon.

Je fais tout ça, mais je ne fais rien du reste. Il y a des années que je n'ai pas essayé de composer quoi que ce soit; il y a des années que je n'ai pas fait de disques non plus. Plus de tournées, plus de leçons de perfectionnement chez Skolodenko, un après-midi par semaine à Montréal. Plus de radio, plus de télévision, rien. Je fais ma petite affaire, ça me suffit, je ne me plains pas. J'ai complètement cessé de rêver de gloire, de labeur acharné, de triomphe mérité. Je reste dans mon petit appartement à une chambre à coucher de la rue Wilbrod – l'immeuble s'appelle le *Sans-Souci*, le nom me va bien – à deux pas de l'université; avec mes petits cours, mes petites leçons, mon temps libre, mes meubles, mes petits soupers au restaurant chinois ou indien que je prends seule; avec un homme dans ma vie, quand j'en ai envie. C'est tout; c'est pas grand-chose, mais c'est à moi.

5

Jude avait envie de bouger pour digérer. On a fait la vaisselle. C'était lui qui essuyait. Il se souvenait de l'endroit exact où allait chaque morceau de vaisselle : «Tiens, t'as changé de salière et de poivrière? L'ensemble rouge que t'avais avant était joli, c'est dommage. Je vois que t'as cassé ton appareil à espresso. Tu fais toujours de la confiture de prunes, dit-il en ouvrant le réfrigérateur, toujours la même recette? La première semaine de septembre, quand elles sont mûres, trois tasses de prunes, avec de la cassonade, du rhum et de la vanille? J'aurais dû en prendre tout à l'heure...» Il a une de ces mémoires! C'est sidérant. Trop de mémoire, même. Sauf bien sûr quand il veut oublier certains torts ou certaines conquêtes trop faciles.

Quand on s'est assis au salon pour prendre le gloria, j'avoue que j'ai eu très envie de lui, de son grand corps musclé, si bien moulé dans son jean, son chandail, je voulais voir ses petits yeux s'ouvrir de convoitise. Je pense que ça lui tentait aussi. On avait le goût l'un de l'autre, ça paraissait.

Il a gardé la même allure que la première fois où il m'est apparu chez madame Élizabeth, où j'étais pensionnaire depuis quelques jours. C'était en mai, je me souviens. J'avais vingt et un ans et lui vingt-six. Il avait achevé son service dans la marine et enseigné un an à Terre-Neuve; il rentrait à Ottawa pour l'été et devait entreprendre son doctorat à Oxford en octobre. Son Institut arctique avait déjà quelques années. Je ne savais rien de tout ça, bien sûr.

Pour moi, il était bien plus une apparition sortie tout droit de mon enfance. Je suis du Nouveau-Brunswick, d'un petit village où mes parents faisaient la classe. Ils étaient les deux seuls instituteurs de l'école : ma mère s'occupait des petites classes, mon père, des grandes. Ma mère donnait les leçons de mathématiques et mon père faisait les cours de français et de dessin. On habitait une petite ferme dans un rang qu'on appelle la Déchirure, parce que le chemin y a été creusé par un séisme. L'été, on allait à la mer, chez grand-maman. Comme j'étais fille unique, on me gâtait tout le temps, je pouvais faire ce que je voulais. Au petit port, près de la maison de grand-maman, on voyait de la fenêtre des bateaux de pêche, dont certains venaient d'Europe. Sur les quais, il y avait des marins portugais et hollandais, entre autres. Il y en avait un que j'aurais voulu regarder pendant des heures : il était blond, il avait les yeux bleus, toujours habillé de blanc, avec un couteau à la ceinture. Ma grand-mère, qui était un peu sorcière et qui devinait toutes mes pensées, m'avait surprise à admirer le grand Batave : «C'est vrai qu'il est beau. Un jour, prends-en un comme lui pis aime-le comme il faut, ça te fera de beaux souvenirs quand que t'auras mon âge, tu regretteras pas ta jeunesse, ça t'aidera à vivre dans la vieillesse. Mais marie-le pas, parce que tu vas pleurer toutes les larmes de ton corps.» Jude lui ressemblait, debout sur la véranda, avec son sac de marin, ses cheveux courts, sa casquette de matelot français à pompon rouge, chandail rayé bleu et blanc, pantalon noir, sandales aux pieds. Il souriait. Je l'aurais invité à entrer si j'avais été chez moi.

– Vous êtes une petite qui, vous?

– Je suis une petite Maud, de la Déchirure en Acadie, parenté à David, pis à Salomon. Pis vous?

– Vous êtes acadienne. Ma mère aussi. C'est une Arbour de Bouctouche. Moi aussi, mes ancêtres ont été déportés en Louisiane et ils en sont revenus. On est peut-être parents, vous et moi. Je m'appelle Jude. Devenir amiral, ça prend trop de temps. Je suis pressé de faire quelque chose de ma vie, ça fait que me v'là. Vous habitez ici, j'espère?

– Oui, depuis trois jours.

– Madame Élizabeth est ici? J'ai une chambre à l'année chez elle, ça fait neuf ans. Celle du troisième étage avec des filets de pêche au plafond. Vous l'avez pas prise, toujours? qu'il m'a demandé en me faisant un clin d'œil.

– Non. Je prends jamais rien qui est pas à moi. Je vais aller dire à madame Élizabeth que vous êtes là.

– Pressez-vous pas. Attendez un petit instant. On va aller s'asseoir sur la balançoire dans la cour si vous avez rien à faire, pis vous allez me conter votre vie, pis moi, je vais vous raconter la mienne, si ça vous intéresse, naturellement.

– Pour sûr!

– Mais avant, dites-moi, c'est vous qui jouez du piano comme ça?

– Oui. Vous m'avez entendue? Je répétais...

– Je sais. Je vous écoutais de la véranda depuis un

bon quinze minutes quand je me suis décidé à entrer pour voir votre visage. Vous jouez bien, mais il faudrait faire accorder le piano.

– Vous me l'apprenez pas. Madame Élizabeth a dit qu'elle s'en occuperait.

– Je m'en charge. Inquiétez-vous pas. Je vaux rien comme musicien, mais j'ai assez d'oreille pour jouer à l'accordeur. Demain, ce sera fait.

J'aurais pu jaser avec lui tout le jour et toute la nuit sur la véranda tellement je le trouvais plaisant. Il était le prince marin de mon enfance à la mer qui, par l'effet de quelque magie blanche, se serait mis à parler une langue compréhensible par la petite Maud Gallant de la Déchirure, devenue femme capable d'accueillir le matelot.

– Venez, on va aller s'asseoir sur la balançoire dans le jardin. Mais à compter de maintenant, vu qu'on partage la même maison, on pourrait se tutoyer.

On a fait comme il a dit. Moi, assise sur la balançoire au fond du jardin, à côté du cerisier japonais, lui debout à côté avec son sac de marin à ses pieds. Il m'a dit qui il était, ce qu'il faisait. Il avait beaucoup navigué, il avait fait le tour du monde; maintenant, il voulait poursuivre ses études, devenir savant : il passerait l'été à Ottawa, et après, à l'automne, il irait faire son doctorat de géographie à Londres. Il avait une bourse d'études plus que généreuse et toucherait une allocation de l'université Memorial. Avec tout cet argent, on pourrait même vivre deux, en faisant attention, qu'il avait dit comme à la blague. Ses études finies, il enseignerait, il ferait des recherches, des choses dans le genre. Il m'a même parlé de son Institut arctique.

– Ah, c'est à toi, les caisses de papiers dans le garage? Madame Élizabeth interdit à tout le monde d'y toucher. Comme si c'était un sanctuaire.

Il a trouvé l'expression drôle.

Je lui ai raconté mon petit bout de vie à moi. Un peu de mon enfance au Nouveau-Brunswick, mon père, ma mère, pas grand-chose. Il était déjà allé dans mon coin de pays; il savait où se trouvait le magasin général, l'église, la résidence du pasteur presbytérien : la maison à briques rouges, à gauche de la route, c'est ça? La mémoire qu'il avait de ces détails m'avait vivement touchée, c'était comme s'il m'avait déjà connue.

À l'âge de quatre ans, je me suis mise à apprendre le piano avec une vieille religieuse très patiente. J'ai passé cinq ans dans un couvent gaspésien connu pour son enseignement de la musique, puis je suis entrée au conservatoire à Montréal. Je suis restée deux ans à Montréal, où j'ai achevé mon baccalauréat de musique. Je suis venue à Ottawa pour y faire ma maîtrise. Je voulais être pianiste de concert, faire des disques un jour, me faire un nom, travailler en Europe, enseigner. La vie me fait pas peur, je lui disais, je suis capable.

– C'est bon, ça, je t'encourage. Faut pas avoir peur d'avoir de l'ambition, faut savoir rêver, pis à force de travail pis de ténacité, on arrive toujours à quelque chose, tant pis si c'était pas tout à fait ce qu'on cherchait. Au moins, entre temps, on a fait un bout de chemin. C'est mieux que de rester chez soi à manger des hot dogs pis à boire du pepsi. En tout cas, c'est ce que je pense, moi.

Le beau marin parlait mon langage. C'était si bon à entendre, et le lilas autour de nous qui parfumait l'air, je me sentais toute tendre, toute fondante. On se parlait déjà à cœur ouvert, on trouvait nos ambitions normales; il m'aimait musicienne et je le trouvais bien en explorateur polaire. Un moment parfait, avec juste assez de brise pour ne pas trop sentir le soleil et faire remuer les branches de lilas quand leur parfum se perdait sous l'effet de l'habitude.

Madame Élizabeth est apparue. Elle était heureuse de le revoir, ça se voyait, même si c'est une dame réservée. Elle l'a embrassé comme une mère accueille son fils. Ils sont rentrés sans plus s'occuper de moi. Sur le coup, je me suis sentie seule comme une intruse, mais au bout d'un quart d'heure, elle est revenue au jardin pour m'inviter à souper avec Jude et elle. Je l'ai aidée à faire le repas pendant qu'il se rafraîchissait; elle était si gaie que c'était de toute beauté à voir, je me sentais sa complice. On a mangé de la blanquette de veau et bu du vin rosé; c'était la première fois que j'en buvais, c'était délicieux. J'avais une chance en or d'être tombée sur une maison de pension pareille; j'allais y être très heureuse, c'était certain.

6

Jude a ressuscité la vieille maison. Le lendemain, le piano était raccordé; deux jours après, le jardin était nettoyé de ses mauvaises herbes et la balançoire repeinte. Le lave-vaisselle marchait comme avant, tous les électroménagers repartaient en neuf. La maison avait aussi besoin d'une grande opération de nettoyage et de peinture : pas de problème, Jude a réuni en trois jours une équipe d'anciens pensionnaires qui replâtraient, peignaient, lavaient les vitres. Madame Élizabeth rayonnait : «C'est vrai que je négligeais la maison depuis un bout de temps. Je dois vieillir, je vois moins la crasse. Une chance qu'il est revenu, lui!»

Le troisième soir, les cheveux et les mains tachés de peinture, Jude s'est approché de moi. Je répétais au piano. Il m'a invitée à l'accompagner au cinéma, pour voir *le Parrain* de Coppola. Je ne lui ai fait qu'une question : «Si ça ne dérange pas trop madame Élizabeth que ses pensionnaires aillent voir un film ensemble...» Il a souri : «Inquiète-toi pas, elle se mêle de ses affaires...» Il y a eu d'autres sorties comme celle-là. Il était galant, drôle et si intelligent. À chaque jour qui passait, je lui trouvais une nouvelle qualité et je finissais par croire que nos rapports encore polis finiraient par aboutir à autre chose.

On a fini par se voir souvent, beaucoup, tout le temps. Parfois, l'après-midi, on allait prendre du soleil au parc Strathcona à côté et on parlait durant des heures. Il était tellement drôle quand il expliquait quelque chose; il aimait faire rire, développer des hypothèses faussement savantes d'un ton sérieux. Un jour, il m'a montré les mouettes du parc, qui sont grasses comme des poules tellement les gens du quartier les nourrissent bien, et il m'a expliqué que la surpopulation des mouettes et des pigeons posait un problème à Ottawa, mais comme les écologistes s'opposaient à ce qu'on leur fasse la moindre violence, les autorités avaient libéré dans la région des faucons, des aigles et d'autres oiseaux de proie pour les liquider «naturellement». En achevant son explication, il m'a mis un doigt sur la bouche pour me faire taire et il a pointé du doigt un faucon perché dans un chêne qui guettait les mouettes. C'était la première fois que j'en voyais un.

Une autre fois, il m'a expliqué que les écureuils

noirs qu'on retrouve à Ottawa sont en fait d'anciens rats noirs qui se sont croisés avec les écureuils gris pour échapper aux mesures d'extinction qui les menaçaient. Les écureuils noirs n'auraient gardé de leur passé de rat que la couleur du pelage, une certaine odeur et des traces d'accent étranger dans leur parler. Je me rappelle avoir ri aux larmes cette fois-là. Au même moment, à l'autre bout du parc, on entendait des airs de musique de la Renaissance anglaise; c'était un petit ensemble de cordes qui préparait un spectacle en plein air pour le soir. Mon faux savant expert en écureuils et en faucons, la musique venue de si loin et pourtant si près de nous, le soleil, l'ombre sous le chêne et la rivière qui coulait à côté de nous. Ce jour-là, j'ai décidé que j'étais amoureuse de Jude et que je le lui dirais.

Peu de temps après, un jour où on se promenait dans le Glebe aux immenses demeures patriciennes qui font rêver de richesse, après nous être gavés de crème glacée sur la rue Elgin où il y a toujours trop de monde, il s'est arrêté de marcher soudainement. Nous étions sur un petit pont de pierre sous lequel il ne coulait pas une goutte d'eau : «Écoute, Maud, il faut que je te parle. Ça fait trois semaines qu'on se voit tous les jours, pis je peux plus m'empêcher de te dire que j'ai plus que de l'affection ou de l'amitié pour toi. Comprends-tu ce que je veux dire? C'est que t'es là... t'es belle, t'es intelligente, t'es sensible, tu m'attires tellement, j'ai tellement le goût de toi... je peux pas en dire plus... ça fait que je me suis demandé ce que tu pensais, toi. Évidemment, je sais pis tu sais aussi que je pars à l'automne pour deux ans, mais je suis prêt à prendre le risque de t'aimer pour vrai...» Je ne lui ai pas laissé terminer sa phrase, je l'embrassais déjà sur la bouche. Puis je l'ai regardé dans le blanc des yeux : «C'est la même chose pour moi, Jude, j'arrête pas de penser à toi, je t'aurais fait la même invitation si elle avait continué de tarder. Tant pis pour l'automne, on verra dans le temps comme dans le temps!» On s'est assis sur le seul petit banc de pierre sur le pont et on s'est embrassés à n'en plus finir. À nous regarder nous aimer comme nous le faisions, les patriciens du Glebe devaient se trouver bien pauvres.

Ensuite, vers six heures – parce que l'après-midi a filé sans nous –, on est entrés dans un petit restaurant, et je me rappelle même plus si on a mangé quelque chose. J'avais oublié mes gammes, et lui, ses recherches.

Pendant une semaine, nous sommes restés sur notre faim. J'aurais voulu qu'on aille à l'hôtel, lui ne voulait pas. Il disait que ce n'était pas la place; il avait d'ailleurs une meilleure idée, il me la dirait bientôt. Dépêche-toi, Jude, que j'avais envie de lui dire, parce que tu pars en octobre et qu'on est déjà presque à la fin juin, il faut pas manquer une minute! Alors, quand on le pouvait, on s'embrassait, on se caressait pendant des heures, on se lâchait plus. Même que je commençais à m'inquiéter au sujet de madame Élizabeth, que je ne voulais pas offenser, elle qui semblait tant attachée à lui, mais Jude me rassurait.

Un bon matin, il est entré dans ma chambre, lui qui n'avait jamais osé avant. Il portait un plateau chargé d'une cafetière et d'un panier plein de pain français grillé, il souriait. Il a déposé son plateau sur mon lit, à côté de moi, tout endormie : «Le petit déjeuner de mademoiselle!» qu'il a dit, en imitant la voix d'un maître d'hôtel stylé. Je me demandais quelle folie le prenait : «Mais mademoiselle, c'est le grand jour! Vous ne le saviez pas? Madame Élizabeth est partie tôt ce matin pour Toronto, elle sera absente toute la semaine et nous serons alors les seuls pensionnaires dans la maison pour trois jours : c'est la longue fin de semaine de la Fête du Canada! T'as compris? On a la maison pour nous autres tout seuls! Pis quand tout le monde sera revenu, on se trouvera un autre coin ailleurs pour continuer ce qu'on aura commencé ici! J'ai un ami qui va me prêter son appartement le reste de l'été.» J'ai mangé le petit déjeuner d'hôtel français avec appétit, en petite robe de nuit, devant Jude qui me traitait comme une reine. Il rangeait même ma chambre pendant que je mangeais. Le grand jour venait de commencer!

Le soir, on s'est confectionné un petit repas de rien : de la pizza qu'on a fait venir de chez le Syrien, une salade, une bouteille de vin chilien. Juste ce qu'il fallait. Après, je pensais qu'on irait dans ma chambre ou dans la sienne. Il avait une autre idée :

– Quoi? T'es fou? Pas dans la chambre de madame Élizabeth?

– On sera très bien là, je te le dis! Tu devrais voir sa chambre! C'est comme une suite princière, un petit appartement meublé à la victorienne avec un petit salon sous la tourelle et une salle de bains privée. Elle est la seule à avoir un grand lit en plus, et pas n'importe quoi : un lit à baldaquin! Il faut qu'on fasse les choses en grand, il faut que ce soit un souvenir qu'on gardera le reste de nos jours. Tu comprends...

– Il me semble, Jude...

– T'inquiète pas. Après, on rangera la chambre et la salle de bains comme avant, elle s'apercevra de rien.

Je me suis mise à rire. Tout à coup, je trouvais l'idée drôle, le vin aidant. Il m'a juré qu'on remettrait tout en place, on s'assurerait de ne pas blesser madame Élizabeth qui était si gentille pour nous deux. Et puis... on avait assez attendu comme ça.

Il a tenu à me faire prendre un bain parfumé. Quand il est entré à son tour dans la salle de bains pour se joindre à moi dans la baignoire, il portait une longue chemise blanche ample de coton froissé sur son corps si bien fait. Après le bain, il m'a fait lever et a dénoué la tresse que je m'étais faite. Ta tresse qui a l'air d'un câble, comme il disait. Il m'a prise dans ses bras et conduite au lit qui sentait bon, une vraie scène de roman comme on en a déjà lu. La suite fut parfaite.

Je venais d'entrer dans mes fleurs, ce fut le seul désagrément. Mais lui, il a compris autre chose. C'est pas grave, il a dit, c'est normal la première fois, je laverai les draps moi-même demain. Moi, je n'avais plus la force de le le contredire. Je me souviens encore de lui au petit matin, debout à la fenêtre, rhabillé de sa longue chemise blanche toute ouverte, moi recroquevillée dans le lit dépouillé de draps, encore endormie dans la chaleur du jour déjà levé, et je l'entendais se répéter comme s'il était seul : «Le bonheur existe!»

Il nous a fallu trois nuits pour réapprendre à dormir. Le matin, on se faisait à déjeuner dans la cuisine en petite tenue; c'était toujours à qui servirait l'autre le premier. On courait tout nus dans la maison vide, comme des enfants, on riait comme deux fous qui s'aiment. Le bonheur doit ressembler à quelque chose comme ça.

Il faisait frais dans la maison, on y passait presque tout notre temps, parce qu'on crevait de chaleur dehors. Si bien qu'on est presque pas sortis de la semaine, sauf pour faire le marché. On y allait la main dans la main, on s'arrêtait à tous les coins de rue pour s'embrasser, on avait l'impression que si on se laissait, le monde allait s'écrouler. On prenait l'apéritif le soir, dans le jardin, et on mangeait tard, comme les riches. On se faisait de ces festins! Pour la première fois de ma vie, j'ai mangé du caviar, du foie gras d'oie truffé, des chocolats belges, j'ai bu du champagne, du châteauneuf-du-pape. On parlait tout le temps, tout le temps. Même si on avait voulu, on n'aurait pas été plus heureux que ça.

Quand madame Élizabeth et les autres sont rentrés, on a tout remis comme avant dans la maison. Personne ne s'est aperçu de rien, je n'ai jamais entendu la moindre remarque après, mais je les trouvais bien aveugles de ne pas voir tant de bonheur amoureux entre nous. Jude avait tout replacé dans la maison, sachant la place de chaque objet, comment il était mis, et le reste.

L'impression que nous avions de nous aimer dans le secret redoublait l'intensité de nos retrouvailles et notre ardeur amoureuse. Car, bien entendu, nous nous étions interdits de nous montrer la moindre marque d'affection par égard pour la bonne madame Élizabeth. Jamais on ne se touchait, jamais on n'échangeait la moindre allusion, mais on avait souvent envie de pouffer de rire devant les autres pensionnaires qui ne se doutaient de rien. Nous étions les seuls à savoir que nous nous aimions. Désormais, on se voyait à l'appartement de son ami qui était en mission à l'étranger.

Nous nous aimions, nous nous le disions tous les jours. Je pensais à lui à chaque instant pendant mes longues heures de répétition, lui aussi pensait à moi. La vie était belle. Et quand on est amoureux, une bonne nouvelle n'attend pas l'autre : Jude a touché cet été-là des sommes folles avec les brevets de ses inventions, l'argent tombait comme pluie en novembre, chaque annonce d'un nouveau pactole était occasion de fête et de bombance pour nous deux. C'est cet argent d'ailleurs qui, dans les sages mains de madame Élizabeth, qui s'y entendait en placements immobiliers et boursiers, a fait de Jude l'homme riche qu'il est aujourd'hui. Lui-même refusait de gérer sa fortune, préférant se concentrer, comme il disait, sur des inventions qui feraient le bien de l'humanité. Quand il parlait comme cela, il était encore plus beau à regarder.

Nous nous aimions avec une passion que nous n'avons ni l'un ni l'autre retrouvée après dans notre vie. Ce sont ces beaux souvenirs qui m'interdisent les moindres regrets pour ce qui s'est passé après.

7

Un soir d'août, alors qu'on passait devant le stand de tir des baraques foraines à l'Exposition d'Ottawa, juste à côté du parc d'animaux avec ses odeurs de porcherie, Jude a voulu gagner pour moi un ourson de peluche au tir d'adresse. Pendant qu'il s'appliquait à jouer au tireur d'élite, un monsieur m'a accostée :

– *Maud! Good to see you! How have you been?*

C'était Lazarus, le cousin d'un ami de Montréal. J'étais heureuse de le revoir. Il était accompagné de sa femme et de ses enfants que j'avais déjà rencontrés à une fête de famille. Nous avons causé quelques instants.

– *Extend my best regards to Toby!*, leur ai-je dit.

Ils sont repartis. Je croyais que Jude n'avait rien entendu tellement il était concentré sur sa carabine. Il avait gagné un petit pingouin tout mignon. Il me l'a cependant donné sans me regarder et il n'a même pas répondu à mon baiser de remerciement alors que, normalement, il en aurait profité pour me serrer longuement dans ses bras. Maintenant, rien.

– Il y a quelque chose qui va pas, Jude?

– Non, pourquoi?

– C'était le cousin d'un ami de Montréal.

– T'avais pas besoin de me le dire. Je t'ai rien demandé.

Je ne l'avais jamais entendu me parler sèchement, j'en étais toute remuée. Sa voix avait la froideur du clinicien qui vous diagnostique le cancer.

– Tu l'aimes pas ton pingouin?

– Oui, beaucoup...

– T'as faim? T'as soif? Tu veux t'asseoir ou rentrer?

Il restait correct, prévenant, mais c'était un autre homme qui parlait à sa place. Comme si le vrai Jude s'était envolé tout d'un coup. Il ne me regardait même pas quand il me parlait.

– Jude, dis-moi ce qui va pas.

– C'est rien. Mes brevets me tracassent; j'aime pas les histoires d'argent qui concernent pas l'Institut.

– C'est drôle, mais t'en parlais même pas avant, tu y pensais même pas.

– C'est qui, Toby?

– Viens, Jude, on va s'asseoir une minute, on va parler.

On est allés s'asseoir à une terrasse bavaroise, un peu à l'écart pour être tranquille. J'ai été très franche avec lui, pour le calmer et lui redire que je l'aimais plus que tout au monde. Je lui ai raconté Toby.

J'étudiais à Montréal. Comme je voulais gagner de l'argent pour m'affranchir un peu de mes parents, j'avais trouvé un emploi de commis-payeuse à temps partiel dans une petite entreprise de textile; je travaillais le jeudi soir et le samedi, c'était juste ce qu'il me fallait. La maison appartenait à la famille Rosenberg, des gens extrêmement gentils, très généreux, des gens justes et bons comme on en trouve chez nous en Acadie. Une des dames Rosenberg avait été dans un camp pendant la guerre, elle portait encore son matricule gravé sur le bras. Pour la petite couventine acadienne qui n'avait à peu près jamais entendu parler de guerre et de haine, ces gens représentaient la découverte du monde et de la vie. Quand ils ont su que j'étais musicienne, ils m'ont tout de suite invitée chez eux à Hampstead pour y prendre le thé et les gâteaux le dimanche avec leur cercle d'amis mélomanes. J'y suis allée plusieurs fois, on y était si bien : on faisait de la musique ensemble, on parlait de compositeurs modernes, de littérature, d'arts plastiques. Les Rosenberg étaient un peu mécènes; chez eux, on était chez soi. Parfois, j'accompagnais un des oncles plus âgés dans des concertos, et quand on me parlait des misères qu'il avait vécues en Pologne, j'avais du mal à croire qu'on eût pu détester un virtuose pareil.

La seule crainte des Rosenberg à mon sujet était de me voir abandonner mes études de musique pour gagner de l'argent : «Vous êtes douée, mademoiselle, me répétaient-ils, c'est si rare. Si jamais il vous faut de l'aide, faites appel à nous, n'hésitez pas. Nous avons des amis et des cousins dans le monde entier, nous pouvons tout arranger.» Quand j'ai quitté leur maison pour aller faire ma maîtrise à Ottawa, ils m'ont fait cadeau d'une somme très généreuse pour m'aider. Ils étaient chic, ça oui.

Le directeur du personnel de l'entreprise s'appelait

Toby Silver. Un cousin des Rosenberg. C'était lui qui m'avait engagée et initiée à mes tâches. Trente ans, séparé, physique un peu Woody Allen, assez charmant, un peu impatient parfois, mais juste avec tout le monde. Un soir de décembre où on avait travaillé tard pour préparer la prime de Noël, Toby m'a invitée à manger un morceau avec lui avant de rentrer. J'ai accepté parce que je le trouvais de plus en plus de mon goût. On est allés dans un petit restaurant de la rue Sainte-Catherine où on a mangé une assiette de harengs avec du pain de seigle.

Il venait de se séparer de sa femme, il avait un petit garçon de quatre ans, David, qu'il adorait. «Si t'en as envie, on peut se revoir», qu'il m'a dit en me reconduisant.

On s'est revus tous les samedis pendant six mois, après le travail. J'aimais sa conversation de grand passionné de jazz et de roman américain. Un soir de janvier, tout naturellement, il m'a invitée à passer la nuit chez lui. Ce n'était pas l'envie qui manquait, mais je n'avais connu personne avant. Il a calmé mes craintes par des caresses affolantes, il m'a fait comprendre qu'il ne fallait pas avoir peur, il fallait seulement se laisser aller, il avait l'habitude. J'ai bien fait de l'écouter : ça s'est effectivement bien passé, même si j'ai beaucoup saigné après. Il s'est montré patient, il était si tendre. Moi, je me trouvais un peu maladroite, mais il me rassurait : «T'en fais pas, ma chérie. Il n'y a pas de femmes frigides, il n'y a que des hommes maladroits.» C'est tellement vrai.

Toby aimait tellement la vie que c'en était contagieux. Son exemple m'a toujours soutenue dans mes grands moments de déprime plus tard. Il était né dans un camp en Pologne, à la fin de la guerre. Il ne savait rien de sa mère, sinon qu'elle était juive, et rien de son père, sinon qu'il était garde-chiourme. Sa mère était morte quelques jours avant la libération du camp par les Américains. Il avait été pris en charge par d'autres mères dépossédées de leurs enfants : «Je n'ai jamais souffert de la faim, elles se cotisaient pour me nourrir. J'étais l'espoir qui conjurait la mort, l'enfant qui défie la misère de vivre. Depuis ce temps-là, j'aime toutes les femmes!» Une des dames Rosenberg l'avait emmené avec elle au Canada, pour le confier plus tard à la famille Silver. Fils de bourreau et de martyre, né dans un abattoir, il goûtait chaque instant qui passait avec une fureur sidérante. «Pendant ma bar-mitzvah, je me suis éclipsé avec la fille du rabbin pour aller voir un film de Jean Cocteau. J'ai été expulsé de l'université parce que je passais tout mon temps à jouer aux cartes, boire, baiser. Tu veux d'autre vin?»

Je n'étais pas du tout amoureuse de lui, j'aimais seulement sa compagnie, et déjà, je concevais instinctivement le désir parfois séparé du sentiment. Mais ce furent quand même six beaux mois. Au printemps, j'ai compris qu'une fillette de dix-huit ans ne pourrait intéresser longtemps cet homme de trente ans et je me suis mise à espacer mes samedis avec lui; ça tombait bien, sa femme voulait faire une nouvelle tentative d'union; ses vacances de célibataire avaient assez duré, il voulait ravoir son fils, redevenir sérieux. Nous nous sommes laissés très bons amis tout de même. Il m'arrive de le revoir quand je vais à Montréal.

Il n'a toujours pas repris la vie commune avec sa femme; ça n'avait été qu'une excuse pour me quitter, comme il me l'a avoué plus tard. Toby a conservé son goût pour les jeunes employées : sa maîtresse du moment est une charmante petite Haïtienne de vingt ans. Il a quarante-sept ans, il n'a plus un poil sur le crâne, son fils David est aujourd'hui spécialiste d'Hubert Aquin et professeur de français à l'Université de Tel-Aviv. Les Rosenberg sont presque tous morts, Toby a racheté leur entreprise et leur maison de Hampstead.

Jude m'a écoutée sans broncher; dans le noir, je ne voyais pas sa pâleur. Il m'a demandé s'il y en avait eu d'autres. Oui, un Turc qui étudiait l'économie à McGill, un Turc qui détestait coucher seul, ai-je ajouté à la blague pour ramener le sourire chez mon Jude qui demeurait impassible. Il m'aimait beaucoup, il avait même fait tricoter un chandail par sa mère pour moi. Mais je l'ai vite laissé tomber parce qu'il me fatiguait avec ses discours sur la corruption de l'Occident et la supériorité du mariage islamique. Après, un étudiant en décoration intérieure, Jean-Benoît, un grand niaiseux d'une famille bien d'Outremont qui trouvait chic de parler moitié anglais, moitié français; il roulait en BMW, je me rappelle, et sa maman me méprisait à cause de mon accent acadien. Bref, le genre de type qui se retrouve courant les bars gais à quarante ans. C'était tout. Maintenant, lui ai-je dit, il y a Jude. Jude pour toujours, mon premier vrai homme. Il ne bronchait toujours pas.

«T'es pas jaloux au moins? Ça te fait rien que je te raconte tout ça? Évidemment, c'est pas des choses qu'on raconte à tout le monde, mais je crains pas de m'ouvrir à toi parce que t'es mon homme pis que je t'aime. Ça fait partie de ma vie privée, je regrette rien, tous mes souvenirs sont précieux, même les mauvais. Et puis, c'est du passé tout ça, tu le sais, c'est toi qui comptes maintenant. Quant à moi, je veux pas savoir qui t'as connu, t'as dû en connaître des centaines, pas vrai? Charmant comme t'es, ça m'étonnerait pas, pis je te blâmerais pas. Chacun mène sa vie, chacun est maître de son corps et personne n'a de comptes à rendre pour son passé, tu penses pas?» Il avait l'air d'accord, il disait oui à chaque phrase. Il a serré ma main.

Il est parti le lendemain pour Boston où il devait donner une communication à un colloque quelconque. C'était un voyage prévu depuis longtemps. Il devait y rester quatre jours, mais il a été retenu là-bas plus de deux semaines. J'étais un peu déçue : il aurait pu téléphoner au moins.

8

L'été était fini. J'avais entrepris l'année universitaire et tout allait à merveille : j'avais de bons professeurs, je donnais des leçons privées à des petits prodiges à qui leurs parents ne ménagent rien, madame Élizabeth me traitait bien. Bien sûr, Jude allait partir pour Londres, mais je tâchais de ne pas trop y penser en me disant qu'octobre était encore loin après tout. On pourrait se voir souvent avant son départ, on profiterait de chaque minute, on s'aimerait fort, on ferait des provisions de caresses. L'année serait longue, mais elle passerait vite tout de même parce que nous travaillerions fort chacun de notre côté, et puis on s'écrirait. Il reviendrait, je serais là, on s'aimerait et on serait heureux.

Quand il est rentré de Boston, c'est à peine s'il avait le temps de me voir. Il était pressé, il courait partout. Il avait des affaires à régler pour ses brevets, les investissements que lui faisait faire madame Élizabeth et avec qui il devait passer de longues heures à discuter; il avait aussi des tas de textes à préparer pour sa thèse. Moi, je n'osais rien dire, je savais bien que toutes ces affaires avaient de l'importance, j'étais assez grande pour comprendre. Tout de même, je le trouvais indélicat d'attendre deux jours pour me donner signe de vie après son retour. Un matin, dans la maison, je n'y tenais plus, je lui ai demandé si on pouvait se parler : «Jude, tu t'en vas bientôt. Penses-tu avoir le temps de m'embrasser avant de partir?» En disant ça, j'ai fondu en larmes, mon chagrin devait me peser depuis trop longtemps et je ne m'en étais pas rendu compte, ou alors je refusais d'admettre que j'avais de la peine, je ne sais plus trop. Il ne m'a même pas serrée contre lui pour me consoler :

– Mais qu'est-ce que t'as?

– Rien, je suis fatiguée un peu, je pense.

– Tu travailles trop. Tu devrais dormir plus. Manger mieux aussi.

– Jude, c'est pas ça, je pense que j'aimerais juste qu'on se parle un peu, c'est plus pareil entre nous, on dirait, c'est comme s'il y avait quelque chose de brisé...

– Voyons donc, où c'est que tu prends ces idées-là? Moi je voulais te dire : je pars pour Londres dans trois jours, j'ai des choses à régler avant mon départ, c'est pour ça que j'ai pas beaucoup de temps à moi...

– Dans trois jours? Mais Jude, je pensais que tu partais rien que vers la fin octobre?

– Faut que je parte plus tôt. J'ai reçu un télégramme de mon directeur de thèse, il veut me voir le plus vite possible. Tu comprends, j'ai rien que deux ans pour écrire ma thèse, je peux pas me permettre de perdre une journée.

– Mais du temps qu'on passerait ensemble, Jude, ça serait pas du temps perdu...

Je ne pouvais plus m'arrêter de pleurer et je me fichais bien de savoir qu'on se trouvait chez madame Élizabeth. Il a alors suggéré de sortir, de marcher un peu, ça me détendrait. On est allés au parc Strathcona. Il faisait gris, il y avait apparence de pluie et je n'étais pas habillée assez chaudement. On n'avait pas fait cent mètres que je l'ai pris par le bras pour me coller contre lui.

– T'en fais pas, Maud, on a encore du temps à nous. Mais il faut qu'on se fasse une raison. Tu le savais déjà que je partirais quand on s'est connus...

Je n'aimais pas son ton, je le lui ai dit, il s'est raidi. Il n'a plus dit un mot; je ne savais plus quoi inventer moi-même, j'avais le choix entre un discours paterne que je trouvais blessant et sa voix de cancérologue désabusé. On s'est assis sur un banc d'où on pouvait voir la rivière. Je grelottais, et habillée comme je l'étais, je devais ressembler à la petite fille aux allumettes. Il a dû avoir pitié de moi.

– Écoute, Maud, pourquoi qu'on se réserve pas une petite soirée à l'appartement de mon ami? Un petit souper aux chandelles, avec une belle bouteille? On aurait du temps pour nous deux au lieu de courir comme des fous. On serait bien. C'est vrai que je t'ai négligée dernièrement, je te demande pardon, je pouvais pas savoir que t'avais tant de peine. Viens-t'en, Maud, tu vas prendre ton coup de mort à geler ici. Viens, Maud.

Je me suis jetée à son cou pour l'embrasser sur la bouche, lui dire que je l'aimais, combien c'était bon d'être dans ses bras, combien il me manquait, surtout qu'il était toujours à deux pas de moi dans la maison et que bientôt il y aurait un océan entre nous, mais que ça ferait rien puisque j'arrêterais jamais de l'aimer. Je m'étais plongée les bras sous sa vareuse chaude, je me collais sur lui, j'avais si envie de lui en moi que je l'aurais suivi au Pôle Nord s'il me l'avait demandé.

On devait se voir le jeudi soir, il partait le lendemain. À cinq heures pile, en homme ponctuel et organisé qu'il a toujours été, il m'a téléphoné : «Viens me rejoindre au *Cathay*, j'ai un goût de chinois ce soir. Viens-t'en vite!» Bien sûr, j'étais déçue parce que j'avais acheté de quoi lui faire un vrai petit repas d'amoureuse, mais je me suis dit que ce n'était plus le temps de discuter, et puis c'était sa dernière soirée à lui, il pouvait bien décider de ce qu'il voulait manger. Quinze minutes plus tard, je descendais du taxi.

Il était assis au fond avec un monsieur dont j'ai oublié le nom, un collègue. Jude m'a embrassée, il m'a présentée; je n'ai rien dit, je pensais que le monsieur s'en irait bientôt, alors j'ai attendu. Le restaurant ne m'était pas très sympathique avec ses quatorze serveurs chinois qui se ressemblaient tous et qui n'avaient rien d'autre à faire que de nous regarder parce que nous étions les seuls clients. Dans ce temps-là, j'étais trop polie pour dire : «Viens, Jude, faut s'en aller, on n'est pas bien ici. Bonsoir, monsieur, très heureuse d'avoir fait votre connaissance.»

Les plats se sont mis à arriver. Avec trois assiettes. Là, j'ai compris que c'était trop tard, que j'avais l'air folle, que j'étais une idiote d'être assise là à les entendre parler de science polaire, devant des plats débordants de viandes gluantes, avec la débarrasseuse chinoise qui me fixait durement. J'avais envie de me lever, de m'en aller et de ne plus jamais me retourner. C'est d'ailleurs ce que j'ai fait : quand ils se sont mis à parler de sorties, de films à voir après le souper, de discothèques où on irait pour fêter le dernier soir de Jude à Ottawa avant Oxford. Ce n'était plus la peine; alors sans dire un mot, j'ai pris mon manteau et je me suis dirigée vers la sortie en espérant un rappel de Jude, qui n'est jamais venu.

Aussi fâchée que peinée, je suis rentrée à pied sous la pluie battante pour bien lui montrer que je ne l'aimais plus et que je ne l'attendrais certainement pas! Non, monsieur! Quand on n'a pas plus envie que ça de solitude à deux avec la femme qui vous aime, on mérite pas d'être aimé par une Maud Gallant! C'est ce que je me disais, presque à voix haute en marchant rue Albert sous la grosse pluie froide. Pis si j'attrape un rhume à cause de la pluie et du froid, pis que je meurs ensuite d'une pneumonie, eh bien, ce sera sa faute à lui, pis à personne d'autre, pis le monde entier saura que c'est de ta faute à toi, écœurant! Même chose si je me fais écraser par une auto en traversant la rue! Pis quand je vas être morte, tu vas avoir de la peine, pis des remords, maudit Jude!

Malheureusement, il ne m'est rien arrivé de fâcheux et je suis rentrée dans la maison de madame Élizabeth saine et sauve comme une grosse idiote qui est trop niaiseuse pour mourir par accident comme les vraies amoureuses. Je me suis enfermée dans ma chambre, je tremblais plus de rage que de froid. Une fois réchauffée, je me suis mise à détester l'amour. Ma vie était gâchée.

– Bonsoir, Maud. Excusez-moi, j'ai frappé, mais vous ne répondiez pas. Mon Dieu, vous avez l'air trempée! C'est qu'il pleut beaucoup ces jours-ci, c'est vrai... Je vous dérange parce que j'ai un message pour vous...

C'est de Jude. Il a téléphoné et il a dit qu'il y avait une petite fête organisée pour son départ et il veut vous y voir. Il a dit d'aller le rejoindre à l'appartement d'un ami, il n'a pas donné d'autres détails. Il a dit que vous comprendriez. Alors, je fais la commission.

Il a fallu que je lui fasse répéter, tellement j'étais sidérée. Non par le message lui-même, mais par son apparence : elle était vêtue d'un peignoir rouge à elle que j'avais porté un soir pour plaire à Jude qui voulait me voir dedans. Sur elle, le peignoir rouge avait un air usé, et avec ses longs cheveux grisonnants, elle me faisait l'effet d'une sœur jumelle qui aurait été plus âgée que moi.

– Voilà, c'est ce qu'il a dit. Allez-y, même s'il fait si mauvais, c'est son dernier soir après tout. Et puis, je sais bien que ça ne me regarde pas, mais vous méritez bien de faire la fête de temps en temps, vous qui êtes si studieuse. Bonsoir, Maud.

Je suis sûre qu'on n'a jamais vu fille se changer plus vite que moi, se remaquiller, crier aussi fort après le chauffeur de taxi libanais pour qu'il se dépêche. L'appartement de l'ami était libre, la porte n'était même pas verrouillée, il m'attendait avec une bouteille de vin qu'on n'a même pas eu le temps de déboucher, on n'a pas eu le temps non plus de se déshabiller tout à fait parce qu'on s'aimait tant et qu'il n'y avait plus un instant à perdre. Mon amour, Jude! M'aimes-tu autant que moi je t'aime, mon amour? Il a dit oui jusqu'au lendemain.

9

Je l'ai attendu un siècle, peut-être deux, j'ai perdu le compte des années. C'était si long.

Il n'est jamais revenu. Enfin, jamais tout à fait.

Les premières semaines, je n'attendais pas de lettres; je savais qu'il ne téléphonerait pas. Au bout d'un mois, je me suis mise à m'inquiéter. Tous les jours, je regardais sur le guéridon à côté de la porte où madame Élizabeth mettait le courrier des pensionnaires. Chaque fois qu'il y avait du courrier pour moi, je voulais croire que c'était de lui, même si le timbre était du Nouveau-Brunswick et que mon nom et mon adresse étaient écrits de la main de ma mère. Je lisais alors les mots affectueux de mes parents d'un œil ingrat. Tous les jours, j'attendais.

Il n'y a rien comme le silence de l'absence pour chauffer l'imagination à blanc. Tous les scénarios devenaient possibles : il avait rencontré une belle femme et n'osait pas m'avouer qu'il ne voulait plus de moi; il avait été tué dans une expédition au Spitzberg; sa concierge lui volait son courrier et le déchirait pour en faire des millions de confettis, qu'elle allait ensuite jeter sur les tombes au cimetière pour rescaper les âmes maudites des amoureux oubliés; n'importe quoi! Tous les jours, je lui écrivais, et quand j'avais assez de pages pour le poids réglementaire, j'allais mettre la lettre à la poste, donc, il devait recevoir au moins deux lettres d'amour par semaine. Ça n'avait pas l'air de l'émouvoir, parce que moi, je n'avais toujours rien.

Fin novembre, j'ai éprouvé un soulagement si profond que j'ai dû dormir quarante-huit heures d'affilée après. Tout cela parce qu'à la radio, on commentait la grève des postes qui grippait l'économie britannique. Je comprenais alors pourquoi il ne recevait pas mes lettres, pourquoi je restais sans nouvelles de lui. Tout va bien, donc, me disais-je, bientôt tout rentrera dans l'ordre.

Les Fêtes sont arrivées. Je suis rentrée au Nouveau-Brunswick chez mes parents qui m'ont fêtée généreusement, mais Dieu m'est témoin que j'aurais tout plaqué là si j'avais eu un mot de lui. Adieu, papa, maman, la dinde, la tourtière, les beignes, le gâteau aux fruits, adieu! Mon Homme m'attend!

L'hiver durait. Pas de nouvelles, jamais de nouvelles. Tout ce temps, j'enviais madame Élizabeth qui savait peut-être quelque chose vu qu'elle gérait ses biens au Canada. Je n'osais rien lui demander, toujours cette vieille pudeur de pensionnaire; et puis, je n'aurais pas voulu qu'on voie mon visage chagriné. Mais j'en avais si envie qu'il me fallait toute ma force de caractère pour me retenir de lui demander, du ton le plus nonchalant du monde : «Ah oui, Jude, qu'est-ce qu'il devient? Sa thèse avance?» Je ne me serais pas permis de prendre l'initiative, j'attendrais qu'elle aborde elle-même le sujet, pas avant.

Il y avait des fois où mon ennui était si fort qu'il me fallait absolument toucher à quelque chose qui lui avait appartenu. Le vaudou de l'amour. Évidemment, je n'aurais rien pris dans les caisses de documents de l'Institut arctique qui étaient empilées dans le garage et le grenier; madame Élizabeth ne l'aurait pas permis.

Heureusement, Jude avait laissé un vieux chandail de laine dont l'un des chats de madame Élizabeth, Beethoven, avait fait son lit. Je le lui ai pris un jour et je l'ai lavé à la main, longuement, pour enlever tous les poils et l'odeur tenace d'urine fauve. Quand il a été bien propre, j'ai aspergé le chandail de son eau de Cologne favorite pour mieux retrouver son odeur à lui. Je me suis mise à le porter le soir pour me protéger du froid. J'étais bien dedans.

– C'est le lit de Beethoven que vous avez là sur le dos, ma petite Maud?...

– Oui...

– Vous avez dû mettre beaucoup de temps pour le laver, le débarrasser de son odeur? C'est tenace, l'odeur d'un chat...

– Oui, c'était long, mais maintenant, ça va.

– Vous avez bien fait de le récupérer, ce vieux chandail. Il était encore bon, encore neuf, quand Jude a cessé de le mettre. Je ne sais pas pourquoi il n'en voulait plus. C'est moi qui le lui ai tricoté quand il est parti pour son premier service dans la marine, je craignais de le voir prendre froid dans les mers du Nord.

– Ah. Je savais pas que le chandail était de vous?

– Vous ne pouviez pas le savoir. Ça n'a pas beaucoup d'importance d'ailleurs. Un jour, il l'a oublié ici, entre deux voyages. Il l'a laissé dans sa chambre, et j'ai découvert un matin que Beethoven, mon angora gris, en avait fait son lit. Je n'ai pas osé le lui enlever, je suis si faible avec mes chats. Quand Jude est revenu, il n'a même pas remarqué que mon cadeau de laine était devenu une litière.

– Ah, si vous voulez, je peux le rendre à Beethoven, je m'en voudrais de le priver...

– Non, non, gardez-le, vous vous êtes donné tant de peine. Je trouvais dommage de voir un vêtement de si bonne laine finir sa carrière en lit de chat, même s'il s'agit de Beethoven. Tant mieux s'il peut reprendre sa vocation originale, il vous tiendra au chaud. Gardez-le, ça vaut mieux. Et puis, vous l'avez tellement désinfecté et reparfumé que le chat n'en voudra plus. Un chat a beau s'appeler qui il veut, un chat aime toujours la saleté. Il est à vous maintenant. Gardez-le. Gardez-le.

Il n'y avait pas que le chandail. Jude avait laissé sa guitare aussi. J'ai demandé un jour à madame Élizabeth si elle voyait un inconvénient à ce que j'apprenne à jouer de la guitare, avec celle de Jude.

– J'ai toujours voulu apprendre.

– Pourquoi me demandez-vous la permission?

Son ton était sec, j'ai pensé reculer.

– Vous n'avez pas à me demander la permission. Je m'occupe de ses affaires, c'est vrai, mais je ne suis pas propriétaire de ce qu'il a. Jouez-en si le cœur vous en dit, c'est à lui qu'il faut demander la permission, et si votre conscience vous trouble, vous n'avez qu'à lui écrire. Écrivez-lui, mais je doute qu'il refuse. Je pense qu'il vous aimait bien. Mais si j'étais vous, je ne me donnerais pas toute cette peine parce que s'il était ici, il vous la donnerait, la permission. Il est si généreux avec tout le monde, Jude, vous le savez comme moi.

Son ton radouci me rappelait soudainement les jours aimables avec Jude, et j'ai soudain voulu lui dire que je l'aimais, moi aussi. Mais plus qu'elle.

– Prenez-la, prenez-la, je vous en prie. Et jouez-en, vous me rappellerez sa présence ici. Il en jouait tellement bien lui-même. De vieilles chansons de marin qu'il chantait, où le matelot ne revoit jamais sa fiancée parce que la mer ne veut pas. Il n'avait pas beaucoup de voix, mais il y mettait tant de cœur.

– Vous en parlez comme s'il était mort.

– Non, non. Un homme comme lui ne meurt jamais. Vous en diriez autant si vous le connaissiez comme moi. Je suis un peu sa mère, vous savez.

– Oui, je vous comprends, il est si gentil.

– Oh! Plus que ça, même!

Elle avait les larmes aux yeux, j'avais envie de la serrer contre moi et de lui dire combien je l'aimais, elle aussi. Instinctivement, je me suis approchée d'elle, mais elle s'est éloignée. Mais je n'ai pas voulu la laisser partir sans lui demander, du ton le plus nonchalant du monde :

– À propos de Jude, qu'est-ce qu'il devient? Savez-vous si sa thèse avance?

– Non.

J'étais soulagée : elle non plus! Le monde donc était sans nouvelles de Jude. Mais elle s'est reprise.

– Non, Jude pense toujours à ceux qu'il aime, mais jamais à ceux qui l'aiment.

Je n'ai rien dit, je suis simplement remontée dans ma chambre où je n'ai même pas pleuré. On était en février, il ne m'aimait plus, j'en étais certaine.

Le reste de ma vie allait pourtant bien. Les cours à l'université, mon mémoire de maîtrise, les leçons privées, les concerts que nous préparions, tout était parfait, rien à dire. J'avais aussi de bons amis qui m'invitaient à souper ou à patiner sur le Canal Rideau. Mais sans Jude, le reste ne comptait pas.

Le soir, quand mon ennui de lui était trop fort, j'enfilais son chandail, je prenais sa guitare et je descendais au salon pour jouer devant le feu de cheminée. Je chantais des chansons de mon Acadie, qui est aussi un pays de marins qui ne reviennent jamais. Madame Élizabeth venait me rejoindre avec un plateau de thé et de biscuits à l'avoine. Elle s'asseyait à côté de moi et tricotait devant le feu. Confortablement installé entre nous deux, le chat Beethoven se contorsionnait avec volupté dans son panier en jouant avec une pelote.

Un soir, elle s'est levée pour aller chercher de l'eau à la cuisine et une lettre est tombée de son tablier. Sans y penser, je l'ai ramassée pour la lui remettre et j'ai vu que l'adresse était écrite de la main de Jude. Je devais avoir la bouche grande ouverte quand elle est rentrée au salon.

– Il y a quelque chose qui ne va pas, ma petite Maud?

– Rien. Vous avez échappé ça.

– Oui, merci. C'est de Jude, figurez-vous. Je me demandais où je l'avais mise. Je vais la lire ce soir avant de me mettre au lit. Ou demain, si je suis trop fatiguée. Il y a déjà deux jours que je l'ai reçue et je ne trouve jamais le temps de la lire. Vous voulez d'autre thé?

Cette dame qui avait un trésor entre les mains et qui ne prenait même pas le temps de décacheter l'enveloppe et de caresser le papier sur lequel Jude avait écrit des mots pour elle! J'ai réussi à dominer mon envie en me concentrant sur mes accords, mais je me suis endormie ce soir-là en raisonnant que la vie est une longue injustice.

Le lendemain soir, madame Élizabeth m'a donné des nouvelles de lui. Elle tricotait sans me regarder, les yeux fixés sur le mouvement rythmé des aiguilles.

– Vous me demandiez des nouvelles de la thèse de Jude l'autre jour, Maud. Eh bien, si ça vous intéresse toujours, figurez-vous que si tout continue comme prévu, il pourra se mettre à la rédaction dès cet été. C'est ce qu'il m'a écrit.

– Tant mieux.

– Oui, tant mieux. Ils sont si nombreux les jeunes

gens pourtant doués qui ont de belles bourses pour poursuivre leurs études à Londres et qui les gaspillent. J'en connais plus d'un qui ont eu des sous que plus méritants qu'eux auraient dû recevoir, et vous savez ce qu'ils en font? Ils passent leurs deux ans là-bas à courir les mondanités, le théâtre, l'opéra, ils voyagent sur le continent. C'est à peine s'ils ouvrent un livre sérieux tout ce temps-là, si ce n'est pour lire le dernier ouvrage à la mode auquel ils ne comprennent rien. Et quand ils reviennent, ils épatent tout le monde en disant qu'ils ont étudié à Londres ou à Paris, leur petit vernis européen leur tient lieu de diplôme. Ils disent : j'ai étudié à Oxford, mais ils tremblent quand on demande à voir leur parchemin. C'est si malheureux.

– C'est pas Jude qui ferait ça..., ai-je répondu pour la faire parler.

– Ah, ma petite Maud, on voit bien que vous le connaissez tout de même un peu. Non, mademoiselle, il a de l'ambition à en revendre. Il reviendra ici avec un beau titre de docteur bien gagné. Il ira loin, vous allez voir.

– Sa santé est bonne?

– Très bonne. Il s'est fait plein d'amis là-bas. C'est un homme qui se lie facilement, il est tellement sympathique.

Il y eut plusieurs autres séances comme celle-là où elle me parlait de lui, comme ça, sans que j'aie à le lui demander. J'étais maintenant certaine qu'il m'avait oubliée, et tous ces entretiens me devenaient de plus en plus difficiles à supporter. Il avait sans doute rencontré quelqu'un là-bas, quelque belle fille savante, qui pourrait soutenir sa conversation, comprendre ses rêves scientifiques mieux que moi, quelqu'une qu'il pourrait admirer. Ce ne serait que normal, après tout, que ferait-il d'une petite musicienne d'Acadie qui s'appelle Maud Gallant? Je le comprenais, enfin, et je me résignais dans le chagrin. Je lui ai fait une dernière lettre, restée sans réponse comme les autres, où je lui ai seulement reproché de m'avoir quittée sans me le dire.

10

Le mois de mars achevait, mais l'hiver ne partait plus, le printemps se faisait attendre. Tous les jours, le ciel était sale de nuages gris; il ne tombait jamais de neige, que de la pluie verglaçante; un temps pour se suicider d'ennui. Je me rappelais alors un mot que Toby avait eu un jour : «Faut pas se suicider. Il paraît que c'est pas mieux de l'autre bord.»

Je n'en pouvais plus, je n'arrivais pas non plus à trouver le moindre réconfort dans ma réussite universitaire ni dans mes récitals applaudis. Toute cette attente pour rien me tuait à petit feu. Tous les jours, quelqu'un me trouvait le visage bien pâle et me le disait. J'ai alors rangé la guitare de Jude, j'ai jeté son chandail dans un coin où le chat Beethoven l'a repris; enfin, j'ai annoncé à madame Élizabeth que je déménageais. Je m'en allais, il y avait trop de souvenirs dans cette maison. Il fallait que je fasse le ménage dans ma vie.

J'ai eu beaucoup de mal à la convaincre. Elle disait que c'était insensé de déménager à la veille des examens, que je n'avais pas le droit de me laisser distraire à un moment pareil. « Et où irez-vous, je ne connais pas d'appartements qui se libèrent à ce temps-ci? Repensez-y, Maud, vous ne pouvez pas faire ça! Mais, sans indiscrétion, pourquoi partez-vous? Vous n'êtes pas bien ici? Je vous traite mal?» Je la rassurais, je lui disais l'affection que j'avais pour elle et lui répétais que je devais dépanner une amie qui avait immédiatement besoin d'une colocataire pour payer son loyer, etc. Elle insistait : «Si vous partez parce que le loyer est trop cher, ne vous inquiétez pas, vous ne serez pas la première pensionnaire à qui je fais crédit. Je suis plus que raisonnable, tous les autres chambreurs vous le diront!» Finalement, après une demi-journée de protestation, elle s'est inclinée en disant qu'on ne peut se mettre en travers du chemin des jeunes gens qui sont assez grands pour décider tout seuls. «C'est la nature!» comme elle aimait dire.

Bonne comme toujours, madame Élizabeth a organisé mon déménagement en réquisitionnant l'aide des autres pensionnaires : le professeur Pigeon, Blaise-Pascal, l'aspirant économiste haïtien qui me faisait les yeux doux depuis le mois d'octobre, Ian Broom, aujourd'hui poète très connu, un petit étudiant japonais. J'ai déménagé rue Sweetland. L'expédition a eu lieu un premier avril au son des cloches de l'église anglicane, avec tous ces beaux spécimens qui me suivaient avec mes affaires, madame Élizabeth en tête qui tenait mon miroir dans ses bras comme un curé à la tête d'une procession d'opéra comique.

Je croyais être délivrée. Je me trompais. Tous les soirs, j'avais envie de lui, je lui parlais doucement, il m'écoutait, j'étais à lui, tout le temps. Le dernier examen terminé, j'ai annulé mes engagements et mes leçons privées, j'ai fait une petite valise et j'ai pris le premier avion pour Londres. Tant pis pour mon compte bancaire, tant pis si je devais donner ensuite des leçons à des sourds-muets le reste de mes jours pour me payer cette folie, il fallait que je me l'ôte de la peau! Dix heures plus tard, j'entrais dans le petit appartement de Jude à Oxford.

Oui, il avait l'air surpris! «Ça va, Jude, dis rien. Je le sais que tu veux plus de moi, pis excuse-toi pas d'avoir jamais écrit un mot. Laisse faire ça, pis conte-moi pas de menteries. Prends tes affaires pis suis-moi, on arrête au premier hôtel dans la rue, on s'aime le temps qu'il faut, pis je m'en retourne tout de suite par le premier avion. Inquiète-toi pas, tu me reverras plus après. Tu pourras retourner à ta thèse pis à tes blondes anglaises. Il faut juste que tu me sortes de la tête, parce que c'est plus vivable, pis je veux entendre de ta bouche que tu m'aimes plus. Tu me dois bien ça. Après, ce sera good-bye, Maud! Je pourrai ensuite commencer à vivre moi aussi. T'en viens-tu?» Il a fait comme j'ai dit.

Aujourd'hui, je serais bien en peine de décrire Londres. Nous sommes restés dans la chambre, je ne sortais que pour aller aux provisions, nue sous mon manteau. En sept jours, j'ai rattrapé huit mois de bonne conduite, je lui ai fait toutes les caresses que je lui avais promises et il m'a rendue heureuse comme une reine de contes de fées. Pour moi, Londres est une chambre aux quatre murs froids, un lit moelleux et des draps parfumés d'étreintes trop longtemps retenues. Lui aussi s'en souvient, il en parle encore. Il disait à la blague, le matin, que si on pouvait canaliser toute notre chaleur amoureuse, on pourrait faire pousser un jour des cocotiers le long de la Tamise.

Nous avons parlé aussi. Beaucoup. Je ne lui ai pas

demandé de comptes à proprement parler, il s'est offert de lui-même à expliquer son silence. Il a dit qu'il ne m'imaginait pas l'attendant pendant deux longues années et qu'il avait préféré disparaître, mais qu'il n'avait pu se résoudre à me le dire. Il avait cru que son mutisme me ferait tout comprendre. Il disait aussi, à mon grand étonnement, que je ne tarderais pas de toute manière à préférer un jour quelqu'un d'autre de plus beau, de plus fort, de plus intéressant; à son avis, il ne pouvait pas être grand-chose pour moi, juste un homme très ordinaire, quelqu'un avec qui passer un été à Ottawa. J'ai failli tomber du lit quand il m'a avoué ça dans le noir, le troisième jour. Un homme si énergique, si confiant, si sûr de lui et de ses rêves, croire qu'il n'était pas assez bon pour une petite musicienne acadienne qui venait à peine de commencer dans la vie! Je n'y comprenais rien, je le lui ai dit. Il m'a répondu qu'il y avait des choses comme ça qu'il ne s'expliquait pas lui-même. Il était sincère, il n'y avait pas de doute permis, j'ai tenté de le rassurer. Quand je l'ai quitté, il me croyait.

Il m'a raccompagnée à l'aéroport, moi tremblante et larmoyante comme une veuve de guerre, il m'a serrée très fort contre lui et m'a dit d'une voix ferme : «Maintenant, je sais que quelqu'un m'aime. C'est toi, Maud, t'es la mienne pour toujours. Je t'écrirai.»

Il a tenu parole. Il s'est mis à m'écrire avec la méthode et la régularité qui lui ont permis de faire sa thèse en un temps record : deux pages dactylographiées, jamais plus, aux quinze jours. Je ne les ai pas gardées parce que je ne suis pas ramasseuse, mais je me souviens qu'elles étaient toujours vivantes, spirituelles, précises et un peu dédaigneuses de l'orthographe.

Le reste de l'année s'est déroulé comme un charme pour moi. J'étais aimée de lui, rien ne m'était impossible. J'ai passé l'été à Stratford, en Ontario, où j'étais pianiste invitée au grand théâtre shakespearien qui jouait alors *Othello* et *Tartuffe*. J'ai aussi accompagné une chorale néerlandaise dans une tournée en Colombie-Britannique. Un bel été, avec de beaux paysages, des rencontres professionnelles enrichissantes, bien rémunéré aussi. En septembre, j'ai entrepris la rédaction de mon mémoire de maîtrise et la préparation de mon récital. Des offres de bourses me venaient de partout : Stanford, Princeton, Munich, Paris.

Jude m'a téléphoné à l'automne, il s'ennuyait de moi, j'ai eu tant de plaisir à l'entendre le dire. Je lui faisais des lettres passionnées, tous les jours je pensais à lui; une fois même, je lui ai fait porter des fleurs pour lui dire combien je le désirais. À Noël, chez mes parents, j'ai parlé de Jude, moi qui avais toujours été discrète au sujet de mes fréquentations. Mon père et ma mère avaient hâte de le rencontrer. J'ai été si heureuse à l'aimer tout ce temps, personne ne m'ôtera ce souvenir.

Un beau matin, un des plus beaux de ma vie, Jude est débarqué chez moi sans prévenir. Beau comme un roi navigateur, il était là, planté devant moi comme une apparition angélique. Il avait défendu sa thèse la veille et il avait pris le premier avion pour le pays de Maud. C'était le même Jude qui m'avait séduite deux ans plus tôt, c'était lui, je le reconnaissais. Il ne tenait pas en place, marchant en rond dans l'appartement, replaçant les tableaux croches sur les murs, essuyant la poussière sur les meubles, parlant sans arrêt, mêlant les mots d'esprit et les remarques savantes. C'était bien lui.

Il m'a emmenée faire une longue promenade dans

les rues ensoleillées d'Ottawa. C'était un vendredi, il faisait beau, les gens souriaient, on aurait dit qu'on leur avait tous donné congé pour fêter avec moi le retour de Jude. Il me serrait contre lui en marchant.

La vie venait de reprendre dans la capitale. Au Marché By, il saluait plein de gens, tout le monde le connaissait, il était un héros pour eux aussi. Il a fait l'aumône à la mendiante obèse qui hante la rue George depuis toujours; elle se souvenait de lui, elle nous a bénis. Une vieille dame, madame Barabé, s'est approchée de nous et a demandé que je lui sois présentée : elle m'a dit que j'avais bien de la chance. Je lui ai répondu que je le savais.

Il m'a emmenée sur la Colline du Parlement fourmillante de touristes qui se faisaient photographier devant les parterrres de fleurs. Il y avait un monde fou, la Chambre des communes faisait relâche pour profiter du beau temps qui s'était fait attendre tout l'hiver. Jude faisait la fortune de tous les petits marchands ambulants : limonades, crème glacée, pommes rouges au sucre d'orge, hot dogs, frites, il achetait tout et faisait des cadeaux aux enfants de l'école buissonnière, c'était drôle. Sur le mail piétonnier de la rue Sparks, à la Tribune aux harangues, un prédicateur bougon annonçait que Dieu était mort à des écoliers qui riaient de lui.

Je l'ai entraîné avec moi sur le bord du Canal où les vagabonds alcooliques se réchauffaient. On a marché longtemps sans dire un mot. À la hauteur du pont de Prétoria, il s'est arrêté pour me dire qu'il ne me quitterait plus jamais. J'étais sa femme, il était mon homme. Je n'ai pas connu d'autre jour plus beau que celui-là de toute ma vie : Jude était revenu.

11

Il fait chaud dans l'appartement. Le soleil brille dans le salon, il faut en profiter, bientôt il fera nuit. Toute cette lumière surprend car c'est un des jours les plus froids de l'année, on l'a dit à la radio ce matin. On est bien à l'intérieur. Jude dit que ce sont des moments de chaleur comme celui que nous vivons à l'instant dont il a le plus envie dans ses expéditions polaires. Être au chaud, converser avec une femme, un bon repas dans le ventre, un lit confortable, un lendemain pareil.

La conversation glisse doucement, c'est si bon. J'oublie tous les souvenirs pénibles que j'ai de lui. L'effet du cognac est doux. On se sent bercer. *L'Appassionata* qu'on entend à la radio l'émeut, je le sens; ses yeux fixent mon corps. Je le désire. «Qu'est-ce que t'en dis, Maud, c'est vrai qu'on est bien tous les deux ensemble, juste comme ça?» C'est vrai.

Soudain, un bruit dans le débarras, un bruit mécanique, étrange. On se regarde tous les deux; il est déjà levé. On entend coucou! coucou! Ça me revient, c'est le coucou du juge. Jude ouvre la porte du débarras et trouve l'oiseau criard qui est sorti tout seul de sa maison de bois. Le mécanisme a dû s'enclencher de lui-même. J'éclate de rire. Ma parole, c'est laid ce truc-là, on dirait un enfant qui tire la langue en hurlant. Jude sort le coucou et le dépose sur la table à café pour le faire taire.

Il prend un air absorbé. Il démonte le coucou en quatre minutes, on voit l'intérieur de fer, le mécanisme compliqué. D'où ça te vient ce machin-là, qu'il me demande? Ça m'étonne de te voir avec une chose pareille, il me semble que ça entre pas dans tes goûts. D'ordinaire, tu trouves ça kitsch, ce genre de bébelle-là. Aurais-tu changé à ce point-là, Maud?

Je le savais! J'aurais dû le savoir. Il recommence. La chicane va reprendre comme dans les jours laids. Non, ça ne pouvait pas durer le moment attendri de tout à l'heure. C'est fini. (Il insiste. Il veut savoir d'où sort le coucou, qui me l'a donné. J'ai beau lui répondre que ça ne le regarde pas, ses yeux insistent. Je vais être obligée de répondre pour avoir la paix. Et je sais ce qui va arriver : il va prendre son air haineux et méprisant, il va se lever et partir brusquement sans dire au revoir. Ou alors, il va faire quelque remarque sur les musiciennes qui se vendent à des juges, quelque chose dans le genre. Moi, je ne le supporterai pas, je vais lui répondre quelque saleté, parce que je sais me défendre, et on va encore se quitter ennemis. Non, Jude, pose pas de questions, arrête, Jude, on était si bien!) Le soleil est parti, il va faire nuit dans quelques minutes. Tout à coup j'ai envie de solitude.

Tant pis! C'était prévisible, ça n'a jamais changé. Je regrette mon attendrissement de tout à l'heure. Et puis qu'il aille au diable! Qu'il parte, j'attends de la visite, il est tard. Aussi bien en finir tout de suite. Alors je lui explique la provenance du coucou, le juge mélomane et tout le reste. Je sais qu'il ne me croira pas si je lui dis qu'il n'y a rien entre le vieux magistrat et moi, il inventera bien quelque chose tout seul. De toute manière, ça ne le regarde pas, je sais bien, mais Jude est ainsi fait que des années de séparation n'ont pas réussi à effacer son dégoût pour ma vie intime.

Il a un de ses sourires méprisants que j'ai déjà vus. Il continue de régler le mécanisme comme si de rien n'était. Il me dit que si j'ai le goût des vieux riches maintenant, c'est que je dois tirer le diable par la queue, que j'ai raison après tout car c'est si peu de chose de sacrifier l'instinct naturel du beau pour un peu de sécurité matérielle. L'oiseau fait coucou de nouveau. «Si t'as pas entendu ce que l'oiseau vient de dire, m'as te le traduire. Dehors, Jude! L'oiseau vient de te dire qu'on veut plus de toi ici. Va-t'en!»

Il ne répond pas, il ne bouge pas. Il a tort, parce que mon sac est loin d'être vide.

C'est pourtant un manège si vieux, si connu de nous deux, si usé, et pourtant, ni l'un ni l'autre n'y échappons. Nous avons mis des années à en comprendre le mécanisme; nous avons tout tenté pour réparer la machine. Rien à faire. Un jour, nous avons compris que c'était inutile. C'est plus fort que lui, plus fort que nous deux, aucune puissance au monde n'en viendrait à bout.

12

Quand Jude est rentré d'Europe, il a accepté un poste à l'Université d'Edmonton. De mon côté, j'étais à Toronto, pianiste attitrée de l'orchestre symphonique; je faisais des émissions de radio, de télévision, je vivais très bien. Professionnellement parlant, nous avions l'un et l'autre ce qu'il fallait pour être heureux; côté cœur, nous nous débrouillions pour l'être aussi. Nous nous aimions tellement de toute façon que nous arrivions à effacer la distance sans peine; je lui écrivais toutes les semaines, il me téléphonait. On se voyait chaque fois qu'on pouvait : les longues fins de semaine, à Noël, à Pâques, l'été. On vivait au jour le jour. Un jour, on habiterait la même ville, mais rien ne pressait. Chaque fois que je pensais avoir des enfants, je me disais qu'ils seraient de lui. Nos retrouvailles étaient toujours belles.

Après deux ans en Alberta, il a pris une charge à Vancouver. De mon côté, j'ai eu la chance de trouver de l'emploi là-bas. Nous ne vivions pas ensemble, mais nous pouvions au moins nous voir souvent. C'était bien.

Un jour, il y a eu cette scène chez *Nathan's*, un steakhouse. J'avais commandé en entrée du pain de seigle et du hareng mariné à la crème sûre. Sa réaction m'a estomaquée : «Tu commandes un plat juif? Ah, mais c'est vrai... j'avais oublié, tu aimes tout ce qui est juif, j'aurais dû m'en souvenir. T'aimes tout ce qui est juif, tout ce qui est étranger, surtout ce qui est juif? J'imagine que ça te rappelle des bons souvenirs, de manger du hareng mariné? Tu dois t'ennuyer de tes petits amis juifs avec moi? C'est pour ça que tu te rattrapes avec des mets juifs...» Il y avait un sifflement dans sa voix et chaque fois qu'il prononçait le mot «juif», c'était avec une expression de dégoût profond. Je ne savais pas quoi répondre, je n'arrivais pas à en croire mes oreilles et mes yeux. Puis il a mangé son steak et bu son demi-litre de vin sans me regarder une seule fois. Il a réglé l'addition et il est parti sans même offrir de m'accompagner.

Je suis restée bouleversée quatre jours, tellement que je pensais quitter Vancouver; j'étais sans nouvelles de lui. Je téléphonais chez lui, il n'y avait jamais de réponse; je suis allée à son bureau à l'université, il n'y était jamais.

Je ne comprenais rien à rien. La xénophobie et l'antisémitisme sont des maux inconnus de lui : personne n'est plus cosmopolite que lui, son œuvre à l'Institut arctique en témoigne. Les gestes qu'il a faits en faveur d'Israël ou de l'Alliance judéo-chrétienne du Canada plaident pour lui; ses meilleurs amis s'appellent Garry Wagner, le saxophoniste, Harvey Rappoport, le cardiologue. D'une conjecture à l'autre, je me perdais et tout s'embrouillait de plus en plus.

Un beau matin, il a téléphoné. C'est fini entre nous, il a dit. «Il faut que je reparte pour l'Arctique. Je te l'avais pas dit, mais j'ai accepté un poste à l'Université du Manitoba. Je vais faire la navette entre Iberville et Winnipeg. J'ai pas de place pour toi, je m'excuse. Je savais pas comment te le dire, c'est pour ça que j'étais nerveux dernièrement. Je suis désolé.» Il a raccroché.

Ce que j'ai fait pour le garder, je ne le referai jamais pour un autre homme. Pour le retrouver, j'ai menti à ses amis, j'ai inventé des ruses ignobles, mais j'ai réussi à le revoir une dernière fois. Je me suis mise à genoux devant lui, je l'ai supplié; il était inébranlable. J'ai cherché à discuter avec lui raisonnablement. Peine perdue.

Je lui ai juré que je me moquais bien de faire carrière, tout ce que je voulais, c'était être avec lui, et je disais vrai. Je le suivrais à Winnipeg, je m'arrangerais là-bas, j'irais dans l'Arctique, je serais sa servante muette, je repriserais son linge, je ferais ses repas, n'importe quoi pour être près de lui. Il avait sa voix froide et scientifique : «Tu comprends rien, Maud! Je veux plus être avec toi justement parce qu'on est trop bien ensemble. Quand t'es là, je travaille jamais, je fais plus rien, je suis amorphe. Ça fait cinq mois que je n'ai pas écrit une ligne pis avant, je vivais de mes anciens travaux. Pour produire, il faut que je sois seul. Il faut que je produise, j'ai des responsabilités, l'Institut arctique marche pas tout seul, il faut que je sois là. On compte sur moi. Avec toi, Maud, je m'enfonce dans le confort, je perds mon intégrité, j'oublie mes rêves de gloire, mon désir de faire quelque chose pour l'humanité – je sais bien que c'est prétentieux à dire, mais je te jure que j'y crois dur comme fer. Il faut qu'on se laisse, Maud, il faut que je redevienne moi-même. Et puis, ta carrière s'en portera mieux, tu vas voir... Un jour, tu me remercieras.» Je l'ai envoyé chier.

Je suis partie sans lui dire au revoir. Son explication était parfaitement insensée. Jamais je ne l'avais empêché de faire ce qu'il voulait, nous étions séparés souvent et nous nous aimions tout de même. Une seule chose était claire : il ne voulait plus de moi.

Quelques semaines plus tard, j'ai accepté la bourse qu'on m'offrait à Vienne. Je le lui ai fait savoir par une amie commune, Lies, une Hollandaise qui était ingénieure dans les pétroles albertains. Pas la moindre réaction. Je suis partie. Adieu, Jude, cette fois, c'est bien fini. Dalilah a renoncé à Samson.

Plus tard, j'ai su que Lies l'avait suivi à Winnipeg et vivait la moitié du temps avec lui. Je ne leur en ai pas voulu, ni à elle ni à lui, je suis incapable d'être jalouse. Je lui ai seulement reproché de ne m'avoir pas dit les vraies raisons de ma disgrâce.

Adieu, Jude, pour toujours.

13

J'ai vécu sans Jude et j'ai survécu. Contrairement à son absence londonienne où l'incertitude faisait tout de même une petite place à l'espoir, mon séjour viennois avait la couleur lugubre de l'inéluctable, comme aurait dit le professeur Pigeon.

La ville m'a fait bon accueil même si je n'avais aucune envie d'être là. Professionnellement parlant, les conditions de vie étaient excellentes et pleines de promesses. J'avais sans le moindre doute un des meilleurs professeurs du monde en la personne du professeur docteur Friedrich. C'est grâce à lui si j'ai endisqué les *Bagatelles* de Tcherepnin à Nüremberg et un concerto de Mozart pour la radio suisse-allemande. C'est sur sa recommandation également que j'ai suivi l'Ensemble Glück en tournée au Japon. Pendant mes deux années et un peu moins là-bas, je n'ai jamais manqué de commandes prestigieuses.

Sentimentalement, amoureusement parlant, c'était zéro sur toute la ligne. On travaillait douze heures par jour, pas le temps pour la vie nocturne des boîtes de Vienne. J'habitais chez une dame gentille, mais dont l'allemand me restait incompréhensible; je ne voyais personne, sauf des collègues du conservatoire qui étaient tous aussi occupés que moi. Il y avait bien sûr le professeur docteur Friedrich qui me faisait des avances, mais je ne me trouvais aucun goût pour sa cinquantaine bandante et son charme vieille Europe. Chaque année, ce beau grand Allemand aux manières nobles prenait une favorite parmi les nouvelles arrivées, et j'avoue que je suis une fois venue près de défaillir. Heureusement, une petite Hongroise qu'on disait très douée s'est sacrifiée pour les autres et il s'est désintéressé de moi. Je pensais à Jude tous les jours, et mon succès là-bas ne représentait aucun intérêt.

En mai, je me suis offert des vacances en Italie. Et

ce qui arrive souvent là-bas m'est arrivé. À Venise, au palais des Doges, un petit étudiant aux manières suaves s'est présenté à moi spontanément. Il s'appelait Gino, il m'a invitée au restaurant et il m'a tout de suite fait des avances. C'était un beau chanteur de pommes, mais j'ai dû boire deux litres de vin pour avoir enfin envie de lui. Le lendemain matin, il m'a donné rendez-vous sur la place Saint-Marc. J'y suis allée et je l'ai attendu dans la cohue des touristes américains; il n'est pas venu, il devait être allé faire le coup de la veille à une autre touriste affamée au palais des Doges. Finalement, au bout d'une heure, un guide m'a remarquée, il m'a adressé la parole, nous avons causé et il m'a invitée au restaurant. Deux autres litres de vin. La nuit avec lui fut folle, je l'admets très volontiers. Le lendemain, dans le train qui me ramenait à Vienne, je me suis rendu compte que je ne savais même pas son nom.

Ce furent mes seules faiblesses. Le reste du temps, j'étais avec Jude. Pas une journée ne s'est écoulée en Europe sans que je pense à lui. On ne s'écrivait pas, il fallait que ça finisse entre nous, que chacun fasse sa vie de son côté. Mais j'aurais donné un clavecin pour un téléphone de lui.

En novembre, après la tournée au Japon, j'ai craqué. Je n'en pouvais plus, je n'avais plus la force de continuer; je n'arrivais pas à me résoudre à ce que la réussite serve de succédané au malheur amoureux. Un matin, j'ai été convoquée pour le lendemain à une audition à l'Opéra de Vienne devant une assemblée de grands maîtres chargés de distribuer des emplois prestigieux. Selon le docteur Friedrich, rien de ce que j'avais fait auparavant ne pouvait se comparer à l'épreuve du lendemain; mon avenir dépendait de la prestation que j'y donnerais. J'ai flanché, j'avoue, j'ai manqué de courage. Toute cette musique avait cessé de m'intéresser.

Le lendemain matin, je prenais l'avion. Le vol Vienne-Rome-Montréal que j'évite depuis. Parce que, comble de malheur, j'étais assise à côté d'une dame obèse, qui devait probablement être mannequin dans une charcuterie, et qui disait au moins une sottise par minute. «Moi, je vais en Italie chaque année. C'est pas pour les monuments, parce que ça m'intéresse pas, c'est pour les hommes. Chaque année, je passe trois semaines là-bas pis je m'en paie au moins une dizaine! C'est tellement facile... Dire que dans tout Montréal, il se trouve même pas un seul homme pour me faire une passe comme du monde, sauf des vieux dégoûtants qui puent le gros gin pis le cigare! Non, merci! Mais en Italie, t'as rien qu'à prendre un petit air perdu dans un musée, pis t'en as tout de suite quatorze après toi. On peut même choisir, pis ça coûte rien. Pis ils sont tellement fiers qu'ils feraient n'importe quoi pour te faire plaisir. J'ai fait toutes les villes d'Italie pis c'est pareil partout. Il y a rien qu'à Venise où que je suis jamais allée. Il paraît que là-bas, sur la place Saint-Marc, il y a un guide qui est fantastique sur le matelas. Une amie à moi m'a donné son nom. L'année prochaine, je me le farcirai, comme les hommes disent. Ça te fait rien que je te conte ça, hein...»

Le vol Rome-Montréal a duré ce jour-là exactement sept heures quarante-cinq minutes et vingt-huit secondes.

J'ai mis un bon bout de temps à me remettre de ma dépression viennoise. Pendant quatre mois, je me suis cachée chez un ami homosexuel qui voulait être compositeur. Mon seul acte de courage pendant ce temps-là a été d'écrire au professeur docteur Friedrich pour m'excuser. Puis j'ai passé l'été chez mes parents qui m'ont accueillie sans le moindre reproche. Ils ont été chic. Comme dit ma mère, des parents, c'est fait pour comprendre. Je m'en souviendrai un jour si j'ai des enfants.

Après, je suis allée à Montréal où j'ai décidé de faire n'importe quoi pour gagner ma vie, sauf de la musique. Quand j'ai postulé une place de caissière chez Eaton, parce que j'étais raide pauvre, la directrice du personnel m'a demandé si j'avais de l'expérience. J'ai répondu que j'avais été pianiste en Europe. J'ai eu la place. Pendant un an, j'ai fait toutes sortes de petits emplois comme celui-là. Je voulais sortir de la musique, vivre dans le vrai monde, respirer comme tous les autres autour de moi, sans discipline. Je me disais : tant pis pour le talent, de toute façon, j'en avais pas assez pour devenir une des cinq meilleures au monde, alors à quoi bon s'entêter...

La crise a duré une bonne année. C'est vrai, j'ai royalement perdu mon temps et j'ai pris un recul que je n'ai jamais pu combler. Il n'était plus question de retourner aux études classiques; après ma fuite viennoise, j'étais marquée au fer rouge, barrée partout. C'était une vraie crise existentielle, mais je pense n'avoir jamais autant ri de ma vie : j'avais des amis complètement fous, je sortais tous les soirs, je passais de grandes journées à regarder des émissions quétaines à la télévision, je lisais les journaux, des livres. Dans toutes ces activités inutiles, j'avais l'impression de vivre. C'était idiot, mais c'était comme ça.

Une bonne fois, j'ai accepté de suivre l'ami de cœur

du moment en Abitibi où il enseignait. J'ai compris au bout de trois mois de vie commune dans son trou de mine gris qu'il ne voulait qu'une servante capable de jouer Beethoven au piano. Salut, casseau! Salut, l'Abitibi!

Mon copain aspirant compositeur se trouvait alors à Philadelphie. Je suis allée l'y rejoindre pour échapper une seconde fois à la dépression de l'échec. Quelques jours après mon arrivée, j'ai décroché une place dans un piano-bar sympathique. C'était bien : habillée d'une longue robe noire avec un beau petit corsage blanc qui ne fanait jamais, je jouais des airs populaires avec un orchestre de professionnels vagabonds. C'était mieux que la caisse enregistreuse d'Eaton. Trois ans aux États-Unis : un an à Philadelphie, un an à Saint-Louis, un an à Détroit; une vie insouciante, bien payée, des hommes mariés à la tonne, de l'alcool, beaucoup d'alcool, de l'opium, de tout. J'ai fait mes valises le jour où j'ai appris le suicide de mon copain compositeur à San Francisco. Je n'avais plus le choix, il fallait que je me sauve toute seule maintenant.

Rentrée au Canada, je me suis lancée en affaires avec une amie qui était dans la confection de vêtements sport. Les affaires m'ont passionnée pendant un an, puis j'ai compris un soir, à un concert à Toronto, que la musique me manquait trop. Je suis rentrée à Ottawa, où j'ai entrepris la petite vie tranquille que je mène aujourd'hui, avec mes petits cours, mes leçons. Très vite, j'ai pris goût à ma nouvelle vie sédentaire sans le moindre regret pour mes années d'errance. Rien d'étonnant à cela : j'avais retrouvé Jude.

14

Nous nous sommes revus à la gare d'Ottawa; il partait pour Toronto, moi pour Montréal. Depuis ce jour, je suis convaincue qu'une gare est le plus bel endroit pour des retrouvailles, parce que c'est normalement le lieu des séparations. En se retrouvant dans une gare, on a l'impression de conjurer le mauvais sort. La suite des événements m'a donné tort, mais j'aime encore le penser.

Nous avons passé une heure ensemble; il pleurait presque de joie, j'étais heureuse à vouloir mourir là. On s'est donné rendez-vous au même endroit, une semaine plus tard; on s'est tout de suite aimés comme avant et tout est reparti en neuf.

Bien sûr, il a fallu négocier nos conditions nouvelles de fréquentations. Il ne fallait pas commettre d'erreurs cette fois. Nous avions vieilli de cinq ans, chacun avait le cœur amoché à sa façon, il fallait réapprendre à se connaître. Pour ma part, je lui ai fait promettre de ne plus me quitter sans explications sincères; moi, j'ai promis de le laisser respirer parce qu'avant, j'étais peut-être trop présente à son goût. Marché conclu! Quant à nos fréquentations, on se verrait chaque fois qu'il viendrait à Ottawa (dans le temps, il enseignait à Toronto); puis il s'installerait plus près de moi, on vivrait séparément mais on s'aimerait quand on voudrait. Avec le temps, on verrait : on aurait peut-être un enfant, on aurait peut-être une maison ensemble quelque part à la campagne, et quand on serait vieux, on finirait peut-être par vivre sous le même toit. On verrait, on verrait. Pour l'instant, il fallait s'aimer le plus possible et ne plus se quitter, jamais.

Nous avons été heureux souvent, nous avons connu d'innombrables moments parfaits où nous étions les seuls au monde à exister l'un pour l'autre. On se voyait souvent, on passait nos vacances ensemble; il me portait bonheur, ma situation professionnelle me satisfaisait amplement, je croyais avoir trouvé mon équilibre vital. Le parfait amour, pour la troisième fois.

C'était compter sans la mémoire impitoyable de Jude et ma propre légèreté. J'avais beau taire ma vie privée sans lui et avant lui, certains mots de moi, prononcés sans la moindre malice, le mettaient dans des rages froides dont l'issue était toujours inquiétante. La moindre allusion à la virginité perdue, aux Juifs ou aux amours de jeunesse suffisait à le lancer dans des monologues haineux : «Ta situation était typique, ma pauvre Maud. Une entreprise juive à Montréal avec des patrons qui gardent tout pour eux, qui exploitent leur personnel avec des salaires de famine. En plus, on se paie des petites Québécoises qui ont un beau cul mais qu'on n'épouse jamais parce qu'elles sont chrétiennes. *Cheap labor, cheap fucks!* Tu vois pas, Maud, que tes histoires sont tellement banales, tellement quétaines?! Je m'haïrais tellement à ta place!» Dans ces moments-là, je le détestais de toutes mes forces à le voir piétiner mes souvenirs d'amour juvénile qui n'avaient absolument rien à voir avec ces fables antisémites d'exploiteurs violeurs. Je lui criais mon dégoût au visage, je le jetais dehors, je l'ai même frappé une fois.

Il revenait une semaine plus tard; il s'excusait, et on parlait. Il tenait alors un langage d'une lucidité crue : lui-même avouait ne pas croire ces histoires-là, il affirmait que la femme comme l'homme sont maîtres de leur corps et que mes amours passées n'offraient que des coïncidences avec des préjugés grossiers. Son repentir était sincère, ses explications étaient claires, sauf qu'il n'arrivait jamais à dire d'où lui venaient ses réactions assassines. Ce n'était pas un homme jaloux, jamais il ne me posait la moindre question sur mes allées et venues; il n'y avait que le passé pour le troubler.

Moi non plus, je ne comprenais pas. Sauf que, petit à petit, je commençais à mieux le saisir, à mieux le connaître. Je voyais un homme chargé de secrets impossibles à percer et sans doute lourds à porter. Ainsi, il ne parlait jamais de sa famille, et le peu que j'en sais, je l'ai appris des autres; il fait comme si elle n'existait pas. Cet homme qui ne parle que de renom, de gloire et d'avenir, n'a pas de passé. Je n'ai jamais rien tiré de lui à ce sujet. De la même façon, il ne parle jamais des femmes qu'il a connues : elles n'ont pas existé, et Dieu sait le tombeur qu'il est! Encore là, rien.

J'ai parlé de ma légèreté. Il est vrai que je n'arrivais pas toujours à choisir mes mots soigneusement. Un soir, dans un moment de gaieté, encouragée par le vin, j'ai raconté mes amours vénitiennes à une soirée dans le Glebe; je croyais que Jude, qui était en grande conversation savante avec un collègue, n'entendait rien. Ce fut pour lui la goutte qui fit déborder l'égout.

Il est resté silencieux une bonne partie de la soirée. Tout à coup, il s'est mis à chercher querelle à un écrivain qui racontait son initiation pédérastique sur une réserve indienne. Jude lui a lancé qu'il ne connaissait rien à la sexualité amérindienne et que son Bon Sauvage homosexuel n'existait que dans l'imaginaire raciste de l'Occident. Quelque chose dans le genre, en tout cas, parce que j'écoute peu quand les hommes crient. Jude s'emportait, il valait mieux partir. Je ne me doutais pas qu'il venait de commencer sa carrière de brute mondaine.

Nous sommes rentrés à pied, il faisait doux, c'était en septembre; nous longions le Canal Rideau. Soudain, il s'est lancé dans une tirade contre les amours vacancières : «Comme ça, Maud, t'appartiens aux aventurières niaiseuses des pays nantis qui vont se faire mettre aux Antilles ou en Méditérannée? C'est vrai que c'est valorisant de se faire poigner le cul par des Latins ou des Nègres! Ça fait oublier le quotidien... Pis quand on rentre, on voudrait trouver un bon petit mari comme les autres... Tu me fais penser à l'agent d'assurances qui est marguillier, qui va se faire sucer à Haïti par des guidounes de treize ans une fois par année! Le Tiers Monde du cul!» Le même ton haineux, la même colère persifleuse.

J'en avais assez : c'était à mon tour de vouloir m'en aller. «Salut, Jude, dis-le donc que tu veux pas de moi! Salut, ti-cul! Pis épargne-moi tes explications sociologiques, je m'en vas! C'est juste que tu cherches une excuse pour me quitter, c'est pour ça que tu brasses ces histoires-là! Va-t'en, pis laisse-moi tranquille!» Il était tellement en colère qu'il sacrait à pleine tête, je ne l'avais jamais vu aussi mauvais.

Comble de malchance, deux jeunes hommes se sont approchés au moment où il entrait dans sa colère. L'un a fait une petite remarque à Jude, l'autre l'a trouvée drôle. Ils ont eu tort. Jude attendait ces deux cibles-là pour passer sa haine, et comme ils avaient tous les deux les cheveux frisés et le teint basané, un peu comme des Iraniens, ils étaient des victimes parfaites. Jude s'est jeté sur le premier sans avertissement : en un éclair, il l'a aveuglé en lui enfonçant ses doigts dans les yeux et il l'a frappé à la tempe d'un coup de poing qui l'a assommé raide. L'autre n'a même pas eu le temps de se sauver : Jude l'a saisi par le collet pour l'étrangler; il l'a fait s'agenouiller et il l'a giflé quatre fois, j'ai cru que la tête allait s'arracher. Je lui criais d'arrêter, il était sourd. Puis il a soulevé le petit gars par la ceinture et il l'a projeté dans le Canal. Je n'en croyais pas mes yeux, je n'avais jamais soupçonné autant de violence chez un homme. J'ai eu peur, je me suis enfuie. J'ai su plus tard qu'il était resté un bon moment accoudé à la grille du Canal pour voir comment le jeune homme s'en sortirait; puis il est parti, il a marché toute la nuit pour passer sa colère. Je pense encore à ces deux pauvres garçons qui maudiront toute leur vie leur promenade sur le bord du Canal ce samedi soir de septembre.

J'ai mis un certain temps à me remettre de cet épisode : je refusais de le voir, de lui parler, de lui téléphoner, je ne voulais rien savoir de lui. Il y a eu une autre réconciliation, la dernière. Peu après, il s'est remis à me poser des questions sur mon séjour à Philadelphie, comme il le fait maintenant avec le coucou et le juge, et j'ai décidé alors qu'un jour, je ne l'aimerais plus.

J'ai voulu le quitter, mais il m'a pris de vitesse. Au lendemain d'une nouvelle scène de jalousie rétrospective, il m'a annoncé qu'il partait. Je l'empêchais d'avancer dans ses travaux, prétextait-il; il valait mieux nous laisser, la vie commune et ses aspirations étaient incompatibles, c'était sans remède. Il s'est en allé, il n'est jamais revenu. J'ai renoncé à lui dire que je ne croyais pas un mot de ses explications. «Tu n'es pas Samson et je ne suis pas Dalilah.» Mais ce n'était plus la peine : je n'ai pas cherché à le retenir.

J'étais enceinte de lui. C'était trop tard. Il fallait que Jude sorte de ma vie pour de bon. Il n'a jamais su que je m'étais fait avorter. Je n'ai jamais éprouvé le moindre regret. Encore aujourd'hui, j'ai la certitude que c'était la chose à faire.

15

Après une absence d'un an, nous avons accepté d'un commun accord de nous revoir, mais en amis. À quelques reprises, il nous est arrivé d'avoir des faiblesses, mais en général nous sommes sages. J'ai ma vie, il a la sienne. Il me confie ses passions, il parle, je l'écoute.

Trop souvent, nous reprenons nos vieilles chicanes, toujours sur le même thème. Il veut savoir ma vie, il pose des questions dont il connaît les réponses, comme s'il cherchait à se faire faire mal. Dans le fond, je le plains.

L'autre jour, Marie Fontaine a demandé à me voir. Elle sortait à peine de son chagrin amoureux pour Jude et voulait que je l'aide à comprendre. Je n'ai pas voulu lui dire tout ce que je sais sur Jude, après tout, nous ne sommes pas des amies intimes; mais sa peine était tellement triste à voir que j'ai eu envie de lever un peu le voile sur lui, pour qu'elle comprenne qu'il n'y a rien à faire.

«Vous avez raison de penser que Jude est un grand homme et un cœur d'or; un homme généreux, fascinant, tout ce que vous voulez. Je le sais aussi. Je pourrais pas vous dire s'il est vrai qu'il est inapte au bonheur à deux comme certaines l'affirment; tout ce que je sais, c'est qu'il ne pouvait pas être heureux avec moi. On a tout essayé, et il a fait des efforts sincères. Un jour, il a fallu abandonner parce que c'était trop dur.

«Je ne sais pas tout de Jude. La seule misère profonde et incurable que je lui connaisse lui vient de son intelligence mémoriale. Sa mémoire est la plus fertile que je connaisse : il y pousse des fleurs rares et des champignons vénéneux. Après avoir commis la sottise de lui raconter certains épisodes, j'ai aussi eu la légèreté de parler d'événements banals qui gravitaient autour de ces moments. C'est comme ça qu'à partir d'éléments apparemment sans importance, il arrivait à reconstituer des scènes entières de ma vie qu'il me racontait ensuite comme s'il avait été là. Si je disais "rue Beaubien", il était lancé : "La rue Beaubien. À Montréal. En 1969, tu y es allée voir le film *The Graduate* rue Beaubien; ton ami Toby t'accompagnait, tu me l'as dit. Après, vous êtes allés manger des moules chez un Portugais; la nappe était tachée, ça t'avait soulevé le cœur, tu rappelles toujours ce souvenir-là quand tu vois une nappe tachée, c'est pour ça que je le sais. Ensuite, il a dû t'inviter chez lui; il t'a fait écouter du jazz, le concert de Brême de Keith Jarret. Ensuite, vous avez fait l'amour; il utilisait des condoms et ça t'inhibait, tu me l'as dit..." Dans ces moments-là, ou bien il est triste à en mourir parce qu'il se sent inférieur, ou alors, il est enragé pour tuer. Ainsi, il ne faut plus dire "rue Beaubien", ou même "Beaubien" tout court.

«C'était invivable. J'avais l'impression d'aimer un agent de la police secrète qui avait été témoin des moindres moments de ma vie intime. Lui aussi était malheureux comme les pierres. Un mot imprudent de moi, et il était jeté dans un état de prostration ou de colère glacée. La mémoire qu'il avait de ma vie le faisait souffrir tellement qu'il devenait un autre homme : laid, soupçonneux, perclus de préjugés déguisés en idées savantes. Sa fameuse mémoire qui flatte ses interlocuteurs parce qu'il arrive à se rappeler des détails insignifiants à leur sujet, sa mémoire qui donne aux gens l'impression qu'il les écoute et leur attache de l'importance; cette mémoire qui a si bien servi sa carrière et sa gloire, cette mémoire est une plaie vive, un champ de mines qui explose au moindre choc avec le souvenir haï.

«Il est fait comme ça : entier, impitoyable pour lui-même et ses proches, exigeant jusqu'à la cruauté, le plus loyal et le plus rancunier des hommes. Dans sa soif jamais étanchée d'absolu, il m'a déclaré un jour : "Maud, je ne veux pas juste t'aimer à compter de maintenant, mais depuis toujours, comme si tu m'avais toujours appartenu, depuis la naissance! Comme des jumeaux qui s'aiment tout le temps, qui s'habillent pareil, qui font les mêmes choses et qui se partagent pas avec le reste du monde. Ou alors, t'aurais été ma fille, je t'aurais possédée dès la conception, et je t'aurais toujours gardée à moi, mon amour impossible!" Je vous jure, Marie, que si vous aviez vu l'expression de tristesse tragique qu'il y avait sur son visage, vous auriez compris qu'on peut aimer Jude à la folie, mais que lui ne pourra jamais aimer personne. Personne.

«Quand il m'a rencontrée, il s'est imaginé que j'étais un ange descendu sur terre pour faire de la musique. Il m'a imaginée pure, et dans mon esprit comme dans mon corps, je l'étais pour lui. Mais ce n'était pas assez. Et même s'il m'avait connue vierge, il aurait voulu toujours plus! Cet homme-là aura toute sa vie soif d'irréel, les femmes sont trop humaines pour lui.»

Je n'ai rien dit de tout cela à Marie Fontaine, je sais seulement que j'ai ressenti un certain bien-être à le penser. Je le comprends tellement mieux, cet homme, depuis que je vis loin de sa malédiction.

16

Il est encore là avec ses yeux interrogateurs : le coucou, le juge. Je ne réponds pas. J'en ai tout d'un coup assez de lui; son haleine empuantie par le tabac me gêne soudain; j'ai hâte qu'il s'en aille. D'ordinaire, nous nous quittons en nous disant des vacheries. J'ai envie, juste pour le remettre à sa place, de lui parler du premier amant que j'ai pris après l'avoir quitté, un Africain qui baisait mal et se vantait de pouvoir se payer toutes les femmes. Et puis des autres qui ont suivi. Mais je me retiens.

Non, le charme est brisé, même s'il m'arrive d'éprouver des attendrissements comme tout à l'heure et d'y avoir cédé quelquefois. Mais plus maintenant. Il me parle librement de ses conquêtes, mais je me demande parfois s'il ne le fait pas pour m'exciser de sa peau. Non, le charme est brisé.

Il ne reste plus de café. J'attends de la visite, il faut qu'il s'en aille. Va-t'en, Jude, cesse tes questions ou ça va mal finir. Cesse de nous torturer, laisse-moi vivre, laisse-toi vivre. Arrête, Jude. Il me demande maintenant si le juge ronfle la nuit.

La sonnerie du téléphone nous sauve, comme au cinéma. C'est Babrak, il veut m'emmener souper. Il sera ici dans quinze minutes. Jude me demande qui c'est, celui-là, Babrak. C'est un ami. «Juste un ami, ou quelque chose de plus?» Je lui réponds que je couche avec lui et que je coucherai probablement avec lui ce soir si j'en ai envie. Il ne dit rien, il prend un air peiné. En temps normal, je mets des gants blancs, mais maintenant, j'en ai assez. Ses questions me rappellent trop l'époque où il me demandait des détails précis pour mieux nous torturer tous les deux après.

Il veut savoir comment je l'ai connu. Il l'a voulu : je réponds, je dis la vérité. Il y a un petit journal à Ottawa qui s'appelle le *Pennysaver*; c'est un journal fait d'annonces pour des aubaines. On y vend de tout : des voitures usagées, des maisons, des grille-pain, des pianos. On y trouve aussi une rubrique pour ceux qui cherchent l'âme sœur. Il y a six mois, dans une grande crise de solitude, j'ai mis une annonce : «Cherche grand noiraud musclé, pas jaloux, yeux verts, avec situation, sans problèmes d'argent, qui vit seul, aime les femmes indépendantes, la musique, la marche et le nouveau cinéma italien. Sérieux s'abstenir.» J'ai reçu une douzaine de lettres et j'ai accepté de voir trois candidats. Le premier était ingénieur et baptiste fondamentaliste : éliminé; le deuxième m'a demandé subtilement combien je gagnais : éliminé; le troisième, Babrak, est un ancien chef de la rébellion afghane qui conduit un taxi à Ottawa et rêve d'ouvrir un restaurant : je l'ai essayé et ça a marché. En tout cas, ça marche encore même si ça ne sera jamais le grand amour. C'est un bon gars, discret, propre et pas encombrant.

Comme il fallait s'y attendre, Jude me jette du coin de la bouche que je suis tombée bien bas. Je lui réponds que le *Pennysaver* vaut bien toutes ses petites conquêtes minables de bar et les groupies qu'il se paie dans les colloques savants. J'ajoute que quand Babrak aura reçu son congé de moi, je mettrai une nouvelle annonce pour m'offrir un beau petit Juif pauvre, social-démocrate et flûtiste. Il élève le ton, moi aussi. C'est reparti, on oublie la tendresse des crêpes de la Chandeleur. On se crie des injures dans le noir.

La porte s'ouvre. C'est Babrak, il a ses clés. Il a des manières, mon bel Afghan rebelle et chauffeur de taxi : après m'avoir embrassée, il serre chaleureusement la main de Jude et lui fait répéter son nom deux fois. Jude retrouve aussi son amabilité bien apprise devant mon colosse pachtoune ancien tueur de Soviétiques. Une conversation polie s'engage entre les deux hommes; Jude lui demande même si le taxi marche plus fort l'hiver que l'été. S'ils n'arrêtent pas tous les deux, je vais me rouler par terre de rire.

D'un coup d'œil, je montre la porte à Jude. Il se lève. Mon Afghan lui demande s'il veut un taxi; il a un ami pas loin qui n'a pas fini sa journée, il sera ici dans cinq minutes. Jude ne répond pas. Il me lance une dernière saloperie en guise de cadeau d'adieu : «Il est foncé, ton amant du *Pennysaver*, t'es encore retombée dans ta période noire?» C'est sa façon charmante à lui de me rappeler l'époque où je sortais avec des Noirs à Philadelphie. Babrak, qui ne comprend pas un mot de français, nous regarde avec un grand sourire intéressé. De ma voix la plus musicale, je lui demande : «Pis toi, mon beau Jude, quand tu reçois une femme à baiser, est-ce que tu laves encore la baignoire et l'évier à l'Ajax quand elle a fini de prendre sa douche et de se maquiller? Est-ce que tu leur interdis encore de se faire à manger dans ta cuisine parce que ça fait du désordre dans tes armoires, parce que ça fait de la fumée, des miettes et de la poussière?» Il s'en va.

Je vais à la fenêtre pour le voir s'enfoncer dans sa nuit polaire. Je fais dos à Babrak, qui se met à me caresser de ses lèvres et de ses mains; je me laisse faire, c'est si bon. Très fort, je pense : «Va-t'en, Jude, laisse-moi en paix, et ne reviens plus si tu le peux.»

III

Le jour du Souvenir

What's in a name?
William Shakespeare

1

Jude m'inquiète. On dirait que le bonheur lui échappera toujours quoi qu'il fasse. Pourtant, je connais des crapules heureuses, des pauvres heureux. Il y a donc des gens qui n'ont ni droit ni raison d'être heureux, comme si le bonheur existait indépendamment de soi. Bien sûr, on peut faire une belle vie et rehausser le bonheur d'autrui, comme Jude en a toujours rêvé. Mais tout cela ne compte pas si on ne sait pas être heureux soi-même. Il faut être doué pour le bonheur, et Jude n'est pas doué.

Il sort de chez moi; il était ici il y a à peine vingt minutes. Nous avons réglé ensemble les détails de ma succession. Tous mes biens iront à l'Institut arctique, Jude n'a rien voulu prendre pour lui. Il y avait longtemps qu'il rêvait d'ouvrir une antenne de l'Institut dans la capitale : ce sera bientôt chose faite grâce à sa bonne madame Élizabeth qui a tout arrangé. C'est le dernier cadeau que je lui fais, je lui aurai été utile jusque dans la mort. Quand je serai partie, l'Institut arctique prendra possession de ma maison de la rue Blackburn : mon testament prévoit la somme d'un demi-million de dollars pour la reconversion de la maison en bureaux, et plus d'un million pour constituer le fonds d'exploitation qui épongera les dépenses courantes du nouveau siège social de l'Institut.

Jude, mon grand fou, a prévu de faire poser une plaque de bronze sur le mur frontal : «La Maison Élizabeth, ainsi nommée en témoignage de reconnaissance à la première bienfaitrice de l'Institut arctique». J'ai eu beau refuser, m'entêter, faire des menaces même, lui répéter cinquante fois que c'est inutile, il a insisté. J'ai cédé, comme des milliers de fois auparavant. Quand il a une idée dans la tête, personne ne peut l'arrêter. Ce sera donc comme il voudra.

Je sais bien que ce ne sera pas possible, mais j'aimerais revoir la maison refaite à neuf avec du beau mobilier, du personnel aimable, avec Jude au centre de tout cela. J'aimerais le revoir content de son œuvre, lui qui n'a jamais cessé de croire. Moi aussi j'ai toujours cru en lui et j'ai été récompensée mille fois.

Il est naturel que l'Institut arctique poursuive sa carrière chez moi après ma mort. Après tout, c'est ici que tout a commencé.

On se connaissait déjà un peu le jour où il est apparu à ma porte. Nous avions été voisins, dans le temps, rue Wilbrod. Même déménagée rue Blackburn, je continuais de le voir dans la Côte-de-Sable, au Marché By. Il avait beau grandir, il demeurait le bon petit gars serviable que j'avais connu sur Wilbrod, le genre à aider les petites vieilles à traverser la rue ou à punir les grands qui battent les petits.

J'avais à peine ouvert la porte que j'ai entendu une demi-phrase qui devait sortir d'un paragraphe de présentation mémorisé mais trop vite débité. Je n'ai saisi que le mot «chambre». Il restait là debout à attendre ma réponse.

– Voulez-vous répéter, s'il vous plaît, mais moins vite cette fois.

Il a rougi, le brave petit homme. Il a répété, moins vite, mais en bafouillant et en s'étranglant dans sa salive. Il cherchait une chambre, il voulait savoir si j'en avais une de libre et combien je demandais par mois. Il faisait tellement pitié avec son costume trop grand pour lui qui avait dû appartenir à son père, que je l'aurais fait entrer même si j'avais affiché complet.

Pauvre lui, il a à peine déposé sa vieille valise qu'elle s'est ouverte toute seule; elle débordait et il n'arrivait plus à la refermer. Pour ne pas le gêner, j'ai fait semblant de ne pas voir ce qu'elle contenait. «Excusez-moi, madame, c'est une vieille valise, elle tient rien qu'avec de la corde pis de la colle. Voulez-vous que je m'en aille?» Il m'a fallu beaucoup de charité pour garder mon sérieux; j'ai tenté de le rassurer en lui disant que ce genre de mésaventure arrive même aux gens qui payent leurs valises très cher. Il a redemandé combien était la chambre.

– Mais attendez de la voir avant de me le demander...

Je le voussoyais exprès. Ce n'était plus un enfant du quartier qui livre les journaux aux portes ou qui sert la messe le dimanche : c'était maintenant un jeune homme à la recherche d'une chambre chez une dame qui acceptait des pensionnaires. Le voussoiement le grandissait un peu.

– Pourquoi êtes-vous venu ici? Quelqu'un vous a-t-il envoyé?

– Non, je sais seulement que vous habitiez à côté de chez nous avant et que vous louez des chambres. Un de vos pensionnaires, le professeur Pigeon, qui va m'enseigner le grec à l'automne à l'Université d'Ottawa, m'a dit que votre maison est très bien.

– Nous ne sommes qu'à la fin juin et c'est maintenant que vous cherchez une chambre?

– Oui, c'est parce que mes parents déménagent à la campagne, trop loin d'ici. Il faut que je me trouve une place où rester tout de suite.

Il était nerveux, il suait dans son complet démodé, il faisait craquer ses doigts.

– Écoutez, j'ai bien une chambre de libre, mais je ne prends pas de pensionnaires aussi jeunes que vous...

Il avait l'air piqué.

– Madame Hoboul...

– Holoub! Madame Holoub.

– Excusez-moi, ce que je voulais dire, madame Holoub, c'est que je suis peut-être jeune, mais je suis capable de payer mon loyer pareil. Je suis tranquille aussi. Vous allez voir, vous aurez jamais à vous plaindre de moi.

– C'est trente dollars par mois...

– Parfait! C'est justement ce qui me reste dans mes poches. Je vais vous payer tout de suite.

Il a sorti son portefeuille, fièrement.

– Attendez, attendez! Je n'ai pas fini. C'est trente dollars par mois, vous occuperiez la petite chambre du troisième étage, il y a une salle de bains commune et une petite cuisine au deuxième.

– Parfait!

– C'est que votre chambre n'est pas prête. Il faut la repeindre.

– Avez-vous de la peinture? Je vais vous arranger ça dans le temps de le dire. Pour ce soir, je peux coucher dans de la vieille peinture. Demain, ce sera repeint en neuf. Pis je vais le faire pour rien, si vous me laissez la chambre tout de suite.

– Vous êtes bien pressé?...

– Écoutez, madame Holoub, j'ai rien qu'entendu du bien sur votre maison, pis c'est tellement près de l'université. À part de ça, je commence mon emploi d'été après-demain, j'ai pas le temps de chercher. À part de ça, avec ma valise qui ferme plus, je peux pas faire du porte à porte longtemps...

– Bon, mais dorénavant, vous m'appellerez «madame Élizabeth», comme tout le monde!

Le lendemain soir, je suis montée voir la chambre. C'était repeint, il avait bien travaillé. La chambre était propre, le lit était fait. Il avait soigneusement rangé ses quelques vêtements dans la commode; dans l'armoire, son costume pendait tout seul. Il y avait quelques livres sur le bureau, avec son réveille-matin, un cendrier et une pipe qui n'avait jamais dû fumer.

Je me suis vite habituée à lui. Il entrait sans faire de bruit et montait l'escalier vite comme un chat. Le matin, il me saluait dans le jardin de sa voix forte : «Bonjour, madame Élizabeth! Comment allez-vous aujourd'hui?» D'un ton adulte, ferme, comme s'il s'était sérieusement soucié de ma santé.

Il était discret aussi, une qualité précieuse pour moi. Par exemple, quand il m'a demandé où était le professeur Pigeon et que je lui ai répondu qu'il avait déménagé, il ne m'a pas demandé pourquoi. C'était bien.

J'aime qu'on se mêle de ses affaires, encore aujourd'hui d'ailleurs.

2

La première année, il y avait trois autres pensionnaires dans la maison. D'abord, le grand Fontaine, un garçon de six pieds trois pouces, très timide, originaire de Sudbury. C'était un jeune homme très comme il faut, studieux, qui a épousé Marie Leblanc, une petite fille de la Côte-de-Sable que j'ai vue grandir, elle aussi. Ils ont eu une petite fille, ils se sont établis dans le quartier plus tard; il a fait carrière au gouvernement, il a réussi mais il est mort, le pauvre. Les deux autres étaient des Africains, deux braves gars qu'on refusait de loger ailleurs dans la Côte-de-Sable à cause de la couleur de leur peau, et que j'ai justement pris chez moi pour cette raison : pour enquiquiner mes voisins qui sont un peu racistes, surtout le pharmacien d'en face. Ils s'appelaient Théophile et Amédée. Après ses études, Théophile est rentré dans son pays; il y a été ministre et diplomate, mais on l'a chassé; il est dans la pizza maintenant. L'autre, Amédée, a été général; il vit en exil à Ottawa lui aussi, il vend de l'immobilier quand il ne prépare pas de coups d'État rétrospectifs.

Le dimanche après-midi, j'invitais mes pensionnaires à prendre le thé; je servais des petits gâteaux et des sandwichs, une habitude britannique que j'ai toujours aimée. Mes anciens pensionnaires étaient aussi les bienvenus. C'était toute ma vie mondaine.

Le professeur Pigeon ne manquait jamais un dimanche pendant l'année universitaire. Je le tolérais parce que Jude lui vouait une admiration sans bornes, autrement, je lui aurais fermé ma porte. Pigeon enseignait à Jude le grec et l'histoire de l'Antiquité. Quand le professeur venait, il poursuivait son cours à l'intention de Jude, mais avec le désir évident de m'amadouer. Je l'entends encore : «Depuis Pisistrate, les dictateurs prétendent toujours se saisir du pouvoir au nom du bien du peuple. Rappelez-vous que pour les Grecs, le mot "tyran" voulait dire "ami du peuple". L'ennui, c'est qu'un tyran, ça finit toujours par devenir un tyran. C'est cette ambition paternelle, bienveillante, mais aux conséquences toujours meurtrières, qui a fait naître Franco et Staline.» Jude buvait littéralement ses paroles, et lui posait mille questions auxquelles Pigeon répondait aimablement. Le professeur encourageait Jude dans son développement intellectuel; il lui faisait lire des romans russes, il l'emmenait au théâtre, il l'initiait au cinéma américain en lui expliquant que les arts du divertissement sont des inventions américaines qui traduisent le génie innovateur de ce peuple. Jude était bon élève, ce qui flattait le professeur. En bref, je pouvais difficilement séparer l'ancien pensionnaire et le nouveau sans nuire à cette amitié si bienfaisante pour la formation du plus jeune; alors j'autorisais le professeur à venir prendre le thé dominical, à condition qu'il gardât sa place, bien sûr.

Quand je me suis mise à prendre des pensionnaires, au début par nécessité et plus tard par plaisir et crainte de la solitude, je me suis juré d'éviter les familiarités avec eux, surtout les rapports intimes. J'étais toute disposée à me montrer aimable, à leur témoigner de l'amitié, à me réjouir de leurs succès, à compatir avec leurs misères, mais sans plus. Souvent, j'ai toléré qu'on oublie de payer un mois et j'ai effacé plus d'une dette, mais je n'ai jamais supporté qu'on me manque de respect, jamais!

J'ai ouvert ma maison en 1963 et Pigeon a été mon premier pensionnaire; il était d'ailleurs le seul la première année. J'aimais chez lui ses manières vieille Europe et son accent un peu français de gentleman cultivé. J'avais même été surprise d'apprendre qu'il était de milieu modeste et originaire d'Ottawa, je le croyais issu de quelque grande famille bourgeoise de Montréal ou de Québec. De bourse en bourse, il s'était hissé jusqu'au doctorat de lettres classiques de la Sorbonne.

Dans les premiers temps, il était très gentil, très prévenant, très courtois. Il m'a offert un petit cadeau à Noël, des fleurs à Pâques. Quand je le croisais dans la rue, il se décoiffait et s'arrêtait pour me saluer. Je lui trouvais seulement un défaut : son insouciance totale pour la propreté. Je précise qu'il était propre de sa personne, même avec ses costumes élimés qui lui donnaient vingt ans de plus. C'était sa chambre : il ne voyait jamais la poussière et il avait l'étrange habitude de collectionner les emballages de tous les aliments qu'il achetait. Il fumait le cigare et n'ouvrait jamais la fenêtre. En mai, chaque année, quand il partait pour l'Europe, j'en profitais pour faire ranger sa chambre par une femme de journée car je ne pouvais y entrer sans être prise de nausées. Je ne comprenais pas qu'on pût montrer tant d'intelligence et d'érudition et se vautrer dans une saleté pareille.

Son ton emprunté m'agaçait aussi. Surtout quand il prenait un air pâmé pour me parler de poésie latine ou de quelque sujet élevé. Le français n'est pas ma langue maternelle, et je le possédais encore moins à l'époque, mais mon instinct ne me trompait pas quand je croyais reconnaître la main d'un écrivain plus doué que lui dans les compliments bien tournés qu'il me faisait : «Madame Élizabeth, vos beaux yeux feraient mourir d'amour tous les desdechados du monde!»

Il se plaignait longuement d'être incompris dans sa ville natale et montrait le mépris le plus parfait pour ses concitoyens. «Une Européenne comme vous me comprend. Comment vivre dans un désert culturel comme celui-ci? C'est pour cette raison que je m'exile en Europe chaque année pour l'été. Ah, la Grèce! la Sicile! la France! Imaginez : je suis le premier et sans doute pour longtemps le seul Canadien à avoir traduit Hérodote et personne ne me salue dans la rue ici. Les plus grands savants d'Europe m'invitent à leur table et ici personne ne m'offrirait un café. Comprenez-vous ma misère?»

Il était aussi poète. Un autre sujet de plaintes amères. Il avait donné des lectures publiques de ses poésies en Grèce, en Bulgarie et en Égypte. Il avait publié quelques chefs-d'œuvre dans des revues écossaises et suédoises. Il m'a dit des centaines de fois : «J'ai des tiroirs pleins de poèmes dont pas un chat ne voudrait ici. On me préfère les héros de la Bourse, du hockey, du bétail. C'est la misère canadienne. Il se trouve des érudits en Inde et en Turquie qui me disent grand poète. En Roumanie, j'ai lu une partie de mon œuvre devant un auditoire de quatre mille personnes! À la fin du récital, tous les spectateurs pleuraient à chaudes larmes! Vous êtes Européenne, Slave en plus et donc amie de la poésie par nature, madame Élizabeth, vous me comprenez. Dire que je suis plus connu derrière le Rideau de fer qu'en mon propre pays! La misère, la misère, madame Élizabeth!» Pauvre Pigeon que ses ailes de géant empêchaient de marcher.

J'ai commis l'erreur de l'écouter trop souvent. Il a pris ma sympathie pour de l'intérêt et il s'est mis à me courtiser discrètement. Le temps et la solitude aidant, j'ai fini par lui prêter un peu de charme. Un soir chaud de septembre où nous buvions des rhums dans le jardin, je lui ai permis de s'agenouiller à mes pieds, sa pose favorite pour me déclamer des vers lubriques. Son poème, cette fois-là, était un hommage à la beauté de sa reine d'Ukraine. Il en était tout ému lui-même, le pauvre homme. Il m'a suivie jusqu'à ma chambre après; je crois bien que je devais être très sentimentale ce soir-là. Pour reprendre ses paroles, j'ai accepté de me faire reine et de le prendre pour chevalier servant.

Après, j'ai eu toutes les misères du monde à m'en débarrasser. Tous les soirs, il insistait pour faire le chevalier servant, et quant à moi, je n'avais pas envie d'être reine une seconde fois. De guerre lasse, je le laissais parfois m'embrasser à la sauvette, mais en lui faisant jurer que c'était la dernière fois. Malheureusement, il ne pouvait s'empêcher de revenir à la charge et de me faire des poèmes languissants.

Pigeon n'a pas tardé à fatiguer ma charité. Car il s'imaginait aussi, le cher homme, que ma faiblesse lui avait donné certains droits. Ainsi, il se permettait de me toucher devant les pensionnaires, lesquels ne devaient sous aucun prétexte se douter de quoi que ce soit : car une réputation est si fragile quand on fait métier de louer des chambres. Il me tutoyait même, privilège pourtant strictement nocturne! En plus, il demeurait toujours aussi rétif à la propreté dans sa chambre et il oubliait maintenant de régler son loyer. Le pire : il se permettait de vouloir en savoir plus long sur moi, il me posait des questions sur mon passé, par amour pour moi, disait-il. Qu'il fût sincère dans ses sentiments à mon égard m'importait assez peu, je ne pouvais pas le supporter.

J'ai patienté jusqu'au printemps et j'ai profité de ses vacances européennes pour le chasser. Sitôt qu'il a été parti, je lui ai pris un appartement dans le vieil immeuble à fausses colonnes grecques de la rue Laurier, et j'ai fait déménager ses affaires par quelques pensionnaires bénévoles en leur expliquant que j'exécutais la volonté du professeur Pigeon qui voulait plus d'espace pour ses livres. À son retour, je lui ai remis les clés de son nouveau logis en lui intimant de ne jamais révéler nos rapports à quiconque sous peine de bannissement à vie de mon thé dominical.

Le pauvre homme, lui qui m'avait écrit des lettres poétiques tout l'été, qui m'avait même demandée en mariage et promis d'amender ses manières, en a conçu un chagrin épouvantable. Il m'a fait un dernier mot : «Me voilà bien puni de mes aspirations trop élevées. Comment une princesse ukrainienne comme vous pourrait-elle vouloir d'un petit berger canadien-français comme moi? Vous avez bien fait de jeter la disgrâce sur moi : un perroquet savant n'a pas de place dans votre royaume. Mais de grâce, conservez-moi une petite place à votre thé du dimanche pour que je puisse au moins vous voir, et prenez mon amitié si vous ne voulez plus de mon amour!» Je lui ai répondu qu'il aurait toujours sa place chez moi et qu'il pourrait me faire le baisemain parce que c'est une habitude charmante, mais rien de plus. Il m'a alors servi une autre de ses répliques dramatiques à l'odeur d'éventé : «Madame Élizabeth, ne craignez surtout pas que je m'enlève la vie par chagrin. Je veux continuer de vivre pour vous avec l'espoir de rentrer en grâce un jour. Je me voilerai la face et je survivrai.»

3

Survivre. Je n'ai fait que cela toute ma vie. Et j'ai survécu! Souvent dans le silence et l'anonymat, car il n'y a pas moyen de faire autrement si l'on veut atteindre la vieillesse avec une vie comme la mienne.

À ma naissance, en Ukraine, les Rouges avaient déjà massacré la moitié des habitants du village. Les autres sont tous morts de faim après la grande disette que les communistes ont provoquée pour achever le pays. Le village lui-même a été rasé par les flammes, il n'apparaît plus sur aucune carte aujourd'hui; il doit y avoir des champs de blé à la place maintenant, ou une centrale atomique. De mon père, je sais seulement qu'il était soldat du côté des Blancs et qu'il a été tué au combat. Ma mère est morte de faim, comme avant elle son grand-père à l'époque du servage. La veille de sa déportation, ma mère m'a confiée au cordonnier Nathan qui avait toujours été bien reçu chez nous parce qu'il était passionné de musique comme mon père. Nathan m'a emmenée chez son cousin Meyer à Kharkov qui venait de perdre une petite fille de la méningite. Je remplaçais une enfant unique et aimée, ce qui m'a valu une enfance heureuse. Mon père adoptif était ouvrier spécialisé et proche du Parti, ce qui fait que nous avons toujours bien vécu. À cinq ans, j'avais déjà survécu à une guerre civile et à une famine.

On parlait l'allemand à la maison parce que mes parents adoptifs étaient originaires de Prague, d'une famille de tailleurs bien établie là-bas avant la Grande Guerre. Quand j'ai eu quatorze ans, ils m'ont fait entrer dans un internat des Jeunesses communistes à Kiev où l'on enseignait le métier de secrétaire-interprète. Mais avant, mon père a tenu à arranger certaines choses pour me faciliter la vie : «Tu ne peux pas garder un nom allemand. C'est mal vu là-bas. Tu reprendras le nom de tes vrais parents, Holoub. Ce sera comme un porte-bonheur pour toi. Il y a un Holoub de Kharkov qui était officier dans l'armée bolchévique; il a été tué en Asie centrale il y a dix ans. Nous te ferons passer pour sa fille naturelle. Mes amis du Parti vont arranger les papiers pour toi. Tu n'auras jamais d'ennuis comme ça. Quand tu seras à l'internat, ne nous écris jamais et ne reviens ici sous aucun prétexte, tu m'entends? C'est trop dangereux. Des amis à nous disparaissent et on ne sait pas pourquoi. Il paraît que ta mère et moi sommes aussi menacés, alors fais-toi rare. Tu t'appelles Holoub, maintenant. Élizabeth Petrovna Holoub. Répète après moi. Et dis-toi qu'un jour, nous nous retrouverons peut-être.» Une semaine plus tard, le changement de nom était fait et je prenais la route de Kiev.

L'hiver suivant, j'apprenais que mon père adoptif avait été arrêté. Je n'ai jamais su pourquoi. Ma mère a disparu après, je n'ai jamais su où elle avait fui. Rien. J'étais orpheline pour la deuxième fois.

Au bout de deux ans, le directeur de l'internat est entré un bon matin dans la classe et il a appelé mon nom. J'étais alors tellement habituée à l'imposture que je n'ai même pas tremblé. Le directeur s'est approché de moi et il a sorti un papier qu'il a lu à toute la classe au garde-à-vous. Le gouvernement de la république d'Ukraine remettait à titre posthume la Médaille de la révolution communiste à la fille du major Peter Nicolaïevitch Holoub, tué au champ d'honneur par les contre-révolutionnaires. Le directeur m'a embrassée sur les deux joues et il a épinglé la médaille à ma blouse. Tout le monde m'a applaudie, j'étais la fille d'un héros. On a pris mes larmes de soulagement pour de l'émoi reconnaissant.

Je me suis longtemps demandé si j'avais un cœur, parce que je m'étais adaptée si aisément à mon identité nouvelle. On était très bien à l'internat et je m'en voulais parfois de n'éprouver aucune nostalgie pour ma vie chez les Meyer. Savais-je au tréfonds de moi que le moindre regret m'aurait trahie et condamnée à quelque sort misérable, ou était-ce la conscience de ma supercherie qui effaçait commodément mes souvenirs et mes remords? Je ne sais pas. Tout ce que je sais, c'est que je me réveillais le matin en me disant : je m'appelle Élizabeth Holoub et je suis vivante.

J'ai fait de bonnes études et je suis entrée au secrétariat du Komsomol après. À cœur de journée, je tapais des ordres et des discours insipides, mais il ne fallait rien dire, jamais se plaindre. Une seule remarque désobligeante suffisait à vous attirer des ennuis. Mais je survivais depuis déjà trop longtemps pour me faire prendre. L'instinct de survie est plus fort que n'importe quoi, plus fort que l'amour même, quoiqu'en disent les bonnes âmes. C'est la nature.

Dans l'ensemble, toutes proportions gardées, la vie était belle et facile. Tous les employés du Komsomol étaient bien logés, bien nourris, bien payés. Le personnel formait aussi un beau groupe. Le dimanche, je me souviens, nous nous réunissions chez Paul pour y écouter des disques de jazz américains, un luxe dangereux, mais nous nous croyions à l'abri de tout; nous étions les maîtres de ce monde nouveau. On s'enivrait à la vodka et au vin de Crimée, les couples se formaient le plus naturellement du monde. Chaque fois que l'occasion se présentait, je finissais la nuit dans le lit de Paul, ce beau communiste si peu sectaire qui rêvait d'entrer à l'école militaire et de finir maréchal de l'Armée rouge dans une guerre contre la Chine.

Quand la guerre avec la Finlande a éclaté, Paul a été arrêté pour sympathies proaméricaines : on avait trouvé chez lui des disques de jazz qui recelaient peut-être des instructions des services secrets américains. Quand il m'a interrogée peu après, le commissaire politique m'a demandé si j'avais été la maîtresse de ce traître. J'ai répondu que non; j'ai répondu aussi que j'ignorais tout de la musique dont il parlait. On m'a relâchée le jour même.

Ce ne fut pas ma dernière trahison.

Quand les Allemands sont entrés dans Kiev, j'ai désobéi à l'ordre de repli qui venait du Parti. J'ai décidé de tenter ma chance avec les envahisseurs pour quitter l'Ukraine au plus vite, et gagner un jour le Danemark ou le Portugal, des pays dont le nom seul suffisait à me faire rêver. Il fallait que je sorte de là. Survivre.

Une amie de l'internat m'en avait donné l'idée. Elle-même avait des liens avec une organisation ukrainienne pronazie; je me suis réfugiée chez elle pendant les bombardements, et elle n'a eu aucun mal à me convaincre de changer de camp. Le Reich : l'avenir était là. À les entendre parler, elle et ses amis, le jour était maintenant proche où, grâce à l'aide bienveillante du Führer, l'Ukraine secouerait le joug communiste et redeviendrait un pays libre!

Grâce à ma connaissance de l'allemand, j'ai vite été recrutée pour le service du gouverneur militaire de Kiev, un homme connu pour sa haine des sous-hommes bolchéviques, mais qui passait pour aimer la chair des sous-femmes ukrainiennes. Sa réputation n'avait rien de surfait; j'ai dû me prêter à des rapports avec lui, je n'avais guère le choix.

Je tapais des textes de propagande nazie, qui étaient tous aussi insipides et faux que ceux qu'écrivaient les communistes. On me donnait aussi à traduire des communiqués et des avis à la population. Enfin, il m'est arrivé aussi de dactylographier des ordres d'exécution et d'extermination. Dans cette immense machine meurtrière, j'ai été un petit rouage. J'ai porté aussi l'uniforme bleu ciel des auxiliaires féminines des troupes ukrainiennes levées et formées par les Allemands.

Je ne suis pas restée longtemps à Kiev après l'invasion allemande. J'étais devenue la maîtresse d'un beau lieutenant S.S., Jörg Haas, qui a trouvé commode de me désigner comme interprète pour accompagner une délégation de nationalistes ukrainiens à Berlin; naturellement, il était lui-même du voyage en tant qu'officier de liaison.

À Berlin, entre deux séances de travail, le lieutenant Haas et moi prenions le café et les gâteaux sous les marronniers, près d'un étang, au cœur de la ville, entourés d'enfants blonds, sous la musique grave de Meyerbeer. J'étais au paradis, loin des misères de la guerre, des tueries sans nom, de la sottise des hommes. Haas m'avait pris une chambre à l'écart de la délégation; il venait m'y rejoindre toutes les nuits. C'était un bel homme, très tendre, qui fondait dans mes bras sitôt qu'il quittait son uniforme d'assassin.

La délégation est rentrée à Kiev, Jörg s'est débrouillé pour que je reste en Allemagne; il ne voulait pas me voir retourner là-bas. Avant de repartir pour le front russe, il m'a placée sous un faux nom en formation infirmière dans un hôpital de Cologne, sa ville natale; il m'a aussi trouvé une maison où loger. Il voulait s'occuper de moi, me garder à lui, dans un coin au chaud, où il viendrait me retrouver au lendemain de la victoire. Il m'aimait avec les moyens du bord pour l'époque, j'imagine.

Quand Jörg a été tué quelques mois plus tard à Stalingrad, je n'ai pas craint longtemps mon rapatriement en Ukraine. Mes faux papiers me protégeaient; mon physique aryen me gardait des questions indiscrètes et mon allemand était parfait. En outre, avec la guerre qui sévissait partout, on manquait cruellement d'infirmières. Ma formation se déroulait bien, personne ne mettait autant de zèle que Schwester Élizabeth, ainsi qu'on m'appelait, à apprendre le métier. La dame chez qui je logeais, madame Engel, était fort aimable et discrète; elle appréciait aussi hautement les quelques soins que je lui prodiguais. Elle vivait seule avec son jardinier : Siegfried, un grand sec à l'âge imprécis, qui ne disait jamais un mot. Cet homme au nom de guerrier germanique n'aimait que les fleurs, une rareté pour le temps.

Mon identité demeurait un sujet d'inquiétude, surtout dans mes rêves la nuit. Mon uniforme demeurait mon meilleur passeport, car on ne demandait jamais à une infirmière de montrer ses papiers. Quand je l'enlevais la nuit pour me mettre au lit, je craignais toujours d'être vue nue et qu'un militaire ne m'interpellât : «Hé, vous, là-bas, vos papiers!» Le matin, j'étais toujours vite rhabillée.

J'avais deux passeports : un passeport soviétique dont je ne voulais pas me séparer pour le cas où les Alliés entreraient dans Cologne, et un passeport allemand qui servirait en cas de victoire des armées hitlériennes. J'étais prête à toutes les éventualités. J'aurais pris n'importe quel nom pour sauver ma peau; je me serais fait appeler Pot-de-chambre si cela avait pu m'aider. Un soir, longtemps après, j'étais assise dans le jardin avec Jude qui me racontait ses rêves de gloire. Il articulait de sa voix forte : «Moi je dis que la seule chose qui compte dans la vie, c'est de se faire un nom!» Dans l'obscurité, il n'a pas vu mon sourire.

Un matin, après l'entrée des Alliés dans Cologne, des soldats anglais ont surgi dans mon service à l'hôpital : ils avaient le visage féroce des vainqueurs qui ont souffert. Le sous-officier responsable du groupe s'est avancé vers moi et m'a expliqué en mauvais allemand qu'il lui fallait une infirmière pour prendre soin d'un blessé intransportable, à quelques kilomètres de là. Il voulait quelqu'un qui sût l'anglais. Je savais trois mots d'anglais à l'époque : *I love you.* Mon chef m'a désignée; morte de peur, je suis montée dans la jeep des soldats.

Le blessé qui leur donnait tant d'inquiétude était leur commandant. Je l'ai trouvé dans leur casemate, noir de poudre, presque mourant. Il avait été touché au flanc par un éclat d'obus, une blessure peu grave en temps normal, mais il avait perdu beaucoup de sang. Il devait être aimé de ses hommes, car ceux-ci me regardaient tous d'un air qui hésitait entre la menace et la prière.

Après lui avoir prodigué les premiers soins, j'ai réussi à convaincre les soldats que leur chef serait bien traité à l'hôpital et qu'il pourrait bientôt être pris en charge par leurs propres services médicaux; mais pour l'instant, il s'agissait de l'opérer au plus vite.

Nous l'avons conduit à l'hôpital sous le feu qui tombait du ciel. Après l'intervention chirurgicale, les soldats anglais m'ont interdit de le quitter, ils n'avaient confiance qu'en moi pour le soigner. Il fallait leur obéir. Dès qu'il a été quelque peu rétabli, il a été évacué à l'arrière. C'était un homme solide; il serait vite remis. C'était aussi un homme beau, aristocrate dans ses manières.

Le travail harassant de l'hôpital me l'a vite fait oublier. Moi qui croyais avoir vu toute la misère de la guerre pendant l'invasion allemande en Ukraine, j'ai été témoin de tortures encore plus affreuses dans mon service infirmier. Je rentrais chez moi le matin, hébétée de fatigue et incrédule devant les souffrances atroces que s'infligent les hommes. Paradoxalement, le mouroir où je faisais mon office me sauvait du reste du monde : on avait besoin de moi, on me laissait en paix; j'étais utile, je faisais le bien, on ne me voulait aucun mal. Mais je voyais que la guerre s'achevait, les Anglais et les Américains avaient enfoncé les lignes allemandes à l'Ouest, les Russes avançaient vers Berlin. Quand il n'y aurait plus la guerre, les autorités me découvriraient, on m'arrêterait, je serais déportée, on me ferait payer cher ma collaboration avec les nazis, je finirais fusillée ou dans quelque camp en Sibérie. Ces pensées me plongeaient dans une torpeur dont seul le sommeil me délivrait; quand je me réveillais harcelée de cauchemars, l'angoisse d'une nouvelle fuite me reprenait.

J'ai dû imaginer cent plans. Je me déguiserais en marin et je m'embarquerais pour l'Amérique. Je me ferais paysanne et j'irais me cacher sur une ferme; j'en ressortirais dans dix ans quand tout serait terminé. Je me prostituerais dans un bordel de Stuttgart, j'attendrais le retour des beaux jours et je partirais pour l'Afrique du Nord avec quelque beau légionnaire démobilisé. J'épouserais un sous-officier allemand invalide et je me ferais sa servante dévouée. Je ne savais qu'une chose : on ne me prendrait pas!

4

Un jour, on a annoncé la capitulation allemande à la radio. Tout le monde était joyeux à l'hôpital, même les mourants. Sauf moi, qui savais qu'Élizabeth Holoub devait maintenant agir. Il faisait beau ce jour-là, malgré la fumée des combats qui hantaient encore le ciel de la ville. J'étais rentrée chez moi pour me reposer une heure ou deux, je m'étais couchée tout habillée sur mon lit.

Dieu existe et il fait des miracles.

Je dormais. Dans mon rêve, je voyais des soldats à l'uniforme d'une couleur insolite qui me demandaient poliment de les suivre; on avait besoin d'infirmières dans les camps de concentration, disaient-ils. Les chiens qui les accompagnaient me regardaient d'un air apitoyé. On avait frappé à la porte, j'avais les yeux ouverts, je ne rêvais plus. Ça y est, me suis-je dit, je suis prise, on vient me chercher, c'est fini. À ma porte, deux officiers de l'armée anglaise me souriaient.

Soudain, j'ai reconnu en l'un d'eux mon officier blessé en uniforme de major d'infanterie, pâle comme la craie, mais bien sur pied. Dans mon demi-sommeil, je ne savais que lui dire. Lui et son compagnon me parlaient en souriant; je ne comprenais pas un mot de leur discours bienveillant. Mon affolement diminuait quand tout à coup, Siegfried le jardinier s'est joint à nous, le visage et les mains couleur de terre comme d'habitude. Et lui, que je croyais presque muet parce qu'il ne répondait jamais à mes salutations, a dit : *Good morning, gentlemen!* Manifestement, il s'offrait comme interprète.

Ils ont parlementé quelques instants, après quoi Siegfried m'a expliqué ce qu'ils voulaient de moi. J'étais en présence du major Edward Miles, du IVe Régiment des Lifeguards, et de l'aumônier du même régiment, le lieutenant-colonel Matthew Prendergast. Les deux officiers me présentaient leurs respects et s'enquéraient de mon état de santé. J'ai bafouillé je ne sais quoi et Siegfried a poursuivi : «Le major Miles a l'honneur de demander votre main. Le lieutenant-colonel aumônier célébrera votre mariage tout de suite si vous le désirez.»

J'ai été obligée de m'asseoir, je ne comprenais plus rien. Les deux officiers s'empressaient autour de moi, visiblement inquiets. Ils nous ont offert du thé et du chocolat, Siegfried est allé chercher de l'eau chaude. Il tardait à revenir, je ne savais que dire à ces deux messieurs, je n'étais pas sûre de comprendre ce qui m'arrivait, j'avais tout le mal du monde à retrouver mon calme. Nous avons mangé un peu, j'allais mieux, les trois parlaient comme si je n'existais pas.

Enfin, le major Miles m'a pris par la main et s'est mis à me parler très lentement, comme si la lenteur de son débit me ferait plus compréhensible sa langue étrangère. Siegfried, assis à côté de nous, traduisait.

Je lui avais sauvé la vie, disait-il, et il avait fait le vœu de m'épouser s'il recouvrait la santé. Pendant sa convalescence, il avait pensé à moi tous les jours. Ayant rejoint son unité à Cologne, il avait pris des renseignements sur moi à l'hôpital, il me savait libre. Étais-je prête à l'épouser? Il attendait ma réponse, l'aumônier jetait des coups d'œil à sa montre discrètement, Siegfried me couvait d'un regard radieux.

Siegfried me suppliait d'accepter. «Dieu vous aime, mademoiselle Élizabeth, ne voyez-vous pas votre chance d'échapper à cet enfer? La guerre est finie, vous ne voudrez pas rentrer dans votre pays, d'où que vous soyez. Cet officier anglais est un homme de cœur, votre avenir est assuré avec lui, vous ne le regretterez pas. Vous êtes née pour le bonheur, mademoiselle, et le voici qui vous relance jusque chez vous, ne lui fermez pas la porte. Acceptez...»

Dix minutes plus tard, l'aumônier nous prononçait mari et femme, le major Edward Miles du IVe Lifeguards, et Élizabeth Holoub, infirmière de son état, en présence des témoins : Siegfried Blumenthal, jardinier, témoin de la mariée, et le caporal d'infanterie John Ross, chauffeur de l'aumônier et témoin du marié. Nous avons signé le registre, Siegfried est allé chercher une bouteille de blanc à la cave, et nous avons fait une petite fête qui a duré un quart d'heure : les militaires devaient rentrer, leur unité repartait le soir même. Edward m'a longuement embrassée sous les applaudissements des témoins, du révérend et de la propriétaire, madame Engel, qui se demandait quel génie bienfaisant avait pu bénir sa maison pour qu'il y arrivât des choses pareilles.

Mon mari est parti en me promettant de me faire passer en Angleterre au plus vite. Un jour, m'a-t-il dit par le truchement de Siegfried, il n'y aura plus la guerre et nous aurons le temps de nous aimer. Je lui ai fait dire d'être prudent, de donner de ses nouvelles et de rester vivant. J'ai regardé partir la jeep qui emmenait les trois soldats et j'ai alors demandé à Siegfried de m'expliquer le rêve que je venais de faire.

Non, personne ne rêvait. J'allais bientôt pouvoir quitter l'Allemagne, je serais en sécurité en Angleterre, je serais heureuse. Puis, il m'a parlé de lui, ce diable sorti d'une boîte. Avant l'arrivée des nazis au pouvoir, Siegfried Blumenthal était professeur de botanique à l'Université d'Iéna. Il avait été mis en prison en 1934; il s'était échappé en 1938, un des rares Juifs à avoir pu le faire. Il avait trouvé refuge chez madame Engel, un cœur de femme, qui lui avait trouvé des papiers en règle et l'avait fait passer pour son jardinier. Il avait attendu la fin de la guerre caché parmi ses fleurs; il avait été heureux, disait-il, et avait mis ces années à profit pour développer ses observations sur certains modes de croissance floraux. Il avait quelque peu redouté ma venue chez madame Engel, et voyant que je n'étais qu'une petite élève-infirmière inoffensive, il avait voulu me parler, mais craignait d'être reconnu. Toutes ces années de mutisme lui avaient causé de grandes souffrances, surtout quand je chantais des ballades ukrainiennes dans le jardin alors que je me croyais seule, et que lui entendait de sa maisonnette au fond de la cour. Il avait reconnu ces ballades que chantaient les ouvriers de ses parents, propriétaires d'une petite entreprise de Berlin qui employaient des Juifs d'Ukraine venus apprendre le métier. Vos chants m'étranglaient de nostalgie, m'avouait-il, j'aurais voulu pleurer dans vos bras, j'aurais voulu vous faire parler de vos steppes inconnues de moi, mais qui sont pourtant entrées dans mes souvenirs d'enfance par le truchement de ces poèmes.

Je tombais du ciel encore une fois. D'abord, le mariage avec l'officier ressuscité des morts, ensuite, ce jardinier taciturne qui était en fait un savant juif parlant l'anglais. «Nous avons tous des choses à cacher, parce que ce sont des trésors ou des maladies honteuses, poursuivait Siegfried, à plus forte raison en ces temps de folie guerrière. Et vous, mademoiselle Élizabeth, petite Ukrainienne, conservez bien précieusement vos secrets et rappelez-vous que pour vivre heureux, il faut vivre cachée.» Le cher homme, s'il avait su.

Non, je suis toujours restée secrète et je connaissais déjà par cœur les leçons que me donnait mon jardinier-botaniste, avec son bon sourire et ses souvenirs timides. Non, il n'avait rien à craindre. Personne n'a jamais su ma trahison de Paul, mon petit rôle dans la Collaboration ukrainienne, mon séjour à Berlin, mon amant nazi, rien. Pour mon mari, je n'étais qu'une réfugiée d'Ukraine qui avait appris le métier d'infirmière au Service du travail obligatoire en Allemagne, c'était tout. Il n'a jamais montré plus de curiosité que cela pour mon passé. Toute ma vie, j'ai vécu cachée. Je n'ai pas pu retourner à ma chaire d'université comme Siegfried Blumenthal au lendemain de la guerre, la tête haute. Proscrite depuis l'enfance, passagère clandestine de la vie, imposteure jusqu'à la moelle, peut-être... Mais j'ai survécu.

J'ai reçu un matin un message de Miles que Siegfried m'a traduit aussitôt. On avait ordre de m'emmener en

Angleterre, les dispositions avaient été prises, tout était arrangé : j'irais m'installer dans un village d'Écosse où j'attendrais la fin de la guerre. Je suis partie le soir même avec mon petit paquet d'affaires, après avoir pleuré dans les bras de madame Engel et de Siegfried. Malheureusement, je ne les ai jamais revus; ils sont sans doute morts depuis longtemps, comme moi, demain. C'est la nature.

De tous les engouements pour l'Europe, il en est un que je comprends et que j'ai même partagé un temps : l'anglomanie. Après avoir vu l'Ukraine pillée par les bolchéviques et les nazis, l'Allemagne traquée et incendiée, la Hollande et la France réduites en champs de cendres, j'ai été accueillie à Douvres un jour de soleil par une petite dame en uniforme qui m'offrait une tasse de thé et babillait gaiement comme si la guerre n'avait pas eu lieu. Des enfants aux joues rouges couraient en riant dans les rues, les voitures ralentissaient pour céder le passage aux piétons, on lisait des journaux sur les bancs dans les jardins publics, personne n'élevait la voix sauf pour vendre des fruits ou des légumes. Naïvement, je me figurais que la civilisation devait avoir ce visage-là.

Les formalités d'entrée au pays ont été expédiées en un rien de temps; j'étais femme d'officier, j'avais tous les droits. Je me promenais parmi tous ces fonctionnaires aimables qui ne semblaient me vouloir que du bien; j'étais comme une pauvre sourde-muette que prend en charge une administration bienveillante. À Cologne, si je n'avais pas su l'allemand, on m'aurait traitée à coups de pied; ici, je n'avais qu'à montrer mes papiers, et on me prenait par le bras pour m'emmener avec un sourire : *Come on, darling*... Je vivais enfin.

4

On m'a emmenée dans un village écossais où j'ai été recueillie par des amis de mon mari. Les gens chez qui je logeais étaient charmants, et je les remerciais de leurs bons soins en offrant mon aide pour les travaux du jardin ou du ménage. Tous les jours, j'apprenais un peu d'anglais : des phrases toutes faites surtout, que je répétais avec plaisir. *What a glorious day today! Absolutely marvelous!* J'imitais l'accent britannique de mon mieux, je répétais même les jurons et les gros mots.

Il y avait un cinéma dans une petite ville non loin de là. J'y allais le plus souvent possible pour élargir mon vocabulaire et par amour pour l'image. Les films américains surtout me fascinaient. Je passais ensuite des heures à mémoriser des dialogues tendres. Quand mon mari est enfin revenu des combats, je lui ai dit en guise d'entrée en matière : *Well, honey, it's been a while since the last time you kissed me passionately...* C'était le mot de Rhonda Davis dans *Midnight Strangers*, un mauvais film que j'avais trouvé très beau. Mon mari en est resté interdit, je me rappelle, et mes hôtes ont pris un air gêné.

Ainsi, quand mon mari est rentré en février 1946, il a retrouvé une petite femme habillée à l'anglaise, qui buvait du thé, faisait des promenades sous la pluie dans la bruyère, s'intéressait au golf et savait faire le cake. La petite muette avait aussi retrouvé sa langue.

Notre nuit de noces a duré cinq jours. Puis je l'ai suivi à Londres; son service n'était pas terminé, mais il avait trouvé un logement là-bas pour nous deux. Miles m'adorait, il m'emmenait partout avec lui, il me couvrait de cadeaux. Je ne l'aimais pas du grand amour, mais j'étais si heureuse avec lui. C'était tout ce qui comptait.

Bien sûr, il m'arrivait encore de m'étonner secrètement du bonheur extraordinaire que je vivais. Mais j'évitais de pousser trop loin mes interrogations par superstition et par crainte que le doute ne rompît le charme et que toute cette belle aventure ne se métamorphosât en un cauchemar. À nos amis, mon mari expliquait : «Elle a sauvé ma vie en Allemagne. Elle y avait été déportée, elle était infirmière. J'ai voulu alors réchapper cette beauté slave des horreurs de la guerre et lui épargner la perspective peu attirante du rapatriement. À nous le bonheur maintenant!» On se contentait volontiers de sa parole, et on prenait soin d'éviter toute question sur mon passé, par délicatesse j'imagine. Cette pudeur me réjouissait, surtout de la part des services de renseignement qui ne m'ont jamais fait la moindre difficulté.

La vie était simple avec lui. Il m'aimait fougeusement la nuit, et il reprenait son calme anglais le matin dès qu'il remettait l'uniforme. Il rentrait tard le soir, je m'habillais, et nous allions fêter dans quelque restaurant, ou alors nous allions au cinéma, au théâtre. Le dimanche, nous allions aux courses ou au golf; nous prenions le thé.

Un jour, il m'a annoncé qu'il quittait l'armée britannique pour entrer dans le corps diplomatique canadien. *What?* Il m'avait alors expliqué que, quoique officier de l'armée britannique, il était né au Canada où son père possédait des intérêts forestiers et miniers, dans le nord de l'Ontario. Lui-même avait fait ses études dans les meilleures maisons de Toronto et, de là, tout naturellement, il était entré à Oxford pour y faire son droit. Ses études terminées, il comptait entrer dans la diplomatie canadienne, mais la déclaration de guerre avait changé ses projets. Par patriotisme, il s'était aussitôt engagé dans un régiment britannique. C'était d'ailleurs un des plus beaux titres de fierté de son père, qui aimait dire à ses amis qu'un de ses fils était officier de Sa Majesté. Miles avait combattu en Afrique, il avait fait la guerre en Italie. Avec la fin de la guerre, il avait décidé de retourner à son ancienne vocation. La Grande-Bretagne a beaucoup souffert de la guerre, m'expliquait-il, ce sera un pays pauvre dans deux ans. Mieux vaut le Canada. Cela m'importait assez peu, j'étais disposée à le suivre partout.

Il a été posté en Afrique du Sud. Avant, il est rentré dans son pays natal pour prendre ses instructions et revoir son père. La belle vie continuait. Fin 1946, un paquebot nous emmenait en Afrique, loin de l'Europe exsangue.

Je sais que c'est honteux à dire aujourd'hui, maintenant qu'on sait la vérité sur l'Afrique du Sud, mais Miles et moi y avons vécu de très belles années. Nous avions quatre serviteurs noirs, tous très stylés. Nous avions un cuisinier qui savait tout faire, nous étions toujours servis à table; je devais faire semblant de tout ignorer des corvées domestiques et m'attendre à ce que tout fût parfait. Miles réussissait fort bien là-bas, nous évoluions dans la meilleure société de Johannesburg, tout le monde était charmant et personne n'avait le mauvais goût de plaindre la misère noire. Je savais que c'était mal, je fermais les yeux sur cet esclavage légalisé, je savais et je ne disais rien.

Nous y sommes restés cinq ans. Après, Miles a été affecté à l'OTAN, à Paris, trois belles années là aussi.

C'est là que j'ai appris le français, un exploit que mon pauvre Miles s'interdisait d'accomplir de peur de mettre en péril son anglomanie, car un gentleman qui aime le tweed, le tabac blond, le scotch et le brouillard, ne doit pas savoir le français, cette langue de vaincus.

Miles a été rapatrié au Canada en 1955. Il était très mécontent de son rappel : il s'était fait à l'idée de représenter toute sa vie ce pays qu'il connaissait si mal et qu'il aimait si peu. Avant de déclarer sa nationalité, Miles prenait toujours soin de dire qu'il était diplômé d'Oxford et ancien major de l'armée britannique.

Il disait aussi s'inquiéter pour moi, car à Ottawa, nous n'aurions plus les domestiques de nos chancelleries; il faudrait vivre comme tout le monde, sans chauffeur et sans bonne. J'avais beau le rassurer, lui dire que ça m'était égal, que je m'y ferais très bien, et que je ne me sentais pas de droit imprescriptible au faste, il ne cessait de pester contre ses supérieurs qui n'avaient même pas étudié à Cambridge et qui osaient nous arracher à notre errance luxueuse.

Pour ma part, je me suis tout de suite trouvée bien dès notre arrivée. C'était l'automne, nous avons traversé en train les superbes forêts de la Nouvelle-Écosse et du Nouveau-Brunswick, toutes en couleurs. J'ai aimé Québec, Montréal, je me trouvais même bien à Ottawa. J'adorais le vieux quartier de la Côte-de-Sable, et le Marché By me rappelait un peu l'Europe, avec ses boutiquiers juifs et ses petits marchands de légumes. Nous avons alors loué un petit appartement rue Chapel, car Miles ne voulait pas s'attacher ici.

Il est tombé malade un an après. Ses blessures de guerre le tourmentaient et il supportait mal l'hiver. Il se plaignait constamment, lui que j'avais connu habitué à la douleur. Sa secrétaire m'a téléphoné un matin pour m'annoncer qu'il avait été hospitalisé d'urgence, victime d'un anévrisme. Il a mis un an à mourir.

Mon chagrin a duré longtemps. J'avais appris à l'aimer, nous étions si unis, je ne me faisais pas à son absence. Avec lui, j'avais oublié mes vies antérieures, je m'étais refait une existence si belle, je ne me sentais plus la force de recommencer ailleurs. Je suis restée prostrée de chagrin pendant deux mois.

5

C'était difficile, même pour une débrouillarde dans mon genre. À Ottawa, sans amis, sans personne à qui parler. Du jour au lendemain, ma peur ancienne d'être confondue comme ex-communiste et ex-collaboratrice nazie m'est revenue. Je sortais peu, je passais de longues journées à écouter la radio. La vie était redevenue laide.

Un jour, j'ai reçu un télégramme m'invitant à régler la succession de Miles à Sioux Junction, son village natal. D'une certaine façon, j'étais heureuse qu'on m'obligeât à sortir de ma torpeur; en même temps, j'éprouvais quelque appréhension à faire connaissance avec la famille de Miles que j'imaginais pétrie de snobisme britannique, mais je me rassurais en me rappelant mes manières distinguées d'ancienne lady du corps diplomatique de Johannesburg. J'ai fait le long voyage en train jusque là-bas.

Sioux Junction était dans le temps un village prospère qui vivait du bois et de la mine, une petite bourgade de gens laborieux au nord du lac Supérieur. Miles n'avait plus que son père à Sioux. À mon arrivée à la gare, il y avait sur le quai un vieillard à l'habit très humble qui attendait quelqu'un : avec sa longue barbe blanche et sa blouse bleue, on aurait dit un paysan ukrainien égaré. Il s'est avancé vers moi et m'a demandé qui j'étais dans un anglais à l'accent très lourd. Quand il a entendu ma réponse, il m'a embrassée en m'appelant sa fille. J'avais devant moi, à ma grande surprise, celui que Sioux Junction appelait monsieur Byron Miles, le riche seigneur du lieu, le propriétaire des mines et de la moitié du village.

Je l'ai suivi chez lui; j'y suis restée deux semaines et j'ai compris bien des choses au sujet de Miles dans mes longues conversations avec son père. Ce brave homme s'appelait de son vrai nom Balthasar Szepticky; Byron Miles était le nom qu'il avait pris en arrivant au Canada. Après s'être enrichi, il avait fait tous les efforts voulus pour que ses enfants deviennent de bons sujets britanniques. Edward, mon mari, était celui de ses enfants qui lui avait procuré le plus de satisfaction à ce sujet. Mais la mort approchant, le vieux monsieur avait compris le tort qu'il y a à renier ses origines. Il s'était remis à parler sa langue maternelle avec ses amis de même nationalité; il avait fait construire une église catholique ukrainienne à Sioux, et il y passait de longues heures à prier et à tailler des bancs de bois avec l'aide d'un menuisier ukrainien comme lui; il comptait aussi léguer le gros de sa fortune à la communauté ukrainienne du Canada. Le seul désagrément lui venait des gens du village qui s'obstinaient à l'appeler *mister* Miles, personne ne voulait même prononcer le nom qu'il avait repris. «Toute ma vie, disait-il, j'ai tout fait pour être un autre, maintenant, on ne croit plus à ma véritable identité. Mes enfants eux-mêmes ne me reconnaîtraient pas.»

Le vieillard me posait beaucoup de questions sur Edward; après tout, il l'avait peu connu, son fils avait quitté la maison si jeune. Edward était le seul qui lui avait témoigné de l'affection, tous ses autres enfants l'avaient à peu près renié depuis sa renaissance ukrainienne; surtout Julian, l'aîné, qui était professeur à Oxford, grand spécialiste de poésie élizabéthaine. Le vieillard n'en montrait aucune amertume cependant : «C'est moi qui les ai dotés richement pour réaliser mon rêve de noblesse britannique, ils m'ont donc oublié pour mieux effacer leurs origines. Je n'ai que moi à blâmer. Ils vivent aujourd'hui par le monde, à demi oisifs et snobs; aucun d'eux n'a même eu le cœur de me donner un petit-enfant. Que voulez-vous, disait-il en baissant les bras, j'ai tout fait pour que cela arrive, je ne peux leur en vouloir. Souvent, les enfants des riches sont comme les mules : stériles et incapables de grandeur, ils n'ont ni la grâce du cheval, ni la puissance de l'âne. Moi qui voulais fonder une dynastie, je n'ai fait que des mangeurs d'héritage ingrats. À l'exception d'Edward, bien sûr, qui avait du cœur, lui. Mais je suis philosophe, car si je n'ai pas réussi ma famille, j'ai au moins réussi ma vieillesse», ajoutait-il avec un sourire où je reconnaissais la beauté d'Edward.

Nous nous sommes quittés avec chagrin. J'avais tout de suite aimé ce vieillard excentrique avec son église qu'il serait à peu près seul à fréquenter, et je pense que c'était réciproque. Il m'a dit sur le quai de la gare : «Vous n'êtes pas riche, Élizabeth, mais l'héritage d'Edward vous donnera de l'aise. Si vous êtes prudente, vous n'aurez jamais à gagner votre pain à la sueur de votre front. Vous aurez droit aussi à une pension du ministère des Affaires extérieures et une autre de l'armée britannique, ne vous inquiétez donc de rien. Et vous pouvez toujours vous remarier... Il doit bien se trouver à Ottawa un homme capable d'aimer une rentière qui a l'avantage rare d'être jeune et belle comme vous. Pour ma part, je ne vous demande qu'une chose, c'est de me faire une lettre de temps en temps. Je vous aime bien et je vous en voudrais de m'oublier tout à fait...» J'ai promis de lui écrire, et j'ai rarement tant regretté la dissimulation de mon identité : j'aurais tant voulu lui parler dans sa langue, il en aurait conçu, j'en suis sûre, un plaisir immense. Il m'a serrée une dernière fois contre lui, et il a agité un mouchoir blanc quand le train s'est éloigné.

Le pauvre homme est décédé peu de temps après, foudroyé par un infarctus alors qu'il taillait un banc de chêne dans son église déserte. Paradoxalement, c'est son décès qui m'a empêchée de quitter Ottawa. Deux de ses enfants contestaient la validité de son testament, un procès s'est engagé, et il me fallait donc attendre ici l'issue de la poursuite si je voulais toucher ma part. Dans l'attente d'un règlement, je vivais de mes pensions et de mes économies.

Néanmoins, l'exemple du vieil homme m'a redonné goût à la vie. J'ai pris un petit appartement au 242, rue Wilbrod, je menais une petite vie tranquille; j'allais au concert quand il y avait concert, j'allais au cinéma le plus possible, je me suis fait quelques amies parmi des veuves de diplomates et de militaires, j'écoutais la radio, je regardais la télévision, cette nouveauté miraculeuse, et je lisais. Je ne m'ennuyais pas. Je m'étais fait une petite vie, et peut-être étais-je devenue trop frileuse à l'approche de la quarantaine pour émigrer de nouveau. Quand la succession Szepticky s'est réglée, trois ans plus tard, j'ai repris mon nom de Holoub en l'honneur de lui, et avec l'argent j'ai acheté la maison de la rue Blackburn pour louer quelques chambres et ainsi ménager mes revenus de veuve pensionnée.

Cela s'est fait très facilement, et je n'ai jamais éprouvé le moindre ennui. Dans le quartier, j'étais trop peu connue pour causer de l'émoi. La police n'est jamais venue m'interroger non plus. Personne ne m'a jamais posé de questions. C'est cette discrétion qui m'a d'ailleurs fait tant aimer la Côte-de-Sable. En effet, c'est un quartier où l'on ne met que cinq ou six ans pour compter parmi les anciens. Il ne vit ici que des étudiants qui repartent leurs études faites, des diplomates qui restent le temps d'une affectation, des fonctionnaires vite mutés. Il n'y a qu'une poignée de sédentaires anonymes pour une légion de nomades pacifiques. Trois ans après être devenue madame Holoub de la rue Blackburn qui loue des chambres, celle que ses pensionnaires appellent affectueusement «madame Élizabeth», je faisais partie du paysage. On me croyait dans la Côte-de-Sable depuis un siècle, on ne me posait aucune question. Même la gentrification récente du quartier n'a pas cristallisé la population, car la plupart des propriétaires revendent au bout de quelques années, une fois leur profit fait. Je n'ai eu qu'à me montrer prudente avec les rares naturels du lieu, et je pouvais me dévoiler un peu mieux avec les nouveaux arrivants. Trente ans après mon arrivée ici, on ne sait toujours rien de moi, et je suis sûre que personne ne m'imagine faisant l'amour autrefois avec un pauvre communiste assassiné pour son goût du jazz, ou avec un officier de l'armée nazie tué sur le front russe. Je suis madame Élizabeth, veuve de diplomate, qui louait des chambres autrefois rue Blackburn.

6

Pendant les années où j'ai vécu dans mon appartement du 242 rue Wilbrod, une de mes distractions était de regarder les enfants de la maison voisine jouer dans leur cour, au 240. On ne pouvait pas faire autrement que d'entendre les enfants de la famille Raphaël, avec leurs jeux bruyants, leurs rires et leurs comptines grossières : Isaac, l'autre bord de la track / Isahu, l'autre bord de la rue / Isaac lance une pétaque / Isahu la reçoit dans le cul! Ils me faisaient rire.

Il y avait l'aîné qui s'appelait Michel et qui était le moins turbulent, un garçon sage et poli. Ensuite, il y avait Jude et son jumeau, Benjamin; on les distinguait aisément parce que Benjamin portait des lunettes. On disait dans le quartier : «Jude et son frère avec des lunettes». Jude avait beaucoup de caractère, il en avait même pour deux; l'autre jumeau était plus calme. Le quatrième s'appelait Louis, que ses frères avaient baptisé Ti-Oui. Un vrai petit diable mais qui avait bon cœur. Charles, le cinquième, était encore tout petit. Enfin, il y avait les deux filles : Isabelle, la sixième, qui marchait à peine, et Stéphanie, la dernière, encore au berceau. La mère, qui s'appelait Rachel si mon souvenir est bon, avait eu ses sept enfants en dix ans : c'était une pauvre femme très douce, au visage blême, le regard toujours fatigué, qui ne disait jamais un mot plus haut que l'autre.

Le père, lui, c'était autre chose. Un homme brutal qui ne se gênait pas pour battre sa femme et ses enfants en pleine rue. Ma voisine d'en dessous, madame Barabé, disait à tout le monde que le père buvait et courait les prostituées du Marché By. À le voir, on la croyait. C'était un homme de haute taille dont les yeux étaient charmants quand il riait, mais qui faisaient trembler quand il se mettait en colère. Les rares fois où je lui ai parlé, il était très correct, mais il savait être terrible. Il était entrepreneur dans le bâtiment, il avait quelques employés qui le craignaient autant que ses enfants. Sur tous les chantiers de construction d'Ottawa, dans ce milieu violent d'hommes forts, il ne se trouvait pas un seul homme pour le défier à la boxe. Sa force était légende, sa femme et ses enfants n'étaient pas les seuls à en pâtir. Un jour, un marchand de bonbons de la rue King Edward a eu le malheur de frotter les oreilles de Ti-Oui qui lançait des pâtés de boue dans sa vitrine. C'était le jour de la Hanoukah, et le marchand en question, monsieur Baumgarten, était sorti pour aller embrasser son concurrent et coreligionnaire de la rue Osgoode, monsieur Koch. Le père de Jude est apparu en voiture au moment où les deux marchands et leurs femmes échangeaient des vœux : il s'est arrêté au milieu de la rue, il a claqué la portière avec tellement de force que la glace s'est fracassée en mille miettes, puis il a saisi le pauvre Baumgarten par le collet et l'a battu devant toute la rue. Tous les voisins étaient terrorisés, et il a crié : «Ces enfants-là sont à moi, y a rien que moi ici qui a le droit de les battre!» Pour cet incident-là, il a failli aller en prison.

Un jour de janvier, en rentrant de l'épicerie, j'ai vu la mère qui sortait de la maison en petite robe de coton et souliers d'intérieur. Elle marchait droit devant elle dans le froid et la neige sale du trottoir, les yeux pleins de larmes. Le mari est sorti en la rappelant à pleins poumons. Il l'a rattrapée en trois bonds de tigre et lui a donné un coup de poing dans la figure de toutes ses forces. La pauvre est tombée dans un banc de neige, le visage en sang. Des gens ont voulu intervenir : deux étudiants et un voisin, monsieur Prud'homme. Le mari n'a eu qu'à les regarder, ils sont restés sur place comme si le froid les avait paralysés. Il a crié : «Si j'en vois un qui appelle la police, il va le regretter jusqu'à la fin de ses jours!» Personne n'a bougé. Puis il a relevé sa femme d'un coup sec et l'a renvoyée à la maison. Il marchait derrière elle, au beau milieu de la rue, devant les voitures qui s'étaient arrêtées, les voisins sortis sur leurs balcons, et il retournait tous les regards d'un air défiant; enfin, il est rentré dans sa maison lentement, comme un vainqueur. Ma voisine, madame Barabé, m'a dit cette fois-là : «Vous voyez quelle race de monde c'est?»

Comme je l'ai su d'elle plus tard, il est allé s'excuser le lendemain chez monsieur Prud'homme en disant : «Faut excuser ma femme. Elle a pas toujours fait une bonne vie avant de me connaître, pis des fois, elle me fait fâcher avec ça. Elle est un peu folle aussi. C'est pas de sa faute. Elle est responsable avec les enfants, mais pas pour le reste. Je sais pas ce qu'elle ferait si j'étais pas là.» Monsieur Prud'homme, mort de peur, a pardonné tout ce qu'on voulait.

Je l'ai vu aussi frapper ses enfants. Je me souviens entre autres d'un épisode qui illustre bien la justice qu'il pratiquait. Les quatres aînés jouaient au hockey dans la cour avec des bâtons et une balle. C'était au printemps, au temps des séries éliminatoires de la Coupe Stanley que tout le monde suivait à la télévision. Je les entendais qui criaient : «O.K., nous autres, Benjamin pis moi, on est les Blackhawks de Chicago, pis Michel pis Ti-Oui, ils sont les Canadiens de Montréal, O.K.?» Il ne restait plus de neige, il y avait dans l'air cette odeur organique de la terre qui dégèle, avec l'herbe qui reparaît jaunie sur les pelouses après tous ces mois de neige étouffante, quand il fait soleil et froid, et qu'on aurait envie de se promener des heures durant si les rues n'étaient pas si poussiéreuses. «T'as triché, disait l'un, la balle est pas dans le filet, c'est l'autre qui m'a poussé, c'est pas juste, ça compte pas!» Un écho lui répondait : «Ah, tais-toi donc, maudite femmelette!» Ils se disputaient, comme tous les enfants qui jouent aux jeux adultes, et entre eux, on en venait vite aux mains. Dans leur rituel, ils échangeaient des gros mots avant de s'empoigner. «C'est toé qui as tiré à côté, maudite tapette!»

– Si tu m'appelles «tapette» encore une fois, je vas le dire à papa, il veut pas qu'on dise ça...

– Dis-y, maudit cul! Ça me fait rien!

– Tu vas te faire chicaner, tu vas te faire chicaner, gna-gna!

– Ah, pis mange donc de la marde, gros fifi, pis m'as le dire à tous tes amis que tu pisses encore au lit!

La bagarre générale était pour bientôt, le concours de grossièretés s'achevait.

Le père est sorti. Les enfants se sont tout de suite calmés; ils avaient l'air de quatre comédiens qui ont oublié leur texte devant un public qui n'entend pas à rire. Le père les a fixés un moment, sûr de sa puissance, puis il a descendu l'escalier. De sa grosse voix, il a demandé :

– C'est lequel de vous autres qui a dit : «Suce ma

graine pour cinquante cennes, maudit gros plein de marde!»?

– C'est Ti-Oui, c'est Ti-Oui!

– C'est vrai, ça, Ti-Oui?

Le petit Louis a répondu d'une voix blanche, les yeux baissés :

– Je l'ai pas dit fort...

– Tu l'as dit pareil!

– C'est pas de ma faute, pa, c'est Jude qui me montre à dire des affaires de même...

Michel, l'aîné, s'est mis à rire nerveusement. Le père les a fait approcher, ils ont enlevé leur tuque sans qu'on le leur demande et la volée de claques a commencé. Ça n'a pas duré longtemps, heureusement, parce que le bonhomme ne ménageait pas sa force. Il les giflait en hurlant :

– T'as dit un gros mot qui fait de la peine à ta mère, tiens, prends ça! Pis ça, pis ça! Toi, l'autre qui enseigne des affaires laides à son petit frère, goûte à ça! Pis tiens, l'autre qui dénonce son frère, prends ça, ça t'apprendra à porter des paniers pis à déranger ton père qui travaille fort toute la semaine pis qui veut se reposer le dimanche, prends ça! Pis Michel, tu veux rire de tes frères qui se font donner une volée? Tu vas en manger une toi aussi! Tiens, pis tiens! Astheure, tenez-vous tranquilles! À part de ça, vous aurez pas de chocolat à Pâques parce que vous êtes tannants. Y en aura juste pour les petits, eux autres, au moins, y sont tranquilles pis y écoutent quand papa parle!

Les quatre pleuraient à fendre l'âme. Ils me faisaient tellement pitié avec leurs cheveux ébouriffés, leurs visages rougis, leurs cris. En plus, ils seraient privés de chocolat à Pâques, les pauvres. Après leur raclée, ils se sont dispersés dans les cours des voisins, sauf Louis qui est allé pleurer dans le garage. Une heure plus tard, ils étaient tous revenus, ils avaient repris leurs bâtons de hockey et jouaient en attendant le souper. Ils riaient comme avant.

En effet, c'étaient des enfants endurcis et les volées de coups de leur père ne les décourageaient pas de récidiver. Je me souviens qu'en 1957, il y avait encore des voitures de lait tirées par des chevaux pour la livraison à domicile. Le laitier de la rue Wilbrod avait bien dressé son cheval : dès qu'il sortait d'une maison après une livraison, il chargeait les bouteilles vides qu'il avait reprises, en prenait quelques autres pour la maison suivante et ordonnait à son cheval d'avancer jusqu'à la prochaine en faisant entendre un petit claquement de langue. Or Jude et ses frères avaient appris à imiter ce petit bruit, et pour faire enrager le laitier, ils imitaient son claquement de langue et le cheval avançait aussitôt. Si bien que le pauvre laitier devait marcher deux fois plus, ce qui le dérangeait dans ses habitudes bien prises. Chaque fois qu'on lui faisait le coup, l'homme morigénait l'animal qui devait bien se demander pourquoi on le punissait d'avoir obéi au signal. Les enfants, cachés entre deux maisons, riaient comme des fous.

Un matin, j'ai vu par la fenêtre le petit Louis avec les trois autres, et il disait : «Moi aussi je veux essayer, moi aussi, je veux savoir si ça marche.» Les trois aînés l'y encourageaient : «Vas-y, c'est facile!» Ti-Oui a fait entendre le claquement de langue et le cheval a avancé comme de fait. Tout content, il a répété le commandement et le cheval a obéi. Ce matin-là, le laitier s'était attardé pour causer politique avec monsieur Poliquin, le journaliste qui habitait au 238 Wilbrod. Quand il est ressorti avec son lot de bouteilles vides, il a vu sa voiture et son cheval à deux pâtés de maisons de là, avec Jude et ses frères qui riaient à côté.

Cette fois-là, le laitier les a surpris en flagrant délit et les a dénoncés au père qui se trouvait malheureusement à la maison. Le père les a fait rentrer à coups de pied au derrière. Ils ont été giflés sans pitié et ont juré à genoux qu'ils ne le referaient plus.

J'aimais ces enfants et je trouvais leur père bien sévère avec eux. Mais des fois, ils était malfaisants aussi. Comme quand ils s'accrochaient au pare-chocs arrière des automobiles l'hiver pour se faire traîner dans les rues pleines de neige. C'était à qui ferait le plus long parcours. Ils appelaient ça «faire du taxi-bottine», mais c'était réellement un sport dangereux. Ou alors quand ils s'amusaient à amadouer des chats et qu'ils les prenaient ensuite dans leurs bras pour les jeter dans les boîtes aux lettres. Le facteur qui cueillait le courrier le lendemain avait toute une surprise! Ou quand ils sonnaient l'alarme d'incendie pour réveiller les pompiers qui dormaient le jour.

Le plus drôle, et le plus tannant, était Ti-Oui, le quatrième. Il aimait montrer sa quéquette à la vieille fille d'en face, mademoiselle Dumouchel, et enseigner des gros mots aux plus petits en les encourageant à les répéter à leurs parents ou à la maîtresse d'école. Celui-là, il aimait faire des mauvais coups. Par exemple, la fois où il s'est mis sur son trente-six, mais avec des chaussettes dépareillées, et qu'il est entré au restaurant italien de monsieur Imbro sur Rideau pour y manger un gros spaghetti aux boulettes, portion d'adulte, un grand verre de limonade et un morceau de tarte au caramel écossais; puis il est sorti vite en lançant à madame Imbro :

«Mettez ça sur mon compte. Mon père va venir payer demain.» Cette fois-là, il a dû y goûter. C'était lui aussi qui allait au parc Strathcona, et le soir, après avoir joué toute la journée, trop fatigué pour rentrer à pied, il allait trouver le policier de faction pour lui dire qu'il s'était perdu. Il donnait son adresse et le policier le ramenait en voiture. C'était astucieux, mais l'ennui, c'est qu'il s'est mis à faire le coup tous les jours. Le père l'a appris, et j'ai alors entendu de mon balcon Ti-Oui qui jurait que c'était la première fois qu'il le faisait exprès.

Jude, lui, a reçu une raclée publique parce qu'il avait quitté l'école. Il n'était âgé que de huit ans, mais trouvait qu'il n'apprenait plus rien et que son institutrice était méchante en plus d'être laide. Je l'ai su de madame Barabé qui l'avait interrogé parce qu'elle s'étonnait de le voir passer de grandes journées à jouer dehors alors qu'il y avait de l'école. Il lui avait expliqué qu'il avait emporté tous ses livres de l'école pour les lire dans le garage : un jour, il serait aussi savant que la maîtresse et le directeur mis ensemble. Mais comme il avait aussi le temps de jouer parce qu'il n'avait plus de maîtresse qui répétait tout le temps dix fois les mêmes choses pour les innocents qui ne comprenaient jamais rien, il prendrait des forces et un jour, il serait capable de battre tous les méchants de l'école et tous les Anglais du voisinage, rien que d'une main en plus! Madame Barabé savait quel sort l'attendait si le père découvrait sa vocation d'autodidacte, et elle avait tenté de le convaincre de retourner à l'école en lui promettant un sac de bonbons mélangés et vingt-cinq sous. Il avait refusé : «Bientôt, je vas me mettre à livrer des journaux aux maisons, je vas me faire beaucoup d'argent, pis je vas m'acheter tous les bonbons que je veux avec. Je vas même mettre de l'argent à la banque, pis un jour, j'irai faire le tour du monde pis j'emmènerai pas mes frères avec moi parce qu'ils sont trop niaiseux.» Madame Barabé lui avait donné une orange et l'avait laissé partir en priant pour lui.

Ses frères l'avaient dénoncé quand la maîtresse leur avait donné les devoirs à faire pour leur petit frère qu'elle croyait malade depuis une semaine. Ils étaient rentrés à la maison en criant : «Maman, maman, Jude va plus à l'école, Jude va plus à l'école!» Le père avait été prévenu et avait traîné le petit à l'école par l'oreille. Dans la cour de récréation, il avait battu le petit devant tout le monde pour ôter aux autres le goût de l'école buissonnière. Quand Jude a reçu son doctorat, je lui ai rappelé à la blague cet incident, mais il n'a pas ri.

Pour le reste, c'étaient de bons enfants, très serviables, très gentils. Le genre à porter les paquets pour les petites vieilles qui reviennent du marché, à s'offrir pour toutes les commissions, à donner les bons renseignements aux passants qui demandent leur chemin. Le plus saint de la bande était sans conteste Michel, l'aîné, qui voulait se faire prêtre. Lui ne disait jamais de gros mots et il menaçait ses frères de l'enfer quand ils s'oubliaient. Son père ne le battait que lorsque ses frères faisaient des mauvais coups : il était battu à titre d'aîné, parce qu'il avait failli à sa tâche de donner le bon exemple.

Même s'ils étaient maltraités, ces enfants n'étaient pas violents. On ne les voyait jamais frapper les autres enfants du voisinage. Pourtant, Dieu sait qu'ils avaient l'habitude des coups et qu'ils auraient pu être tentés de donner à d'autres ce que leur père leur donnait si généreusement. Il est vrai aussi qu'on respectait leur force et qu'il ne se trouvait personne pour leur chercher querelle.

Le plus triste, c'était de voir le visage qu'ils faisaient quand le père les mettait dehors pour battre la mère, parce qu'en bon éducateur qu'il était, il ne voulait pas les laisser voir ça. La souffrance cachée de leur mère leur crevait le cœur. Après ces séances, on ne les entendait pas rire pendant des heures.

Toutes ces années où j'ai connu Jude, j'ai pensé qu'il me parlerait un peu de son enfance. Il n'a presque jamais dit un mot à ce sujet. Il a toujours agi comme si sa famille n'avait pas existé. Il aime dire : «Ma vraie famille, c'est vous, monsieur Pigeon, et mes deux mille amis.»

7

J'avais quarante-six ans quand Jude est entré dans ma maison pour devenir le benjamin de mes pensionnaires. Sans me vanter, je l'avais bien jugé. Il était calme, studieux, propre, serviable et surtout, gai et spirituel. Il me faisait rire et il amusait ses copensionnaires par ses reparties. Il avait au moins une idée neuve par jour et son enthousiasme pour la connaissance était contagieux. On avait envie de lire pour lui, de lui dire tout ce qu'on savait de n'importe quel sujet : il écoutait, les yeux presque fermés sous l'effet de la concentration, et il posait des questions d'une pertinence déroutante. Avec un garçon comme lui, on reste jeune longtemps.

Je me rappelle avoir été surprise par mon premier désir pour lui. C'était un soir de novembre, il était assis avec moi dans le salon, devant la cheminée où flambait une bûche de sapin : il lisait les *Âmes mortes* de Gogol, la pipe à la bouche, dans une pose comiquement adulte. Je tricotais un chandail que je ne destinais à personne, un simple exercice pour m'occuper les doigts; un autre chandail qui finirait dans la boîte de vêtements que je donnais aux pauvres à Noël. Pour la première fois, je me suis rappelé qu'il était aussi un homme, un bel homme. Il n'avait pas d'amie et ne semblait pas pressé d'en trouver une. C'est normal, me disais-je, il est tellement soucieux de réussir, il ne veut pas se laisser distraire. Le lundi soir, il revêtait son uniforme et se rendait d'un pas martial à l'instruction des aspirants officiers. C'était un garçon sérieux, un pensionnaire parfait qui ne s'enivrait jamais et ne se couchait tard que pour lire des romans difficiles, Faulkner, Céline, Asturias. Un bon petit gars, mais aussi un beau jeune homme.

En le regardant à la dérobée entre deux mailles, je tâchais d'imaginer l'air qu'aurait sa première fiancée et je m'étais mise à envier l'heureuse femme qui le posséderait. Puis je m'étais amusée à l'imaginer, lui. Intérieurement, j'avais souri de ma lascivité. Une femme de quarante-six ans, est-ce sérieux? Oui, m'étais-je répondu, ce sont d'ailleurs des choses qui arrivent, et pas que dans les romans. Mais il n'avait tout de même que dix-huit ans, et moi je louais des chambres. Ce soir-là, je m'étais endormie en me traitant d'idiote.

La pensée de Jude amant m'est souvent revenue par la suite, je ne faisais aucun effort pour la chasser, je n'y résistais pas et elle ne s'attardait pas non plus. Elle flottait seulement, j'y trouvais une gaieté inoffensive et je n'en ressentais aucun ridicule. C'était plaisant, et c'était tout.

Peut-être, me disais-je quelquefois, n'est-ce que l'effet de sa vigueur contagieuse. Il est si heureux et si obstiné dans sa soif de vie, si passionné dans sa recherche, qu'on finit par vouloir le suivre. On se convainc qu'il ne peut faire autrement que de parvenir à quelque chose, on voudrait l'aider, on est heureux pour lui. On se sent séduit. Même Pigeon admire sa force et s'interdit de se moquer de ses rêves. Il est tellement présent qu'on s'ennuie quand il est parti. Les autres pensionnaires, le grand Fontaine, et les Africains, Théophile et Amédée, semblent plus animés quand il est à la maison. Je ne suis que victime de son charisme aimable.

Mais je devinais qu'il devait parfois être très seul. À Noël cette première année-là, il a préféré poursuivre son instruction sur un bateau-école à Halifax plutôt que de passer les Fêtes dans sa famille. Il est rentré plein d'idées nouvelles et sûr de sa vocation maritime, ce qui était bien, mais pouvait-il toujours vivre comme cela, sans chaleur familiale, sans amis? Je comprenais que Théophile et Amédée passent Noël à Ottawa puisqu'ils étaient loin de leur pays d'origine, mais pourquoi Jude n'irait-il pas dans sa famille qui était tout de même si proche, à la campagne, à cent kilomètres d'Ottawa? Il aurait pu juste aller leur dire bonjour à son retour. Rien. Pas même un coup de téléphone. Je m'étais rassurée en me disant qu'il était à l'âge de la rupture avec la famille et qu'il finirait bien par lui revenir un jour.

À la fin de l'année universitaire, en avril, Jude s'apprêtait à partir pour l'Arctique, son premier voyage là-bas, sur un brise-glaces chargé de mener des expériences scientifiques. C'est alors que je l'ai vu triste pour la première fois. Même ses compagnons de pension le trouvaient inhabituellement calme, mélancolique même. Il se taisait, il mangeait peu. On aurait dit qu'il ne voulait plus partir, lui qui avait parlé de ce voyage toute l'année.

C'était un soir où la maison était vide. Les examens étaient terminés; Théophile, Amédée et le grand Fontaine étaient déjà partis pour l'été. Jude était assis dans le salon, et pour une fois, il ne faisait rien. Il ne lisait même pas. Il regardait le feu dans la cheminée, les yeux vides où ne brillait que le reflet des flammes. Son bagage était prêt, il partait le lendemain. J'avais pitié de lui, ce n'était pas son état normal, quelque chose devait le troubler. Je ne savais trop comment soulager son vague à l'âme.

«Jude, puisque tu pars demain, on pourrait peut-être fêter ça.» Je suis allée chercher une bouteille de beaujolais et deux verres à la cuisine. Il a répondu d'une voix fatiguée qu'il ne buvait jamais d'alcool. «Alors, tu ne seras jamais un vrai marin. Allez, faisons la fête un peu. Accompagne-moi au moins. Par politesse.»

Il avait dit vrai. Il n'avait jamais bu d'alcool de sa vie : à preuve, il a vidé son verre d'une gorgée. Un peu réchauffé, il s'est ouvert un peu. J'ai été chercher une autre bouteille. Un peu moins timide, il s'est étendu sur la peau de loup devant la cheminée, son visage n'était plus triste. Moi aussi, le vin me réchauffait, j'avais envie de lui montrer de l'affection. Mais l'effet de gaieté que donne le vin s'est vite dissipé chez lui; il a repris son air pensif. Je me suis hasardée à le remonter par des paroles d'encouragement.

– Alors, Jude, c'est le grand jour demain. Tu pars. Tu vas enfin devenir le marin que tu rêvais d'être. Tu n'as que dix-huit ans, et tes premiers rêves se réalisent déjà.

Qui sait? Un jour, tu seras un grand explorateur décoré, et tu marcheras dans les rues de la Côte-de-Sable avec une jolie femme à chaque bras.

–Vous pensez?

– Oui. Tu sera un homme heureux, tu vivras tes rêves, Jude. C'est écrit.

– Madame Élizabeth, demain à la gare, je serai avec mes amis qui partent eux aussi. J'ai pas hâte à ce moment-là. Parce qu'eux, ils seront avec leur famille, leurs amis, ceux qui les aiment. Moi, je serai tout seul, pis quand je vais revenir, il y aura personne à la gare pour m'embrasser. Je trouve ça dur, des fois, d'y penser.

En disant cela, il m'a regardée avec les yeux les plus tristes de la terre. J'étais très émue, je lui ai pris la main pour le faire asseoir à côté de moi. Il s'est laissé faire et je l'ai serré maternellement contre moi.

– Il y a des gens qui t'aiment, Jude. Tu n'es pas seul. En septembre, tu reviendras ici. Moi, je t'attendrai. On mangera de la blanquette de veau comme tu l'aimes. Tu verras, Jude, tu ne seras pas seul.

J'avais si envie de le consoler, de le réconforter, de lui faire plaisir. Je le serrais contre moi un peu plus fort. Mon émoi augmentait à la seconde, je n'avais plus envie de boire, juste de l'embrasser. Ce furent des minutes affolantes : encouragée par le vin, je voulais de lui, et pourtant je craignais le rejet, les conséquences.

Plutôt que de dire une parole qui nous aurait ramenés à la raison ou de lui faire des avances directes, j'ai laissé faire la nature. Quand, après un long moment d'abandon, j'ai senti sa main qui me caressait, je me suis relevée un peu, j'ai défait le chignon qui retenait ma longue chevelure, je l'ai regardé droit dans les yeux et ma bouche s'est approchée de la sienne. Là, j'ai compris son désir réciproque.

Je l'ai invité à me suivre dans ma chambre. Nous nous sommes assis sur mon lit en nous tenant par la taille et je lui ai dit : «Jude, il faut parler un peu. Tu sais ce qui nous arrive. C'est un beau moment qui nous attend. Mais il ne faut jamais que ça se sache. Ça pourrait nous nuire à tous les deux. Tu comprends?» Il a répondu : «Oui, madame.» Nous avons éclaté de rire ensemble. «Ici, dans ma chambre, appelle-moi Élizabeth. Tu peux me tutoyer aussi, ce sera mieux.» Il a fait un grand oui de la tête, et je me suis mise à le déshabiller. Il tremblait de tous ses membres. «C'est la première fois, Jude?» Il ne répondait pas.

Alors je me suis déshabillée devant lui, j'ai passé mon peignoir rouge et je l'ai invité à me suivre dans la salle de bains adjacente. Je lui ai fait couler un bain chaud et parfumé. «Viens, Jude, c'est un grand jour, il faut bien faire les choses.» Je me suis glissée dans la baignoire à côté de lui, je l'ai lavé moi-même. Ensuite, il m'a suivie à mon lit avec assurance et sans pudeur.

Deux fougues inemployées, unies dans une avidité proche du désespoir qui fait inventer les caresses les plus hardies. La nuit fut blanche.

Le lendemain, pendant qu'il faisait sa toilette, je lui ai confectionné un petit déjeuner capable de rassasier un ogre qui a aimé toute une nuit. Dehors, habillé de sa vareuse noire et coiffé d'une casquette de matelot français à pompon rouge qui lui donnait un air de petit aventurier courageux, il s'est tourné vers moi et il a crié : «Attendez-moi ici. Je vais revenir!»

Il est revenu.

8

L'été fut long cette année-là. La maison était décidément très grande et très vide. Pigeon étant parti pour l'Europe, je n'avais à peu près personne à qui parler; je n'ai vu personne, sauf mon amie allemande, Waltraud, avec qui je suis allée deux semaines à la mer. Je savais bien que je n'étais pas amoureuse de lui; je lui étais seulement un peu plus attachée qu'avant. J'étais une femme de quarante-six ans capable encore de désirer et de plaire, et lui, c'était un jeune homme de dix-huit ans qui ne demandait qu'à aimer. Il ne m'a pas fait de lettres, moi non plus. Lui aussi devait savoir instinctivement que notre seul avenir était une amitié charnelle, discrète et un jour éteinte. À laquelle survivrait peut-être une certaine affection, c'était tout. Pour l'instant, il n'y avait qu'un homme et une femme unis. Nous verrions.

J'ai été très heureuse de le revoir, et c'était réciproque. Il n'avait pas changé : toujours aussi enthousiaste, une idée n'attendant pas l'autre, joyeux. Il venait de fonder l'Institut arctique avec sa hardiesse coutumière : «Un jour, je serai quelqu'un, madame Élizabeth, vous allez voir ça. On va faire de grandes choses, et vous serez fière de m'avoir connu», disait-il un peu à la blague, car il était trop intelligent pour se prendre au sérieux.

Devant les autres pensionnaires, il me voussoyait toujours, mais je n'ai pas été longue à savoir qu'il comptait donner une suite à la veille de son départ, et j'étais trop heureuse de l'accueillir de nouveau dans ma chambre victorienne. Mais avant, il lui a fallu voir un médecin parce qu'il avait contracté un certain malaise dans l'Arctique. Je n'étais pas jalouse : il venait de découvrir son corps et d'autres que moi avaient profité de mes leçons. C'est normal, me disais-je, c'est la nature.

Certains détestent les amours cachées. Pour ma part, j'ai pleinement goûté la situation. Il venait me retrouver quand il voulait, d'ordinaire quand ses copensionnaires ronflaient, et il me quittait au petit matin sur la pointe des pieds. Nos étreintes étaient d'autant plus vives qu'elles étaient interdites par la convention. Dans ces moments de noirceur où je redevenais Élizabeth, il s'ouvrait totalement à moi; bien sûr, il restait muet sur sa famille, mais il parlait abondamment de son avenir. Une fois, je lui ai demandé où il prenait la confiance formidable qu'il avait en lui. Il m'a soufflé à l'oreille qu'il était né au monde ici même, dans mes bras, et que depuis ce temps, il se sentait capable de nager l'Atlantique. Et il m'a longuement et tendrement remerciée.

Même si nous nous refusions les étourderies charmantes qu'ont les gens qui s'aiment au grand jour, nous n'en étions pas moins comblés. Jamais une année universitaire ne m'a paru si courte. C'était bonheur tous les jours. Quand les autres pensionnaires étaient partis, j'allais le réveiller dans sa chambre et il me faisait chaque fois un accueil ardent. C'était bon, si bon, si bon.

Jude était beaucoup plus à moi que je ne voulais l'admettre. Ainsi, je n'ai pas tardé à tomber amoureuse moi aussi de son institut. Je prenais son idée très au sérieux et je lui prodiguais tous les conseils que je pouvais. J'ai fait des recherches pour connaître les modalités de constitution en société; je lui ai donné les conseils voulus pour le munir des précautions juridiques et comptables qu'il fallait; j'ai rempli avec lui les formulaires de demande d'assistance à l'État et à l'entreprise; je lui ai trouvé des traducteurs russes et suédois; les premières années, mon garage et mon sous-sol ont abrité les archives de l'Institut parce qu'il n'avait alors qu'une adresse postale dans l'Arctique; j'étais son adjointe administrative bénévole et la conseillère avec qui il remuait des idées dans des discussions longues et riches. J'ai tout fait, et je le dis fièrement, moins par amour que par pure foi en lui.

Un seul homme s'est douté de quelque chose : Pigeon. Au thé dominical, il a surpris certains regards que je faisais à Jude, certaines inflexions de voix, je ne sais trop. Un après-midi où il me savait seule, il a demandé à me voir. Il avait mis son plus beau costume, il tenait un bouquet de fleurs qui, dans ses mains moites et nerveuses, avaient un air fané. Et il m'a tenu ce discours dont lui seul était capable : «Élizabeth, vous aimez ce jeune homme, cela crève les yeux. Vous lui avez sûrement accordé vos faveurs aussi, tous vos gestes pour lui le disent. Je ne suis pas venu vous faire des reproches, seulement pour en avoir le cœur net. Si vous l'aimez, comme je le crois, je cesserai d'espérer le moindre retour en grâce. Je me contenterai de respecter les bornes de l'amitié auxquelles vous m'avez condamné il y a trois ans pour ma légèreté. C'est un jeune homme si beau, si ardent, comme je vous comprends d'aimer sa jeunesse, et sachez que si je l'envie, je ne lui en veux pas, je ne lui ferai aucun mal. Si vous l'ordonnez même, je me ferai son serviteur, et je l'aiderai. Tout ce que je vous demande, c'est de confirmer que je n'ai plus de raison d'espérer.» Son désarroi était sincère, et par amitié pour lui, je lui ai dit la vérité. Il a eu un sourire triste : «Merci, Élizabeth, votre franchise guérira ma douleur, avec le temps. Mais sachez une chose : quoi que vous disiez, quoi que vous fassiez, je vous aimerai toujours, malgré vous. Je serai toujours votre ami. Comme disait Mignon chez Goethe : "Si je t'aime, cela te regarde-t-il?" Au revoir, Élizabeth...» Pour la première fois, j'ai bien vu quel cœur noble et généreux il était, et j'ai même regretté de l'avoir rudoyé quelque peu par le passé.

Pigeon s'est conduit en authentique gentleman. Pas une fois il n'a montré de nouveau son cœur blessé à quiconque; il n'a surtout jamais fait la moindre misère à son rival heureux. Il a même accepté d'aider Jude à la rédaction des premiers numéros des Cahiers de l'Institut arctique; il ne lui a jamais ménagé ses lettres de recommandation, ses encouragements à une époque où nous étions si peu nombreux à croire à cette entreprise. Grâce à la science de Pigeon, Jude a pu faire des progrès étonnants en l'espace de quelques années. J'étais contente.

Je le voulais si parfait, mon petit Jude. Dans nos entretiens nocturnes, je lui enseignais les notions qui lui manquaient pour devenir un homme complet. «Il faut que tu paraisses bien en société si tu veux asseoir ton crédit. Tu n'es plus le petit gars de la Côte-de-Sable qui rêve de grandeur : tu es un futur savant, un chercheur jeune mais sérieux qui est déjà sorti, qui n'ignore rien des usages mondains, capable d'une grâce naturelle qui n'appartient qu'aux princes. Comprends-tu, Jude?» Il comprenait.

C'est ainsi que j'ai profité de mon ascendant sur lui

pour le changer, non pas lui mais ses apparences. Je lui ai montré à se vêtir, comment choisir des couleurs coordonnées. En société, lui expliquais-je, quand on allume la cigarette de son interlocuteur, on allume d'abord la sienne, si on a des allumettes, pour éviter à l'interlocuteur d'inhaler la désagréable odeur de soufre, et on allume celle de l'autre en premier si on a un briquet. C'est comme ça qu'on fait. À table, tiens ta fourchette dans la main gauche et le couteau dans la main droite, et n'abandonne jamais les deux; on dépose sa serviette dans son giron; on boit le bon vin avant le moins bon, c'est même écrit dans la Bible. Au salon, on se lève quand quelqu'un entre ou part. Apprends à mettre la table, à verser le vin; je vais te montrer comment découper les viandes et les poissons, tu verras. L'élégance, c'est au-dedans de soi qu'on la possède : je ne t'interdis pas d'apparaître à un thé chez le gouverneur général en costume pour la chasse à l'ours blanc, mais il faut que tu te tiennes bien, on te remarquera. Il m'écoutait attentivement.

Tu es un bon petit gars, Jude, lui disais-je, je ne veux pas faire de toi un chien savant, au contraire, je veux seulement assurer ta réussite en société en affinant ta politesse naturelle. D'ailleurs, tu comprendras que toutes ces bonnes manières sont fondées sur le bon sens et non sur quelque usage désuet et inutile. Je ne peux pas t'enseigner l'intelligence, tu es déjà riche sur ce plan, Jude, mais je peux te montrer comment t'habiller. Il m'écoutait toujours, mais il se faisait tard, il ne nous restait plus que quelques heures de nuit : nous reprenions alors nos caresses dans le plus parfait mépris de l'usage mondain.

Bien sûr, je ne me faisais pas d'illusions et je savais

qu'il me faudrait envisager la vie sans lui un jour. Le moment viendrait où Jude tomberait amoureux ailleurs, d'une femme de son âge. Ou alors, il partirait faire sa vie et ne reviendrait que rarement. Mais je ne me faisais pas de souci pour ça. Je savais qu'en me dépensant comme je le faisais pour le former et encourager l'éclosion de l'Institut arctique, j'accélérais la venue du jour où il pourrait se passer de moi. Je me disais qu'il appartient justement à la mère de trancher le cordon ombilical et non au fils. Je l'avais un peu mis au monde, je m'interdisais donc de retarder sa croissance, au contraire. Le jour de la séparation viendrait bien assez tôt, je verrais en temps et lieu, je saurais quoi faire. Après tout, j'avais survécu jusqu'à ce jour, je continuerais. Il y aurait un lendemain à son départ de ma vie.

Déjà je savais que Jude voyait d'autres femmes. Dans ses voyages polaires, l'été, il se trouvait toujours une jeune géologue là-bas pour me remplacer. En plus, toutes ses condisciples de l'université étaient folles de lui. Il ne se privait jamais, je le voyais espacer ses visites à la chambre victorienne. Par bonheur, il avait le bon sens et le bon goût de ne jamais parler des autres. Sitôt qu'il entrait chez moi, il les oubliait. Je lui savais gré de cette délicatesse. On ne parle pas des autres qui sont venus avant. Je lui ai enseigné cela aussi.

Il est resté quatre ans chez moi. De septembre à mai, il repartait pour l'été et revenait après. Son baccalauréat terminé, il a fait son service dans la marine pour rembourser ses études, quatre ans là aussi. Il revenait au moins une fois l'an; il ne manquait jamais la fête des Rois. Pendant son service, j'ai continué de m'occuper de l'Institut arctique et je l'aidais comme je pouvais. Toutes ces années, j'ai refusé de louer sa chambre, je n'en avais pas besoin après tout. Il pouvait revenir quand il voulait et compter sur moi. Je ne lui demandais rien en échange.

Avant son départ pour le service actif, nous avons aussi, d'un commun accord, mis un terme à nos visites nocturnes. C'était mieux ainsi.

9

Quand je l'ai vue la première fois qui m'attendait dans mon salon, j'ai su tout de suite qu'il me fallait la chasser, sans dire un mot, ou la supplier de partir. «Bonjour, madame, c'est vous qui louez des chambres? Un de vos pensionnaires m'a fait entrer parce qu'il pleut des clous dehors...» Elle avait une voix si chantante, une diction si pure, elle m'a serré la main avec tant de franchise, et elle était si belle à regarder avec ses longs cheveux noirs si vigoureux, si sains. Elle avait un corps d'athlète, des yeux pour faire carrière au cinéma, une bouche qui souriait pour rien. Non, je ne pouvais pas la garder ici : dans un mois, j'aurais tous les matous du quartier sous mes fenêtres. Cette fille-là ne m'attirerait que des ennuis. «On m'a dit que vous preniez des filles pour pensionnaires maintenant. C'est vrai?» Je l'ai fait asseoir, nous avons pris le thé ensemble : après tout, je ne pouvais la congédier comme ça, avec le mauvais temps qu'il faisait. On ne regrette jamais d'être charitable, tout de même.

Elle s'est présentée, Maud Gallant du Nouveau-Brunswick. Elle venait faire sa maîtrise de musique à l'Université d'Ottawa. Elle avait étudié à Montréal, elle voulait vivre de sa musique, elle rêvait de voyages.

J'étais sans défense devant elle. On ne résiste pas à tant de charme naïf. Rien qu'à l'entendre, on avait envie de l'embrasser et de l'aider même s'il était évident qu'elle n'avait besoin de personne pour faire son chemin.

Jamais une femme n'était entrée chez moi comme pensionnaire. Sottement, il est vrai, je craignais la nidification. Jusqu'au jour où mon amie Waltraud m'a représenté que les hommes sont tout aussi capables de prendre des copensionnaires. Je ne voulais pas voir non plus mes pensionnaires se fréquenter sous mon toit; là aussi, Waltraud m'avait fait comprendre l'inanité de mon préjugé. Déjà, on admettait le principe des résidences mixtes dans les universités nord-américaines, alors... Et puis, il faut bien le dire, je suis devenue féministe en vieillissant. Alors, va pour les femmes!

Je dois dire que je commençais à m'ennuyer et que la compagnie féminine me manquait un peu. Un brin de femme égaierait la maison et je me ferais moins l'effet d'une matrone commandant à une bande d'eunuques. J'avais envie d'une jeune pensionnaire avec qui je pourrais me lier d'amitié, bavarder de temps en temps.

Elle s'est assise au piano à ma demande. «Je ne vous fais pas passer une audition, rassurez-vous, c'est seulement pour entendre un peu de vraie musique. Les pensionnaires que j'ai en ce moment chantent tous faux.» Elle a joué un air de Fauré, tellement bien que je l'aurais accompagnée de ma voix si je n'avais craint le ridicule. Il fallait faire raccorder le piano, a-t-elle dit poliment. J'ai répondu que j'y verrais.

«Alors, comme ça, c'est oui? Parfait. Je retourne à Montréal ce soir, je serai ici demain avec mes affaires. Merci!» Elle s'est levée pour me serrer la main avec la détermination franche et aimable que je lui avais devinée à son entrée. Je n'ai pas trouvé le courage de lui dire non. À la place, je lui ai demandé : «Est-ce que vous jouerez des fois pour moi?» «Quand vous voudrez, c'est mon métier, ça me ferait plaisir!» Je lui ai offert de rester à dîner, mais elle a refusé. J'étais envoûtée.

Ce fut un beau printemps. Cette petite jeune fille mettait tant de vie dans ma maison empoussiérée, on aurait dit que l'hiver était fini pour toujours. Les autres pensionnaires étaient tous heureux de la voir, de l'entendre chanter le matin au lever. Tout à coup, ils ressortaient leurs bonnes manières, ils étaient prévenants, plus rieurs qu'avant. Le quotidien n'était plus pareil, et je me félicitais d'avoir si bien choisi. Tout le monde était content, moi la première.

Mais quand j'ai reçu le télégramme de Jude qui m'annonçait son retour pour le début de juin, j'ai su que j'avais commis une erreur.

Les premiers moments d'affolement passés, je me suis livrée à un long examen de conscience au terme duquel j'ai pu me raisonner. Jamais de ma vie auparavant n'avais-je été jalouse de quiconque : à l'âge que j'avais, je n'allais tout de même pas commencer. Je n'avais jamais aimé Jude, me disais-je, car je n'avais plus le cœur de vingt ans qu'il aurait fallu quand nous nous sommes connus. Lui non plus ne m'avait pas aimée, il savait que la différence d'âge nous séparerait un jour ou l'autre. Il n'y avait eu aucune naïveté entre nous. D'instinct, je savais que la vie de Jude hors de la maison devait être un cimetière de cœurs brisés. Mais j'avais, moi, la vanité de penser qu'il me conservait de l'affection et qu'il reviendrait toujours chez moi; que je ne le perdrais jamais tout à fait de vue. Il était devenu mon fils, j'étais celle qui en avait fait un homme et je ne représentais pour lui aucune menace d'attachement incompatible avec la vie aventurière dont il rêvait. Il y avait longtemps que nous avions cessé nos rapports, mais nous demeurions tout de même unis par d'autres liens : une affection authentique et durable, mon soutien ferme à l'Institut arctique, ma foi inébranlable en lui. Quant à Jude, je savais qu'il éprouvait du plaisir à m'écrire ou à me voir. Quand il venait à Ottawa, il rendait rarement visite à sa famille, c'était chez moi qu'il venait habiter. Ma maison de la rue Blackburn était son seul vrai foyer et j'étais une meilleure mère pour lui que la vraie. Et pour ce qui était de ses autres conquêtes, elles n'avaient jamais existé.

Mais maintenant, ce serait différent. Il passerait l'été ici, elle serait là et quelque chose se produirait, c'était écrit. Alors, que faire? Je n'allais tout de même pas la jeter à la rue. Un bonne petite fille comme elle n'avait rien fait pour mériter un traitement pareil, ce serait inhumain. Peut-être qu'il n'arriverait rien non plus? Peut-être qu'elle le trouverait moche et inintéressant; peut-être qu'il la trouverait trop jeune de caractère, laide même? Peut-être que j'avais tort de m'inquiéter? Ou alors, même s'ils tombaient éperdument amoureux l'un de l'autre, que pouvais-je y faire? Rien. Strictement rien. S'ils éprouvaient du désir l'un pour l'autre, ce serait la nature. Je me disais alors : je ne vais tout de même pas m'interposer, défaire son bonheur à lui, pour contenter une vieille mégère! ça ne se fait pas! on ne se met pas en travers de l'inévitable, c'est courir après la mort!

Toute ma vie, je m'étais laissée porter par le courant, et j'avais connu un certain bonheur; il ne fallait rien changer à cette saine habitude qui m'avait si bien réussi. La solution était de laisser faire les choses, ne rien dire, ne rien laisser paraître. Un jour, je finirais par m'habituer à les voir s'aimer; ils fonderaient une famille et je serais la meilleure grand-mère du monde, me disais-je bravement, et tout serait dit. Je ne ferais rien!

10

Quand j'ai annoncé le retour de Jude aux autres pensionnaires, Maud a tout de suite demandé de qui il s'agissait. Les autres lui ont expliqué avec enthousiasme qu'il était un héros, qu'il avait été décoré pour son intervention héroïque et humanitaire dans l'affaire du sous-marin soviétique pris dans les glaces de la baie d'Hudson, que c'était un scientifique d'avenir atteint de la fièvre polaire, qui rêvait de gloires et de découvertes, que son nom finirait un jour par orner la mappemonde, que c'était aussi un bon compagnon, un peu Don Juan, mais gentil et simple. Maud a seulement répondu : «Ah, c'est lui qu'on voit dans la photo sur le piano? J'ai hâte de le rencontrer.» Je me suis empressée d'ajouter, malgré moi, que Jude ne ferait que passer l'été à Ottawa; après, il irait faire son doctorat à Londres, pour deux ans au moins; ensuite, il irait enseigner quelque part en Alberta, loin d'ici, et que sa carrière lui interdisait malheureusement de s'établir à Ottawa ou dans quelque grand centre urbain.

Je ne m'étais pas trompée. Ils se dévoraient des yeux dans le jardin, sous les lilas; cinq minutes et ils s'aimaient déjà. Par contre, je m'étais trompée sur mes résolutions de stoïcité : pendant un mois, je me suis réfugiée tôt dans ma chambre tous les soirs pour verser des larmes qu'on dit amères. J'avais beau me dire : c'est la nature et tu n'y peux rien, deux jeunes gens comme eux, beaux, sains, intelligents et sensibles, ça ne pouvait pas faire autrement! Rien n'y faisait, mon fatalisme était inopérant.

Après chaque crise de larmes, je me surprenais à me ridiculiser. Mon premier chagrin d'amour, à cinquante-quatre ans! On n'a pas idée! Ça n'est pas possible! Ou alors : «Mais regarde-toi donc, une vieille chose comme toi, tu voudrais encore lui plaire peut-être? À côté de ce beau brin de fille qui ne demande qu'à fondre d'amour pour lui, tu plaisantes!» Ou alors : «Ainsi, tu l'aimais pour vrai, ton Jude. Tu t'es raconté des histoires tout ce temps-là, tu tenais vraiment à lui et tu n'osais pas le dire pour ne pas le faire fuir : tu es bien obligée de l'avouer maintenant, mais même si tu l'avoues, il n'y a rien à faire, pauvre de toi. Tu es comme le mineur enseveli vivant dans son puits, qui sait qu'il va mourir dans quelques jours ou quelques heures, et que rien ne pourra le sauver. Il ne lui reste plus qu'à regarder la mort venir. C'est l'essence même de la tragédie, ma chère Élizabeth, aurait dit ton ami Pigeon, la conscience de l'inéluctable!» Et je riais de moi, dans mon miroir qui ne me trompait pas.

D'autres pensées étaient moins dures : «Tu te souviens, Élizabeth, quand tu as cru retrouver le bonheur avec lui et que tu imaginais tes rides effacées par ses caresses? Eh bien, voilà : ta jalousie n'est que le dernier sursaut de ton adolescence revisitée. Tu souffres, c'est parce que tu sais aussi la vieillesse désormais implacablement présente. Tu es vieille, maintenant, ma pauvre. Que veux-tu? Tu es vieille et cette fille te le rappelle malgré elle chaque fois que Jude la regarde avec un de ses regards à lui qui déguisent si mal sa convoitise, et le bonheur d'être avec elle. Il faut passer la main, mon amie, ne plus y penser. Laisse-toi porter par le courant, comme hier. Demain, tu verras, il y aura encore les fleurs, le soleil, les cris et les chants des enfants dans les parcs, tout cela indifférent à ton malheur, et qui sait si dans ta solitude, il n'y aura pas, un jour, la sérénité...» Je m'endormais sur ces pensées raisonnables et mes douleurs reprenaient le lendemain avec la même acuité quand je les voyais causer innocemment dans le jardin, sous mes lilas, sous mon cerisier japonais. Dans des moments pareils, je pensais que même Dieu n'aurait pu empêcher Adam et Ève de s'aimer.

Seulement, je ne suis pas Dieu et je n'allais pas les chasser du paradis terrestre. C'était moi qui m'en irais, et eux, ils iraient au diable!!!

Fort heureusement, Jude m'épargnait l'odieux de l'hypocrisie. Il voyait bien que j'avais deviné son désir pour elle et il ne faisait rien pour dissimuler sa joie de la voir chaque fois qu'elle apparaissait, ou chaque fois qu'elle se mettait au piano. Elle-même était un peu plus discrète, ce qui m'arrangeait, car la voir caresser Jude m'aurait donné la nausée.

Nous n'avons jamais parlé de Maud, lui et moi, nous nous comprenions trop bien pour cela. Et tranquillement, j'ai réussi à m'écarter d'eux.

Mais il y avait des moments où c'était très dur. On

aurait dit que je cherchais inconsciemment à provoquer moi-même le moment où leur séduction réciproque aboutirait. Je faisais exprès pour les laisser seuls longtemps et rentrer à un moment inattendu afin de les surprendre, dans l'espoir ridicule que ma misère prendrait fin devant le fait accompli, avec l'idée tout aussi sotte que la cruauté de ce spectacle me serait moins pénible que l'imminence de leur amour. Toutes ces manœuvres de belle-mère jalouse ont échoué. Chaque fois, je les retrouvais au salon, en grande conversation, à une distance respectueuse. Chaque fois, j'en éprouvais un soulagement momentané, auquel succédait rapidement la certitude que cette scène redoutée m'était promise pour le lendemain.

La nuit, je me réveillais en sursaut, j'écoutais attentivement et je n'entendais jamais le bruit des étreintes furtives. Le lendemain, tôt réveillée, je ne les surprenais jamais endormis côte à côte. Toujours la torture de la certitude différée. Malgré la meilleure volonté du monde, mon infinie compréhension pour la nature, mon désir immense de faire le bonheur de Jude et de la petite Maud que je me sentais capable d'aimer autant, je souffrais comme une bête. Car la jalousie est aussi une douleur physique, je l'ai su alors, et je n'ai plus jamais ri des maris trompés du théâtre qui vivent le drame de la prophétie autocréatrice qu'est la jalousie. Il y a des cocus qui méritent de l'être ou qui sont ridicules dans leur refus de l'inévitable, c'est vrai. Mais la dignité inutile du malheureux n'inspire rien : c'est le néant pur de la solitude.

Oui, la jalousie est un mal physique : on est comme le loup pris au piège qui n'a plus d'autre choix que de se laisser mourir ou de se ronger la patte, de s'amputer pour vivre ensuite boiteux. J'ai survécu, infirme.

J'ai aussi découvert que le vrai jaloux est humilié et s'humilie. J'ai été une vraie jalouse. À certains moments, je me sentais capable des bassesses les plus dégradantes. Ainsi, un jour, je les ai suivis au parc Strathcona; je savais qu'ils y allaient souvent ensemble, et je voulais les prendre sur le fait pour crever l'abcès une fois pour toutes. Juste les voir une fois se tenant la main ou s'embrassant et après, je me sauverais pour ne revenir qu'à la fin de l'été, quand il serait parti. Une fois le choc de la vérité passée, je pourrais peut-être entamer une sorte de convalescence. Tout irait mieux ensuite.

Assise sur un banc, je les ai regardés pique-niquer sous un chêne au bord de l'eau. Ils avaient étendu une grande couverture sur l'herbe, et dans leurs mains, je distinguais des coupes de vin; la bouteille devait être cachée dans le buisson parce que c'est défendu dans un lieu public. Je le voyais debout, lui, toujours aussi théâtral dans ses explications charmantes, qui racontait quelque histoire avec des gestes passionnés, et elle, elle riait. Je n'entendais ni sa voix, ni son rire, ils étaient trop loin : comme dans une scène du cinéma muet de mon enfance, je n'entendais que les pleurs de la viole de gambe du petit ensemble de musique renaissance qui répétait à l'autre bout du parc. Je suis partie avant la fin du film.

J'étais si fatiguée et il faisait si chaud ce jour de juin. J'avais à gravir la côte de la rue Range qui longe le parc, avec le son des violes qui augmentait car je me rapprochais de la musique. Ce beau jour-là, cette musique avait été pensée pour d'autres que les malheureux; il ne me restait à moi que la chaleur et la sueur sous l'effort. J'étais prise de nausées mais il faisait trop chaud pour marcher plus vite. Dans la fontaine du parc, des enfants se baignaient. Le bruit qu'ils faisaient dans leur fraîcheur inventée accentuait ma nausée. Je ne me suis pas évanouie de malaise pour ne donner à personne le plaisir de s'écrier : «Regardez la vieille madame qui vient de tomber par terre!»

Il fallait fuir. Sitôt rentrée à la maison, je ferais ma valise et je partirais pour Toronto rejoindre mon amie Waltraud, et nous irions à la mer ensemble, quelque part loin d'ici. Je reviendrais à la fin de l'été. Ils pourraient jouer les jeunes mariés à leur goût et je n'en verrais rien.

Dans mon empressement à les suivre, j'étais partie en petite robe légère, les cheveux dénoués, sans sac. Arrivée devant la maison, je me suis aperçue que je n'avais pas la clé pour entrer, j'étais dehors, sans nulle part où aller, sans même une pièce de monnaie pour appeler un serrurier. Je me sentais la femme la plus démunie de la terre, sans amour et sans toit. Et alors, dans le miroir latéral d'une voiture garée devant chez moi, j'ai vu mon visage fatigué, sans fard, mes longs cheveux gris. Les passants devaient me prendre pour une des pauvresses sans abri qui viennent loger la nuit au refuge de l'église anglicane de la Toussaint, en face de chez moi. Morte la châtelaine de la rue Blackburn qui avait jadis un amant explorateur.

Un des pensionnaires est arrivé sur les entrefaites. Je ne lui ai pas dit que j'étais sans clé, je l'ai seulement suivi à l'intérieur sans dire un mot mais je voyais bien à son expression intriguée qu'il me trouvait bizarre de rester debout dehors, sous le soleil, mal habillée, sans rien dans les mains. Une semaine plus tard, j'étais partie après avoir laissé un mot laconique sur la table de nuit de Jude.

À la gare bondée, un petit enfant qui attendait avec

sa mère le train de Toronto, le même que le mien, s'est levé et m'a offert sa place. Pour la première fois, j'apprenais que j'étais une vieille dame pour les autres aussi. Cet enfant sage attendait sans doute un regard attendri et reconnaissant pour paiement de sa bonne éducation. Certainement pas le fou rire et les larmes incontrôlées dont je l'ai remercié. Le pauvre petit, il a dû me prendre pour une folle détachée.

Curieusement, c'est cet incident qui a marqué le début de ma guérison. À compter de ce moment, je me suis mise à accepter ce qui m'arrivait. Les vacances avec Waltraud m'ont fait un bien souverain aussi.

11

À mon retour, je n'ai eu qu'à enfiler mon peignoir rouge pour tout savoir : il était imprégné de son parfum à elle, elle l'avait porté. Ils avaient peut-être même fait l'amour dans mon propre lit. Il m'a fallu une bonne heure pour reprendre mon calme. Ils s'étaient servis de ma chambre, c'était évident : il y avait quelque chose de changé dans mon mobilier, parmi mes flacons d'essence, tout me disait qu'ils s'étaient aimés dans ma suite victorienne. Mais comme je ne possédais pas de preuves formelles, j'étais forcée de me taire. Je n'ai donc rien dit, ni sur le coup, ni jamais. Pourquoi Jude et elle s'étaient-ils permis une telle indélicatesse, je ne le saurai jamais. Chose certaine, je ne l'ai jamais oubliée. Franchement, en amoureux qu'ils étaient, ils auraient pu aller à l'hôtel comme tout le monde! J'étais tellement en colère cette nuit-là que j'ai refusé de coucher dans mon lit que je tenais pour complice, et je me suis assoupie dans mon fauteuil.

Leur mauvaise mine a effacé ma rancune. Il avait un air grave et passait presque tout son temps ailleurs. Elle, le petit oiseau si gai, elle ne chantait plus. Ils avaient peut-être rompu, ou c'était l'imminence de la séparation qui les attristait.

Leur automne fut triste en tout cas. Elle souriait rarement, elle mangeait peu. Lui, il restait taciturne; correct mais sombre. Enfin, il est parti, et pour la première fois, j'ai été heureuse de le voir s'en aller.

L'année universitaire fut très dure pour la petite. C'était moi qui triais le courrier des pensionnaires et je voyais bien qu'il ne lui écrivait jamais. Au début, j'étais heureuse de lui répondre qu'il n'y avait rien pour elle. Ou alors, je lui annonçais d'une voix enjouée qu'il y avait une lettre pour elle sur le guéridon près de l'entrée : c'était toujours un mot de ses parents et je m'approchais toujours d'elle au bon moment pour lire la déception sur son visage. À moi il écrivait, pour s'informer de ses brevets, de ses investissements, pour donner quelques nouvelles; mais à elle, rien. Rien du tout! Je triomphais chaque fois que le facteur me donnait un mot de Jude et qu'elle n'avait rien. Je ne suis pas fière de l'avouer aujourd'hui mais c'était ainsi.

Chaque jour de courrier était une victoire pour moi et je voyais bien à son expression luisante d'interrogation qu'elle était torturée par le désir de savoir si j'avais des nouvelles de lui. Bien entendu, je faisais comme si de rien n'était : à la dérobée, pourtant, je captais ses mimiques endolories.

Souvent, avec une cruauté d'autant plus aiguë qu'elle était inintentionnelle, la petite me rappelait qu'elle avait eu comme moi son heure de gloire. Par exemple, quand elle a dépouillé mon Beethoven de sa litière, le chandail que j'avais moi-même tricoté pour Jude au moment où nous étions devenus amants. Elle l'a soigneusement désinfecté, puis elle l'a aspergé de l'eau de Cologne préférée de Jude. Elle m'a dit : «Je trouvais dommage de gaspiller un beau chandail comme celui-là.» Et moi qui ne pouvais rien répondre à cela : «Vous avez raison, Maud, heureusement, j'ai une malle pleine de vieux vêtements qui lui ont appartenu. Je trouverai facilement une nouvelle litière pour Beethoven.»

Le chandail sauvé du chat était trop grand pour elle, il lui descendait jusqu'aux genoux. On aurait dit que c'était Jude lui-même qui la couvrait de tout son corps, avec le parfum même qui m'entrait jadis dans la peau quand nos sueurs se mêlaient. Quand elle se vêtait du chandail de Beethoven et qu'elle venait veiller au salon avec moi devant le feu de la cheminée, elle me mettait chaque fois au bord de la crise de larmes, et la nécessité de me dominer devant elle me donnait des migraines colossales. Oui, je restais tranquille, là, à tricoter comme une vieille rentière oubliée, sans rien dire. Je me tournais seulement dans mon fauteuil pour capter l'odeur du sapin qui brûlait, pour fuir les effluves qui s'échappaient du chandail.

Dans mon enfance, à Kiev, il y avait un ivrogne scandaleux qui urinait sur les tombes en chantant des refrains paillards; il le faisait pour braver la mort, disait-il. La laideur de son rituel incantatoire me revenait en mémoire quand je la voyais cherchant la chaleur dans son trophée de laine parfumé de lui.

Le pire, c'était quand elle jouait de la guitare que j'avais offerte à Jude. Elle serrait l'instrument trop gros pour elle comme si Jude lui-même s'était lové autour de son corps. Et il y avait tant de nostalgie piétinée dans les airs qu'elle en tirait! C'était à me rendre folle.

Oui, l'hiver fut long, très long; pluvieux, avec un ciel presque toujours sale de nuages qui ne neigeaient même pas. Tous les soirs, assises devant le même feu, l'une et l'autre murées dans leur souffrance muette, les deux rivales perdantes, hantées par le souvenir souillé du même amant secret.

Une fois, elle a joué un air ukrainien pour me faire plaisir. J'en ai fredonné un bout pour lui témoigner ma reconnaissance. Puis je me suis levée tranquillement, je lui ai demandé de déposer sa guitare et de se lever. Debout devant elle, j'ai collé sur ses épaules la pièce de laine inachevée qui occupait mes soirées : «C'est pour prendre la mesure. Je lui tricote un nouveau chandail. Dans sa dernière lettre, il m'a dit que le froid est terrible en Angleterre cette année, que sa chambre est mal chauffée... Alors, je lui en tricote un nouveau en espérant que celui-ci ne finisse pas sous un chat. Ce nouveau chandail lui ira à ravir : il est si beau quand il est bien vêtu.» Dans ses yeux embués, j'ai vu la peine que lui causait une mention aussi frivole. Comme moi, elle est restée maîtresse de son drame, elle a attendu un peu pour monter à sa chambre. Le lendemain, j'ai vu qu'elle avait pleuré.

Je me suis livrée à des manèges dignes d'une salope. Comme lui faire savoir discrètement qu'il m'écrivait, que sa thèse allait bien, qu'il avait peut-être rencontré quelqu'une là-bas, etc. Un jour, je me suis mise à avoir honte de faire souffrir cette pauvre fille.

Prétextant une légère grippe, je suis restée dans mon sanctuaire pendant deux jours. Je n'en pouvais plus. Bien sûr, j'ignorais la raison pour laquelle Jude gardait le silence, mais la douleur de la petite faisait tant de peine à voir. Le désir de vengeance me minait aussi. Si je voulais survivre, il fallait que ce manège odieux cessât. Je me suis alors résolue à accepter le fait accompli, à tourner la page pour toujours. Dorénavant, je supporterais bravement la vue de Maud en chandail parfumé jouant de la guitare.

Moi qui n'avais jamais cessé d'être aimable envers elle, j'ai redoublé de soins pour elle; je lui donnais même souvent des nouvelles de Jude sans qu'elle eût à m'en demander. Je faisais semblant d'en parler comme s'il s'agissait d'une conversation parmi tant d'autres; au moins, elle avait des nouvelles de cette façon, c'était mieux que rien.

Mais toutes ces bonnes résolutions ne soulageaient nullement son chagrin. C'était à se demander comment elle arrivait à suivre son programme d'études. Elle y parvenait cependant, car elle était solide, la petite, elle avait du cran sous la mine frêle et maladive que lui causait son amour malheureux. Après quelque temps, je me suis même résolue à l'aider.

Intérieurement, j'avais fait la paix avec elle. Mais je n'ai pas eu le temps de lui montrer mes beaux sentiments neufs. Avant même l'arrivée du printemps, elle a déménagé : elle devait trop souffrir dans ma maison. Prise de regrets, j'ai tenté de l'en empêcher en me promettant de lui faire la vie plus facile. Bien entendu, je n'ai pas cru un instant l'excuse qu'elle donnait pour partir. Finalement, je me suis résignée et je l'ai même aidée à déménager. Sitôt les examens terminés au printemps, elle a fracassé sa tirelire pour prendre le premier avion de Londres. La règle inviolable du secret m'a alors empêchée de lui faire une révérence admirative : elle avait conquis mon respect, la petite, ce bout de femme qui mettait son avenir en péril pour aller rejoindre son homme au loin. J'ai su alors qu'elle l'aimait, qu'elle méritait amplement d'être aimée de lui. Il ne me restait plus qu'à me lever et à lui céder la place galamment comme le gentleman qui s'efface devant un rival plus valeureux.

Quand elle est revenue au bout de huit jours, son regard brillant m'a appris que leur amour avait survécu à l'hiver muet. Elle avait été forte, la petite Maud, Jude serait à elle. Du moins, elle avait fait l'humainement possible pour le regagner.

Maud m'a toujours conservé une affection que je ne méritais pas; elle est souvent revenue me voir, elle me témoignait une amitié sincère. De mon côté, je lui ai rendu des services, je lui ai prêté de l'argent, j'ai fait ce que j'ai pu. Plus tard, j'ai même été déçue de voir Jude la traiter comme il l'a fait, j'ai eu de la peine chaque fois que j'apprenais leur dernière séparation. Aujourd'hui, j'ai la conviction que Jude n'aurait jamais pu trouver mieux qu'elle.

12

J'aurais tant aimé voir Jude trouver le bonheur par les femmes aussi. Il ne semble pas avoir réussi. On dirait qu'il ne veut pas, et on n'aide pas ceux qu'on aime malgré eux. L'hiver dernier, j'ai même joué les entremetteuses pour lui, un rôle que je goûte assez peu, merci. C'était avec la petite Marie Fontaine, une veuve encore jeune, aimable, instruite et sensible, exactement son genre. À la fête des Rois, j'ai pris la peine de l'inviter pour qu'ils fassent plus ample connaissance. Ce soir-là, Jude a trop bu et il s'est mal conduit. Selon mon vieil ami Pigeon, qui ne me cache rien, notre explorateur savant a trouvé juste assez de force pour coucher avec elle mais il n'a même pas eu la galanterie de s'en souvenir après.

Même s'il s'est calmé quelque peu dernièrement, je m'interroge sur son avenir. Le voilà qui a obtenu de la vie tout ce qu'il désirait : la gloire, la faveur des femmes, la fortune, une beauté physique durable, tout ce qu'il voulait. Pourtant, il lui manque la sérénité que j'ai moi-même trouvée. Il n'est jamais rassasié. C'est pour cette raison que j'ai souhaité ces dernières années le voir trouver une compagne auprès de qui il se calmerait. Il y a des fois où j'ai envie de lui crier : Jude, mon beau Jude, tu n'as pas fait tout ce chemin-là dans la vie pour aujourd'hui te couvrir de ridicule de la sorte! On a beau avoir la faveur de voir ses rêves exaucés, on a beau avoir trimé dur pour se hisser aux plus hauts sommets, ça ne donne à personne le droit de se soûler comme un cochon dans le salon du gouverneur général du Canada, pour aller errer ensuite dans les beaux quartiers comme le Petit Edimbourg, en smoking taché de vomi, à réciter des poèmes incomplets d'une voix languissante de marin ivre entre deux navires. Tout de même, Jude! Ressaisis-toi, mon petit Jude! La vie qui t'attend t'apparaît-elle si triste pour te livrer comme tu le fais à des amusements qui te déshonorent et t'assassinent lentement?

Évidemment, je ne lui dis rien de tout cela. Je ne dis rien du tout. C'est sa vie. Il ne me reste qu'à soupirer quand Pigeon me rapporte avec gourmandise ses derniers exploits de héros affamé de sensations.

Il est encore bon garçon, c'est sûr, il a toujours eu bon cœur. Il ne m'a pas oubliée, il me voit souvent. Il ne dit rien sur l'état délabré de la maison, c'est gentil à lui. Je n'y vois plus très bien mais je me rends bien compte que la maison a pris l'allure d'un taudis depuis que j'ai cessé de m'en occuper. Il faut faire un effort d'imagination pour lui restituer sa petite splendeur de jadis; il faudrait polir la brique, repeindre, refaire le jardin qui était si beau autrefois. Je n'en ai pas la force, la maladie est plus forte que moi. Depuis quelques années, je passe toutes mes journées dans mes appartements comme une comtesse sans le sou; le reste de la maison est encombré comme un entrepôt, les vieux meubles ne servent plus; je ne sors de ma chambre que pour faire un peu de cuisine et nourrir les chats qui me semblent de plus en plus nombreux, les descendants de Beethoven. Je ne me nourris que de pâtes et de vin bon marché. Jude et Pigeon sont mes fournisseurs attitrés, ils font toutes mes commissions. Je me promène rarement, ce qui est une excellente chose, car toute habillée de noir avec mes longs cheveux blancs, les petits enfants du quartier me prendraient pour une sorcière tombée de son balai. C'est pour rire que je dis cela, mais je n'en pense pas moins.

Le docteur est venu il y a quatre ans, alerté par Jude, et il m'a dit que je n'en avais que pour quelques mois si je conservais le même régime de vie. Ce bon docteur est mort peu après. Il aurait dû suivre ses conseils au lieu de me les donner, le pauvre. Je sais que la fin est proche, ce n'était pas la peine de me le dire. D'ailleurs j'ai bien hâte car je n'en peux plus de vivre hantée par ce cauchemar qui revient dans tous mes sommeils. Des hommes en uniforme vert bouteille qui entrent dans ma chambre et hurlent : «Vous, Élizabeth Holoub, communiste apostate et ancienne auxiliaire de l'Organisation nationaliste ukrainienne, maîtresse de bourreaux bolchéviques et nazis, au nom de la loi qui punit les injustes, vous êtes arrêtée!» Et je vois avec eux la jolie femme que j'ai dû être, habillée d'un bel uniforme étroit bleu ciel, au rire muet et frigorifié. Alors je me réveille, en sueur, et je pense à Jude qui valait bien la peine que je survive toutes ces années pour réussir sa vie à lui.

Quand je l'entends qui force la porte pour venir me porter à manger, je me dis que toute cette vie avait un sens. C'est pour lui que j'ai survécu. Et il y a encore Pigeon, mon vieux courtisan, qui vient me voir pour me lire des poèmes à lui qui sont toujours aussi moches et qui me raconte pour la millième fois les succès littéraires qu'il a connus en Albanie, en Grèce, au Luxembourg, en Islande et en Bulgarie. Il est toujours parti quand je me réveille.

Aujourd'hui onze novembre, jour de l'armistice, jour du Souvenir. Exceptionnellement, je suis sortie ce matin pour voir le défilé des vieillards médaillés au parc Strathcona; il faisait doux sous les gros nuages légèrement rosis par les rayons de soleil qui restent. De mon banc près de la fontaine, on voyait bien la rivière Rideau au-delà des arbres effeuillés.

J'ai vu passer Angelika, qui habite au refuge des vagabondes en face de chez moi. Elle parlait seule comme d'habitude. Ses sœurs errantes et elle ont toutes à peu près ceci de commun qu'elles sont malades de l'âme. Tôt le matin, je les vois partir, chacune nantie de cinq ou six sacs qui renferment des possessions inutiles; elles marchent toute la journée par la ville, prennent leurs repas dans les soupes populaires et reviennent coucher le soir, avec les mêmes sacs usés, les mêmes monologues confus. Parfois, j'en trouve une assise sur les marches de mon escalier. Autrefois, j'en faisais entrer une ou deux, je leur servais du pain beurré et du thé, nous causions un peu; je leur donnais de vieux vêtements encore coquets ou de vieux bibelots. Elles me remerciaient avec leurs visages de saintes émues en appelant sur moi la bénédiction divine. Ces fréquentations avaient le don de mettre en furie mon voisin, le pharmacien, convaincu que le voisinage des pauvresses fait déprécier la maison qu'il a si chèrement restaurée. Il a même eu l'audace de m'en faire le reproche verbalement un jour, devant ma maison. Ce jour-là, les vagabondes étaient assises avec leurs sacs sur la pelouse de l'église anglicane qui jouxte le refuge, attendant l'heure d'ouverture. Pour la première fois de ma vie, j'ai dit des grossièretés à un monsieur : les pauvresses m'ont ovationnée.

Ma solidarité avec elles me vient de ce je suis venue si près de leur ressembler : comme elles, j'aurais pu finir mendiante sur le port d'Anvers ou Sibérienne alcoolique. Ma passion de vivre m'a sauvée, mais elles n'ont même pas eu ce luxe. Elles ne font qu'exister dans leurs misère végétative.

J'ai dû m'éloigner quand Angelika s'est approchée. Elle est dangereuse. Souvent, elle s'attaque à des passants, la police l'enferme à l'hôpital quelque temps et elle en ressort, guère mieux qu'avant. Tout le monde connaît son histoire. Elle est amérindienne, c'est une Crie du Manitoba. Enfant en bas âge, elle a perdu son père qui s'était enrôlé pendant la guerre. Lui, l'Indien dépossédé, a été tué dans un uniforme britannique sur une plage de Normandie, en venant en aide aux deux pays qui lui avaient volé le sien. Ses états de service n'ont rien fait pour sa fille qui a été ballottée de foyers nourriciers en orphelinats où elle n'a appris que le viol, les longues peines de prison pour menus larcins, la dépression chronique. Il y a en elle une fureur vengeresse que rien n'apaise. Elle s'en prend surtout aux immigrants à qui elle reproche leur bonheur. Dans une de mes rares sorties au bras de Pigeon l'été dernier, je l'ai vue qui injuriait les promeneurs du parc Strathcona; elle leur hurlait des injures à pleins poumons. Elle n'épargnait même pas les pères divorcés en sortie avec leurs enfants : «Hé, toi, l'enculé, ta fille est aussi laide que toi! Ta mère putassait comme les autres, c'est moi qui te le dis!»

Ce jour-là, elle s'est précipitée sur un Pakistanais élégant qui tuait son dimanche. «Qu'est-ce tu fous ici, le Paki? Veux-tu me dire ce que tu fais dans mon pays, gros nègre sale? T'as pas d'affaire ici! Retourne dans ton maudit pays de cul!!! Regarde-moi bien, le nègre! Moi, je suis née ici, je suis Canadienne, mais j'ai rien à moi, j'ai rien que mon cul pour gagner ma vie! Rien qu'à te voir, j'ai envie de vomir!» Elle n'arrêtait pas de crier. Et lui, qui la prenait sans doute pour une raciste fanatique comme les autres, a tâché au début de se défendre, puis il a voulu lui faire entendre raison, enfin, il s'est mis à crier lui aussi : «J'ai le droit de vivre dans ce pays, je travaille fort, moi! J'ai le droit d'être ici, de gagner ma vie, et puis je vous interdis de me traiter de nègre!» Elle ne voulait rien entendre, le ton montait : «Va chier, maudit Paki! C'est mon pays, pas le tien, gros nègre sale! Regarde-toi, habillé comme une tapette, tu m'écœures, tu me fais chier! Moi, ça fait deux mille ans que je vis dans ce pays-ci, pis j'ai rien que mon cul à moi, gros Paki sale!» Elle s'est affolée quand des passants se sont attroupés non loin d'eux et elle a assommé le Pakistanais d'un coup de poing au visage. Angelika est forte comme un ours, il a fallu quatre policiers pour la maîtriser.

Appuyée au bras de mon loyal soupirant, je suis rentrée chez moi, toute remuée. Pendant le trajet, le professeur m'expliquait les causes et les effets de la maladie mentale, à sa docte façon. Il la jugeait cependant un peu durement : «Pigeon, lui ai-je répondu, Angelika me rappelle l'époque où toute l'Europe souffrait de sa maladie.» Son beau discours s'est arrêté net.

Jude va venir tout à l'heure pour voir si je n'ai besoin de rien. Il dit que je vivrai toujours, que je ne peux pas mourir. Il sait pourtant bien qu'il faut que je parte un jour. On ne peut pas survivre toute sa vie. C'est la nature.

IV

La Saint-Nicolas

Thorvaldr fils d'Erik le Rouge était assis à la barre,
l'Unipède lui décocha une flèche dans le bas-ventre.
Thorvaldr retira la flèche et dit : «Il y a de la graisse
dans mes entrailles. Nous avons trouvé de bonnes
terres, mais nous ne pourrons guère en jouir.»
Thorvaldr mourut de cette blessure peu après.

La Saga d'Erik le Rouge
Trad. R. Boyer,
Sagas islandaises,
Bibliothèque de la Pléiade.

1

Pour faire les folles, mon amie Anne et moi, on se déguisait en punks et on courait les bars du Marché By comme deux filles en mal d'aventures. On s'habillait de noir, de la tête aux pieds, on portait même du noir à lèvres et du vernis à ongles noir, le visage soigneusement fariné. Anne traînait sur son épaule un joli furet qui ressemblait à un rat domestiqué; c'était pour faire peur aux punks les plus durs du marché, les garçons à coiffure iroquoise et les filles chauves habillées de violet. On s'assoyait dans les restaurants chers et on commandait des nouilles au gratin nappées de sauce caramel ou des concombres en purée avec coulis de mélasse. Quand la serveuse nous répondait qu'il n'y avait rien de tout cela au menu, on prenait des airs de grande dame pour dire : juste un thé alors, s'il vous plaît, avec citron. Dès qu'elle avait le dos tourné, on s'esclaffait, les deux petites sorcières, et on passait la soirée à dévisager les clients payants qui nous contemplaient à la dérobée. On se croyait tellement drôles, toutes les deux.

Souvent, on nous expulsait du restaurant. Dans ces moments-là, nous sortions main dans la main pour écœurer les clients aux poches pleines qui prenaient plaisir à s'indigner devant le spectacle de ces deux petites lesbiennes! Salut, les cochons! Une fois, nous avons chanté pour mendier rue George, et avec l'argent, nous nous sommes offert du champagne. Nous avions quinze ans.

Nos parents ne disaient rien. Les parents d'Anne sont divorcés; son père est écrivain rentier parce qu'il est aveugle, sa mère enseigne le français sans trop de conviction, et les deux n'avaient pas l'air trop curieux de savoir ce qu'elle faisait. Mon père à moi est mort et maman disait qu'il fallait bien que je fasse des folies pour ne pas regretter ma jeunesse. C'était un raisonnement de parent raisonnable qui faisait mon affaire.

Il y avait des hommes aussi dans les bars. Des vieux, surtout. Des monsieurs à lunettes avec des teints de salon de bronzage et des moumoutes à vrais cheveux qu'on trouve chez les meilleurs refaiseurs de New York; des monsieurs qui font semblant de lire des livres compliqués, *l'Homme sans qualités* de Robert Musil par exemple, et qui regardent autour d'eux à toutes les minutes pour s'assurer d'être bien vus, avec le titre en évidence; les plus drôles sont les divorcés de la jeune cinquantaine, les mêmes qui ont les moyens de rouler en Porsche mais qui ont oublié qu'un vieux trou-de-cul monté sur un cheval fringant, ça reste un vieux trou-de-cul.

Il y en avait aussi des jeunes et des beaux. Comme les serveurs des cafés chic qui habitent à Rockcliffe et disent travailler pour faire l'expérience de la vraie vie. Ils arrivent au boulot en BMW avec maman qui conduit; à la vérité, s'ils travaillent, eux qui n'en ont pas besoin, c'est seulement pour coucher avec plus de filles, et c'est tout à fait normal parce qu'on a plus de chances de trouver à baiser dans un café que dans une bibliothèque. C'est logique.

Anne couchait déjà, moi je n'avais pas encore essayé. Elle, elle se spécialisait dans les garçons de café descendus de Rockcliffe. Moi, je rêvais de me faire quelqu'un de bien mais de malheureux. Quelque chose comme un ministre démissionnaire ou un étudiant dont la thèse de doctorat de lettres est refusée parce qu'elle contient trop de fautes d'orthographe. Anne m'approuvait : «Les tristes sont les plus tendres», qu'elle me disait. Même si elle connaissait le tabac depuis l'âge de treize ans déjà, elle ne draguait jamais quand nous étions ensemble. Elle m'encourageait seulement à me laisser aller. Elle avait tout le temps des condoms dans son sac «Vas-y, c'est pas difficile, c'est agréable même dans la prudence.» Je refusais toujours, je lui répondais que pour la première fois, il me faudrait un homme en qui j'aie confiance, parce qu'on ne sait jamais dans ces histoires-là. Très bien, alors en attendant l'homme de confiance, on va s'offrir à boire : «Garçon, deux cognacs et deux grands verres de jus de tomate!»

On avait beau se mettre laides à faire peur, on se faisait courtiser en masse. Surtout Anne parce qu'elle est plus jolie que moi : sans déguisement, je veux dire. Parmi tous ces vieux beaux à qui nous faisions les yeux durs, il y avait vous savez qui : avec son air de Jack Kerouac éternellement jeune, son costume neuf d'explorateur qui attendait de servir, pèlerine de pêcheur irlandais, chemise de chasse à carreaux, jeans et bottes de randonnée à peine usées. Qui vous savez, se donnant tous les airs d'un aventurier savant.

On le connaissait toutes les deux d'une conférence qu'il avait donnée au lycée sur son métier de chercheur polaire. Anne ne l'aimait pas : «Je lui fais pas confiance, il est trop beau pour être vrai. Il me semble que c'est le genre de gars qui te rappelle pas exprès pour te faire chier. Si j'étais toi, je me méfierais.» Moi, c'était différent, je ne pouvais pas en avoir peur : j'avais tant entendu parler de lui à la maison, c'était comme s'il faisait partie de la famille. Mon père avait été son compagnon de pension pendant ses études à l'Université d'Ottawa; ce n'étaient pas des amis intimes, mais ils se saluaient dans la rue. Ma mère, elle, était folle de lui, elle parlait tout le temps de lui : je crois bien qu'elle se serait laissé séduire par lui si elle avait pu. Une fois je lui ai même dit : «S'il t'attire tant que ça, pourquoi que tu cherches pas à le séduire toi-même? T'as qu'à aller le trouver et lui dire : "Salut, on baise?" Tu verras bien...» Elle ne voulait pas : «Penses-tu qu'un coureur des mers polaires comme lui voudrait d'une petite Marie Fontaine comme moi?» Sa réaction m'irritait : j'aime pas qu'on se déprécie, c'est une mauvaise habitude et c'est contagieux.

Elle aurait peut-être dû essayer : elle ne serait pas mariée comme aujourd'hui à un capitaine de vaisseau en retraite qui cultive ses choux en Nouvelle-Écosse. Elle dit qu'elle est heureuse, elle poursuit sa carrière là-bas, elle se fait gâter par mon beau-père qui n'est pas un mauvais gars. Il fait seulement un peu grand-père précoce avec sa pipe et ses vieux vestons de velours côtelé. Il manque un peu de piment, je trouve. La première fois qu'il a invité maman à souper chez lui, il lui a servi une salade en entrée mais sans vinaigrette; ma mère lui en a demandé mais il n'en avait pas, il n'avait jamais mangé sa salade autrement que nature. La vinaigrette ne faisait pas partie de sa culture, qu'il a répondu, son marin anglais. Pour sa défense, ma mère a dit que ce n'était pas si mauvais après tout, et ça n'est surtout pas engraissant; on doit s'y faire. Je me suis tordue de rire. Quand elle allait souper chez lui après, je lui disais : «Tu t'en vas brouter? Embrasse ton vieux bouc pour moi!» Elle ne me trouvait pas drôle. Finalement, elle s'est lassée et elle lui a montré le secret de la vinaigrette, et le pauvre n'en est jamais revenu; il l'aime à la folie depuis. Il faut mélanger les cultures des fois, la vie a meilleur goût ainsi. Je pense ça.

Maman a pour son dire qu'un mari comme lui, c'est tout de même mieux que la solitude. Je ne suis pas d'accord, je trouve même qu'elle a abandonné un peu vite. Je la comprends un peu d'avoir peur de la vieillesse, mais tout de même! Moi, je crois que la solitude, même dans la misère, ça vaut mieux qu'un mari qui a mis soixante ans à découvrir la vinaigrette. Je pense ça aussi.

Tout ça pour dire que je le connaissais déjà la fois où il s'est présenté à nous, Anne et moi, un vendredi soir, *Au clair de lune*, un restaurant d'où on ne nous expulsait jamais parce qu'Anne baisait un des petits serveurs venus de Rockcliffe pour se salir les mains au contact du vrai monde. Il était assis à côté de nous, il ne pouvait faire autrement que d'écouter notre conversation. Il avait l'air amusé. Contrairement aux autres beaux en retour d'âge, il ne cherchait pas notre compagnie, il ne nous a pas offert à boire et d'autres manœuvres quétaines dans le genre. Il lisait un roman allemand, *Le docteur Faustus* de Thomas Mann. Anne a voulu lui tendre un piège. «Pardon, monsieur, c'est où les chiottes? J'ai envie.» Calme comme un sphinx, il a répondu que c'était en bas, à droite pour les messieurs, à gauche pour les dames. Elle a insisté : «C'est plate ce que vous lisez? Vous riez jamais.» Il lui a seulement souri. Anne partie, il a engagé la conversation avec moi; Anne revenue, il a continué avec les deux. Il était très gentil, très galant. Prudent aussi. Il avait dû nous repérer, il était trop intelligent pour se laisser revirer comme une crêpe par deux lycéennes. Il se souvenait de la conférence qu'il avait donnée à notre lycée et nous a demandé des nouvelles de notre professeur d'histoire-géographie, mademoiselle Lherbier.

On a causé encore un peu, il a achevé son café brésilien et il est parti. Non, décidément, ce n'était pas un beau vieux comme les autres; même qu'il ne faisait pas vieux beau du tout, du genre qui vous demande ce qui vous ferait le plus plaisir dans la vie. Il aurait pu nous demander notre nom, si nous habitions chez nos parents. Non, rien.

«Il a l'air bien. Moins pire que les autres», j'ai dit. Anne ne voulait rien savoir. «Précisément! C'est sûr qu'on le voit jamais en train de faire la cour aux pépées, mais c'est seulement parce qu'il est plus malin que les autres vieux coqs perchés au bar. Lui, c'est plutôt le genre oiseau de proie : il laisse venir, il attend son heure, et puis clac! Quand tu t'y attends le moins, il te fait la passe du capitaine au long cours qui te montre les merveilles du monde mais qui a un bateau à prendre le lendemain. C'est fini, tu le revois plus, le dégueulasse! Moi, je te le dis, il faut te méfier!» J'avais beaucoup ri. De son franc-parler, je veux dire.

Anne n'a malheureusement pas suivi son propre conseil. Elle a un peu trop fait confiance à son serveur de la haute bourgeoisie. Elle est tombée enceinte, à seize ans. Le beau serveur est vite allé parfaire son éducation à Oxford. Elle a été brave, Anne. D'abord, elle a voulu se faire avorter et quand le médecin lui a dit qu'il était un peu tard, elle a fait face à la musique. Sa fille, qui s'appelle Zoé, a trois ans aujourd'hui. Ses parents l'aident beaucoup; sa mère paie la garderie, et elle vit avec son père qui l'encourage à poursuivre ses études. Elle s'arrange. Encore aujourd'hui, nous allons au Marché By avec la petite quand il fait beau. La différence, c'est qu'on y va moins souvent, on ne se déguise plus comme quand on était jeune, et on ne va plus *Au clair de lune*. C'est trop cher.

À cause de son accouchement et des soins à donner au bébé, Anne a dû quitter le lycée Claudel. Ça, ça m'a vraiment fait de la peine. Nous étions dans la même classe depuis que nous étions toutes petites, nous étions amies depuis toujours. Sa mère l'avait mise au lycée pour emmerder le père qui était enseignant aux écoles publiques. C'était drôle parce que son père désespérait de la voir en rupture de classe sociale, tandis que le mien aurait donné un bras pour que j'entre à Claudel. Mon père était originaire du nord de l'Ontario, il avait un peu honte de sa parlure. J'ignore pourquoi d'ailleurs. En tout cas, il exultait à la vue de sa fille qui parlait pointu. N'empêche, c'était mon père et je l'adorais, c'est mon droit. On peut être un peu con ou complexé, avoir honte de ses origines même si c'est mal, on a quand même le droit d'être bon père de famille. Les parents aussi sont des gens qu'il faut comprendre. Je pense ça.

Alors Anne a quitté le lycée Claudel avec ses bons fils de famille qui ont des cousins fils de diplomates à

Abidjan, avec ses filles de marchands de voitures usagées qui veulent te faire croire qu'elles ont de la parenté à Paris, avec des Cristophine qui disent : «T'as vu mon écharpe? Je l'ai achetée à Florence quand j'y étais en vacances l'été dernier, et je te parie que je suis la seule à en avoir une pareille dans ce foutu pays à la con!»; avec les Didier qui se lamentent : «Moi, je rentre en France dès que je peux, j'te jure! Y en a ras le cul d'Ottawa de mes deux! Alors, à la première occasion, je fous la merde et je me tire! Adios, les mecs, à moi la France!» Ce qui me fait penser justement que j'ai eu des nouvelles de Didier il n'y a pas longtemps : il m'a envoyé une carte postale du petit village où il fait son service militaire.

Le baccalauréat terminé, j'ai décidé d'entrer à la faculté d'administration de l'Université d'Ottawa. Ma mère m'a dit : «Ton père aurait tant aimé que tu fasses une licence de philosophie à la Sorbonne. Tu feras ce que tu veux, moi je te dis de quoi il rêvait pour toi.» Je n'ai pas apprécié la réflexion : «Paris, philosophie? Pour quoi faire après? Torcher le cul de mes bébés avec mon diplôme de philosophie? Non, merci. Tu vois, maman, moi, ce qui m'intéresse, c'est de devenir actuaire. Oui, comme papa, pourquoi pas? C'est ça qui me passionne : la haute finance, la banque, l'investissement, la Bourse, l'industrie, la gestion, tout ça! Permettez que je me présente, Véronique Fontaine, femme d'affaires, très heureuse! Dépêchez-vous de me faire la cour, mon bon monsieur, mon avion pour Johannesburg part dans cinq minutes. Et quand je serai riche et arrivée, dans mon appartement de luxe torontois, je me ferai faire un bébé par un philosophe de la Sorbonne qui le torchera avec son diplôme à lui!»

Précisons : j'aime la philosophie. À douze ans, je me suis plongée dans Platon, Kant, Nietzsche, Sartre, Althusser, même si je n'y comprenais rien les trois quarts du temps. J'ai écrit toutes les dissertations fiévreuses de l'adolescence enragée et je n'en renie pas une ligne aujourd'hui, mais la philosophie, ça ne sert à rien, je n'en veux pas pour gagne-pain : c'est trop beau pour en tirer un chèque de paye, je trouve. Mon prof de philo à Claudel, un coopérant sympathique et intelligent mais qui puait de la gueule comme ça devrait être interdit, a eu du chagrin de me voir choisir l'étude des sciences de la gestion.

Précisons encore : j'aime les hommes, tous les hommes. J'ai des statistiques qui le prouvent. Mon premier chagrin d'amour, je l'ai vécu à six ans avec mon cousin Matthieu-Olivier (ses parents étaient des précurseurs de la mode quétaine des prénoms composés et incongrus : sa sœur s'appelle Claudine-Yvonne et son frère, Guillaume-Roger. Misère de misère! et ça se croit original dès le berceau!). Toujours est-il que le cousin ne voulait pas de moi parce que j'avais cessé de faire pipi au lit avant lui; ça l'humiliait d'avoir été battu au concours de l'enfant propre le premier. Ensuite, il y a eu Paul-Sylvestre, le petit voisin qui avait neuf ans, j'en avais huit; il voulait que je lui montre mes fesses, en échange, il devait me montrer sa quéquette. Sa mère lui a interdit de respecter sa part du marché, alors je l'ai plaqué là, pauvre pissou! Enfin, il y a eu tous les petits Anglais du voisinage qui ne pensaient qu'au hockey et tous mes camarades de classe, sans exception, jusqu'à l'âge de treize ans. J'ai aimé des Grecs, des Libanais, des Haïtiens et un Yougoslave, jusqu'à ce que je me lasse des garçons qui étaient tous décidément trop cons. Le goût ne m'a repris que dernièrement. Maintenant, c'est sérieux.

2

Il m'est retombé dessus sans avertissement. C'était au parc Strathcona, en juin, je préparais mon baccalauréat distraitement, assise sur un banc devant la rivière Rideau; je n'avais pas envie de travailler, j'aurais juste voulu regarder les beaux grands cygnes blancs se chicaner avec les vilains petits canards sur la berge boueuse. Soudain, je l'ai vu devant moi avec madame Élizabeth qu'il tenait par le bras dans la pose du bon fils qui promène sa mère. Elle m'a dit bonjour :

– Vous devez être la fille de Marie Fontaine? Vous lui ressemblez tellement.

– Et vous êtes madame Élizabeth. Je vous reconnais, je vous ai vue souvent quand ma mère me promenait, quand j'étais petite. On s'est parlé quelques fois.

– Vous connaissez Jude?

– Oui. Bonjour, monsieur.

– Bonjour, mademoiselle.

Il m'a serré la main. Il avait sans doute oublié la scène *Au clair de lune*. Tant mieux.

– C'est Véronique Fontaine. La fille de ton ami, ton ancien copensionnaire. Tu te souviens?

– Très bien.

Il a eu pour elle un sourire plein de bonté. Il devait l'aimer beaucoup. Elle, elle avait dû avoir beaucoup de charme, jeune. Il en restait quelque chose.

– Jude, invite-la à la petite fête que je ferai bientôt à la maison. Elle a l'air si gentille.

– Merci, madame.

– J'espère seulement que vous ne vous ennuierez pas

trop avec des vieillards comme nous. Comme moi, j'entends.

– Merci, madame. Au revoir, madame. Au revoir, monsieur.

J'aimais beaucoup la dame. On avait envie d'être vieille avec elle, d'entendre ses souvenirs, de partager ses intuitions. Elle avait vécu longtemps, et probablement de belles aventures; elle devait en avoir des choses à dire. Lui, en sa compagnie, vieillissait de trente ans; il était calme, posé, il avait la voix grave, la diction lente. Ça ne lui ressemblait pas, peut-être qu'il se faisait vieux pour qu'elle se sente moins seule. Je trouvais ça chic de sa part.

Le lendemain, il m'a téléphoné. J'étais tellement surprise que je n'ai même pas pu penser à un mensonge pour avoir le temps de réfléchir à son invitation. Oui, après-demain, vendredi dix-huit heures, chez moi, à la résidence étudiante. Oui, c'est d'accord. Anne n'était pas en ville, personne de qui prendre conseil. Allons, allons, me suis-je dit, c'est un homme, je suis une femme, on se téléphone, on sort, on prend un verre, c'est tout. La différence d'âge, c'est pour les moralistes et les conformistes, voilà.

Raté. Ce fut raté d'un bout à l'autre. D'abord, il est venu me chercher au volant d'une voiture sport du plus mauvais goût qu'il avait empruntée à un ami. Une Corvette! me faire ça à moi. Grosse Corvette, petite quéquette, comme dirait Anne. En plus, il était déguisé en playboy colombien ou brésilien, tout habillé de blanc, même ses souliers étaient blancs. Tout ce qui lui manquait, c'était une chaîne en or avec un crabe en or au bout sur sa poitrine velue et découverte, comme les Don Juan libanais livreurs de pizza.

Il m'a emmenée dans un restaurant végétarien sans alcool qui sentait l'encens et où on mange des horreurs qui donnent plein de gaz. Le suprême d'algues dans son coulis de beurre d'arachide avec un grand verre de lait de chèvre, faut aimer. Moi pas. Après, on est allés dans un cabaret où il y avait un orchestre rock qui devait jouer pour les sourds. Il essayait de marquer le rythme en claquant des doigts; il n'y arrivait pas trop, ça le vieillissait encore plus de vouloir avoir l'air jeune. Après la représentation, il m'a demandé de quoi j'avais envie.

– Tu pourrais peut-être m'emmener manger une glace sur le bord du Canal Rideau. La prochaine fois, on ira voir le dernier film de *Superman*, c'est de mon âge aussi. Tu me gaveras de pepsi et de porcorn, et tu m'achèteras une tablette de chocolat grosse comme ça, mais pas trop de pepsi, parce qu'à mon âge, ça donne des boutons. Tant qu'à y être, tu pourrais aussi m'acheter des patins à roulettes ou un disque des Beatles pour ma fête. En échange, je te montrerai ma petite culotte.

Il se mordait les lèvres, il ne disait rien. Au moins, il avait compris. C'était déjà ça de pris.

– Déguise-toi pas pour me faire plaisir, mon gros. Ça jure, c'est laid, ça manque de classe, O.K.? Salut, pis raccompagne-moi pas, je connais le chemin, je sais prendre l'autobus toute seule. Ta Corvette sent la cigarette et la virilité mal assumée.

Il est resté là à sécher sur un coin de rue. Plus loin, j'ai revu une bande de claudéliens avec qui j'ai passé la nuit à danser dans les bars de l'Outaouais. On a fêté le baccalauréat ensemble.

Aux fêtes de la Saint-Jean, fin juin, on dansait dans les rues de la Basse-Ville dans les odeurs de frites graisseuses et de bière. Pour la première fois, avec ma mère partie, je fêtais à mon goût, avec mon amie Anne qui s'était donné congé de bébé pour venir entendre quelque chose de neuf : un duo de guitaristes qui chantent du rock en montagnais. Il fallait entendre ça, c'était quelque chose. On s'en promettait, les deux.

Dans la rue Dalhousie, après le spectacle, des filles de motards se sont empoignées au sujet d'un amoureux volage; la querelle n'a pas été longue à se répandre, les couteaux sont sortis. Des vitrines ont été fracassées, il y avait du verre partout, la foule se déchirait entre ceux qui fuyaient et ceux qui accouraient pour voir les dures qui se battaient. Mon amie avait peur, moi aussi. Soudain, qui vous savez est apparu. «Venez avec moi, craignez rien, j'ai l'habitude.» Il nous a sorties de là en trois secondes. Il est redisparu aussitôt.

C'est moi qui l'ai rappelé le lendemain. Pour le remercier, et pour me faire pardonner un peu les mots durs que je lui avait dits la dernière fois.

– Excuse-toi pas pour l'autre fois. Faut juste me pardonner. Je croyais te faire plaisir, je m'y suis mal pris, c'est tout. S'il y a une prochaine fois, je t'emmènerai manger un steak, boire du gros vin rouge, et après un petit concert à l'Opéra comme je les aime, ou une pièce de Shakespeare, on ira prendre un cognac dans un bar mal fréquenté. Ça te va?

– Oui. Oui, ça me va. À la prochaine.

La prochaine a été longue à venir. C'était l'été, le temps pour lui de retourner à son complexe d'Iberville dans l'Arctique; je savais que je n'aurais pas de nouvelles pour un certain temps. De mon côté, je travaillais dans une librairie comme vendeuse; je suivais un petit cours de comptabilité le soir; je sortais avec les copains de Claudel la fin de semaine; l'été avançait tout seul. J'avais hâte à septembre, à la rentrée universitaire; je me ferais de nouveaux amis, une nouvelle vie.

Un soir, il a téléphoné. Comme ça, pour rien, juste pour dire bonjour. Ça m'a fait plaisir, j'étais très surprise, je l'avoue. «Oui, ça va. Non, moi, rien de neuf, l'été file. Oui, c'est ça, on se reverra en septembre. Merci d'avoir téléphoné. Oui, moi aussi je t'embrasse.» C'était tout.

3

Septembre. Il ne téléphonait toujours pas. C'était moi, maintenant, qui avais envie de le revoir. Je n'étais pas amoureuse, juste un peu curieuse. Alors je l'ai appelé pour lui donner mon nouveau numéro de téléphone. Il n'a pas parlé de sortie prochaine. Tant pis! je me suis dit en raccrochant, de toute façon, j'ai d'autres choses à faire. Le temps de la rentrée est chargé de fêtes, je me suis beaucoup amusée.

Un soir, en octobre je me trouvais avec Anne au bar de l'Université d'Ottawa, *l'Équinoxe*. Il était là, lui aussi, faisant le beau pour quelques admiratrices. Anne m'a demandé s'il m'intéressait toujours. «Oui et non. Ça dépend des jours.» Il est venu nous trouver. «Je fais une petite soirée, venez si le cœur vous en dit.» Si j'ai accepté d'y aller, c'était surtout pour Anne qui n'a pas souvent l'occasion de faire la fête à cause de son bébé. C'est du moins l'excuse que je me suis donnée.

Il habite au Musée des sciences naturelles, rue Metcalfe, l'heureux homme. Un édifice à scandaliser les puristes de l'architecture, avec ses allures dix-neuvième siècle et ses motifs baroques en saillies qui honorent la faune canadienne, mais j'adore quand même. Dans le temps, on l'appelait le Musée de l'Homme, et j'ai dû y aller cent fois quand j'étais petite. J'aimais surtout les dinosaures reconstitués et la salle des animaux empaillés avec le bœuf musqué, le puma des Rocheuses et l'ours grizzli. Mon père m'y emmenait souvent, j'y allais juste pour rêver, et après la visite, il m'offrait un chocolat chaud et un petit gâteau à la crème à la cafétéria; ces jours-là, je me sentais millionnaire.

Jude y occupe le logement de fonction du curateur qu'on lui laisse en reconnaissance des nombreux services qu'il rend au musée. On entre par la grande porte où se tient un immense totem haïda de la Colombie-Britannique, avec derrière un escalier majestueux aux rampes de bois ouvré. Dans la pénombre, tout est magique, on se sent troublé et comblé, comme un enfant à Noël. Parce qu'il n'y a personne dans le musée, on croit entrer en possession du butin accumulé par un roi corsaire commandant à des pillards savants : car il y a des trésors d'art inuit, des totems plusieurs fois centenaires par la tradition et l'imagination, des masques huri-iroquois, des armes algonquines, des reliques de la navigation polaire du siècle dernier, parmi les loups, les mouflons, les orignaux, les fous de Bassan pris dans leurs poses éternelles. On est riche et puissant quand on y est seul.

L'appartement de Jude est superbe, avec ses boiseries anciennes et tous les artefacts qu'il emprunte à volonté. Il est très chez lui dans cet univers fécond et changeant malgré la certitude de la mort et la misère de la transplantation. Quand j'étais petite, j'ai demandé un jour à mon père s'il y avait moyen de vivre au Musée de l'Homme; il m'a répondu que non, que seul un esprit pourrait y vivre, car il n'y a que des âmes à l'intérieur. Aussi, quand Jude a dit à la blague au moment de nous faire les honneurs de sa demeure qu'il était le fantôme du Musée de l'Homme, j'ai ressenti pour lui un mouvement d'affection spontanée déjà nourri de vieux rêves d'enfance. Un beau mouvement qui a été gâché par la remarque d'une fausse blonde au corps de poupée gonflable : «Il dit ça chaque fois qu'on entre ici avec lui, le soir.» Salope.

Jude est bon hôte. Il parlait à tout le monde, il veillait à tous nos besoins. Quelqu'un lui a demandé ce qui lui appartenait en propre dans cet appartement, mais il n'y avait rien là qui fût réellement à lui : «Je suis pas ramasseux, contrairement à mes collègues qui en font une passion. J'aime pas m'entourer de choses qui, à mon avis, appartiennent au patrimoine national. Dès que je trouve de quoi, je le laisse à l'Institut arctique ou aux musées. C'est mieux comme ça. Mais il y a à boire et à manger si vous voulez.» J'ai trouvé que c'était bien répondu.

Avec la pizza, le vin, beaucoup de vin. Personne n'était raisonnable. Quelqu'un a sorti un joint, un autre a mis des disques pour danser. La fête était bien engagée, Jude rayonnait, flatté et heureux de tant d'attention. Il y avait surtout la fausse blonde, la poupée gonflable qui lui collait après. Ça m'était égal, de toute façon, je suis pas groupie, j'ai pas la vocation.

C'est Anne qui a eu l'idée de virer la fête en mascarade quand elle a trouvé des costumes d'époque dans une pièce au fond de l'appartement. Elle s'est déguisée en courtisane balzacienne, avec un grand chapeau et une crinoline, elle était drôle à voir, tout le monde l'a imitée. C'est ainsi que je me suis retrouvée revêtue du smoking d'Humphrey Bogart, avec un sheikh à la Rudolf Valentino complètement soûl qui me faisait la cour.

On faisait tout un boucan dans le musée. Les gardiens ne disaient rien, ils avaient l'habitude, j'imagine. Ils n'ont même pas dit un mot quand le sheikh a branché le système de sonorisation extérieur pour transporter la fête dehors. Sur la pelouse illuminée, à côté du mammouth grandeur nature, j'ai dansé avec Anne qui riait aux larmes à la vue d'un faux Don Quichotte qui vomissait sa pizza.

Soudain, on a vu Jude apparaître sur le toit du musée, déguisé en ramoneur de jadis, tout en noir, avec le haut de forme malmené et la veste à boutons dorés. Dans la lumière, sur la tour médiévale, on aurait dit qu'il sortait d'un roman gothique anglais. Il était beau. Anne s'est arrêtée de danser elle aussi pour le regarder. «C'est vrai qu'il est bien, ton Jude. J'avais tort de me méfier.»

Le système de sonorisation s'est tu tout à coup et les lumières sur la pelouse se sont éteintes. Les gardiens avaient peut-être reçu une plainte, ce qui n'aurait eu rien d'étonnant, avec tout le bruit qu'on faisait. Jude était toujours sur le toit, le ramoneur noir dans la lumière. Je l'ai salué de la main, il m'a renvoyé mon salut. J'ai vu alors la fausse blonde poupée gonflable s'approcher de lui, déguisée en matrone romaine. Elle a pris Jude par la taille.

Je n'ai rien dit, mais Anne a bien vu ma réaction. J'ai le visage expressif, qu'on m'a toujours dit, il paraît qu'on peut me lire comme à livre ouvert. «Viens, Véronique, on fête l'Halloween un mois trop tôt. Allez, viens, on s'emmerde ici.»

On a confié nos costumes à un pierrot et à une colombine qui se tripotaient sous le mammouth et on est rentrées à pied.

4

«Sur le pont du premier navire arrivé en vue de Terre-Neuve, deux marins étaient accoudés au bastingage. "Merveille! Ce pays n'est à personne!" se dit l'un. L'autre pensa : "Merveille! Ce pays est à moi!"

«Le premier déserta dès que le navire toucha terre. Il s'enfonça dans les bois sans la moindre idée de sa destination. Il était libre. Il apprit à vivre du pays, il s'enseigna seul la science des cours d'eau intérieurs, il se lia d'amitié avec les naturels qui, d'instinct, le savaient inoffensif. Son voyage dura plus de cinquante ans. Il courut les bois, navigua sur toutes les rivières, apprit toutes les langues indiennes. Personne ne sut mieux que lui approfondir la connaissance du pays nouveau. Il mourut sur les rivages de l'autre océan, laissant derrière lui des pistes ouvertes, des noms, des femmes attendries, des enfants sains, des légendes.

«L'autre mit pied à terre et donna le nom de son roi au premier promontoire en vue. Seul de tous ses compagnons, il prit le risque d'hiverner sur cette rive inhospitalière. Il y transplanta les coutumes de son pays, se fit le maître des sauvages et construisit un fortin. Cinquante ans plus tard, la terre donnait de belles récoltes, la ville comptait une école et cinq églises, le port accueillait des navires de commerce, et le fondateur gisait au cimetière auquel il avait donné son nom.»

C'est Jude qui parlait ainsi, récitant par cœur le texte d'une légende inventée par lui. Debout devant la mer, chez lui, à Terre-Neuve, près de l'Anse-aux-Meadows où débarquèrent les premiers Vikings américains il y a dix siècles. Jude y possède une maison, l'ancienne demeure d'un pasteur anglican longtemps inhabitée depuis la mort économique du village et que Jude a fait restaurer. C'est une terre très dure. Il y fait un froid d'ours blanc à longueur d'année, le climat est subarctique. L'hiver dure neuf mois, et le printemps et l'été mis ensemble ne font qu'un petit automne. Le soleil, quand il apparaît, est anémique. Il n'y pousse que des petits arbres et des rochers, dirait-on. Dans la maison de pierres blanches aux plafonds bas, entre le poêle à bois qui réchauffait les lieux inoccupés depuis longtemps, et la fenêtre harcelée par la pluie venue de la mer désertée des pêcheurs, un thé au rhum à portée de la main, bien enfoncée dans des couvertures, j'ai lu le manuscrit de Jude sur l'exploration de l'Amérique et me suis endormie après, en fin d'après-midi, le livre de cuir serré contre moi.

À mon réveil, il était là à préparer le souper, une immense casserole de poisson aux pommes de terre. À le voir aller et venir dans la cuisine, à ce moment, j'ai été prise d'un mouvement de sympathie pour lui dont je ne me serais pas crue capable avant.

Un coup de tête nous a réunis dans cette maison isolée sur le bord de la mer. Le jeudi précédant le long congé de l'Action de grâce, je l'ai croisé dans une rue de la Côte-de-Sable. Il semblait flâner, l'air perdu. Mon instinct me disait qu'il devait avoir passé la nuit chez une nouvelle conquête du quartier, tout décoiffé qu'il était, le visage cireux.

Nous avons marché ensemble jusqu'au parc Strathcona qui est toujours beau l'automne sous le soleil, avec la petite rivière si peu profonde qu'on pourrait la traverser à pied sans crainte de se mouiller les genoux, et les arbres tout en couleurs. J'étais d'excellente humeur et heureuse de le revoir. J'avais déjà oublié le bal masqué du Musée de l'Homme.

Marchant tous les deux dans le parc, il parlait et j'écoutais. Il m'a expliqué qu'on retrouve dans le parc des faucons qui viennent s'y nourrir des mouettes grasses comme des poules, engraissées qu'elles sont au maïs soufflé que leur jettent les passants généreux. Il m'a raconté aussi que les écureuils noirs qu'on trouve sont en fait d'anciens rats noirs dont les ancêtres se sont alliés à des écureuils gris pour échapper à la dératisation massive d'Ottawa, et qu'ils n'ont conservé de leur passé de rats que la couleur du pelage et un léger accent. Il se trouvait drôle, il riait.

Comme je l'interrogeais de nouveau sur les oiseaux de proie, il m'a confié qu'il rêvait de se faire fauconnier un jour et de consacrer sa vie au dressage des faucons et des aigles, pour la chasse comme on la pratiquait à l'époque médiévale. Qu'il avait acheté une maison à Terre-Neuve et qu'il y établirait son élevage. «À Terre-Neuve, près de l'Anse-aux-Meadows, la terre des Vikings. J'y attendrai le jour où ils ressusciteront de l'histoire pour revenir peupler les lieux. Quand ils auront débarqué, ils m'éliront roi. Voudrais-tu m'accompagner là-bas?» J'ai cru qu'il me demandait ça pour plaisanter; j'ai dit oui, machinalement. «On peut partir cet après-midi, j'ai un ami pilote militaire qui s'y rend tous les jeudis. C'est la longue fin de semaine de l'Action de grâce. On sera rentrés mardi matin, t'inquiète pas.» Il m'avait prise au mot. Trois heures plus tard, nous étions partis. Je n'ai eu que le temps de prendre mes affaires.

Nous avons passé trois journées entières là-bas et je me suis pas ennuyée une seconde, malgré la plaine presque chauve et la mer grise. Promenades le long des falaises éventrées par les vagues avec le cri incessant des oiseaux marins, promenades dans les marais où j'ai vu un orignal pour la première fois de ma vie. Jude était armé de son arc et de son carquois, mais pour me faire plaisir, il n'a rien tué. Aux repas, on mangeait comme des défoncés : ragoût de venaison, potées de poissons, des plats qu'il conserve tout préparés d'avance dans son congélateur à longueur d'année, et qu'on arrosait de vin de contrebande acheté des pêcheurs pour presque rien.

Les trois jours ont été studieux aussi. Je préparais mes examens, il corrigeait les épreuves de sa revue. La nuit, je dormais dans sa chambre d'amis aux murs de bois blanc. La vie était facile et sans histoires. Je n'avais pas vraiment envie de lui, et lui-même ne me faisait aucune avance digne de ce nom. Tout était bien, notre amitié mûrissait agréablement. Dans la maison, au-dessus de la porte, il y a un parchemin calligraphié sous verre qui renferme la devise de la maison : «La vie est belle pareil.»

Au moment de partir, j'ai eu très envie de lui, pour la première fois. La perspective du retour à Ottawa ne m'enchantait guère, je serais bien restée avec lui. Mais j'ai été raisonnable, je ne lui ai même rien dit de mon sentiment pour lui. Il m'a raccompagnée chez moi et nous nous sommes promis de nous revoir.

Au moment de quitter Terre-Neuve, je lui ai demandé lequel des deux personnages il était : le coureur des bois ou le colon fondateur? Il a répondu simplement : «Moi? Je suis les deux!»

5

Par Jude, j'ai découvert un homme : il s'appelle Pigeon. Comme Jude ne donnait plus signe de vie depuis notre séjour à Terre-Neuve, je me suis mise en rapport avec le professeur Pigeon, dont il dit toujours un bien infini. J'ai trouvé son numéro de téléphone, ce qui n'a pas été chose facile car il est maintenant sans domicile fixe, nous avons pris rendez-vous.

La rumeur publique maltraite injustement monsieur Pigeon. On me l'avait dit pédant, mauvais poète, docte, coureur de petites filles, ivrogne et malpropre. Eh bien, c'est faux, tout à fait faux! Il n'est pas du tout l'homme qu'on croit, et je le sais parce que je l'ai bien connu. Bien sûr, il a bu beaucoup, il a souvent dû profiter de l'innocence de ses étudiantes, ses poèmes n'ont pas toujours été bons, mais c'est un cœur! Et puis, il n'est peut-être plus l'homme que d'autres ont connu : à preuve, il ne fait plus de poèmes et il ne parle plus de lui-même tout le temps.

C'était un samedi, dans le Petit Edimbourg, dans une superbe maison qui date d'avant la Confédération. Il m'a invitée à déjeuner et j'ai fini par passer le reste de la journée avec lui, un long moment exquis que nous avons réédité plusieurs fois par la suite.

Pour commencer, il est venu me chercher en Rolls-Royce. Le menu montrait la même élégance : martini, saumon fumé aux câpres en entrée, cailles rôties au thym, riz safrané et crosses de fougère au gratin, sorbet à l'armagnac, salade de mâche, fromages, fruits, gâteau aux pommes et au rhum, tout cela servi dans une magnifique vaisselle de porcelaine noire, avec le café et le marc après, dans un salon dont les murs étaient garnis de tableaux du Groupe des Sept. C'était si bon, si léger, si parfait, avec sa conversation raffinée et drôle : on se serait cru chez un prince en exil.

Son opulence est récente et, si j'ose dire, empruntée, mais dans un sens très particulier. Quand il a été mis à la retraite au printemps, il a accepté d'occuper la maison d'une dame fortunée de Rockcliffe qui passait l'été en Europe. On ne lui demandait rien d'autre que d'habiter la maison pour assurer une présence, histoire de décourager les vandales. C'était une maison luxueuse avec piscine dans la cour et tout ce qu'il faut pour un homme de qualité comme lui. Pas un sou de loyer à payer, il n'avait qu'à être là, répondre au téléphone, éconduire les Témoins de Jéhovah qui prêchent aux portes et cueillir le courrier. Il s'y est trouvé bien, et la dame, contente de lui, l'a recommandé à des amis qui devaient faire eux aussi des vacances prolongées. Comme on le sait peu dérangeant, très respectueux des œuvres d'art, parfaitement honnête, on s'arrache ses services depuis. Son carnet de commandes est plein pour trois ans. Il a donc résilié son bail rue Laurier et donné ses quelques meubles aux Disciples d'Emmaüs : il vit maintenant d'une maison cossue à l'autre, il ne traîne plus que sa garde-robe aujourd'hui rafraîchie et sa collection d'auteurs grecs et latins. Il pratique le gardiennage de luxe, selon son expression.

Dans le fond, dit-il, j'ai toujours été fait pour vivre

ainsi, avec Rolls-Royce, tableaux de maîtres, vaisselle du Cambodge, fauteuil de cuir et feu dans la cheminée, mais je n'en avais pas les moyens. En plus, je déménage souvent et on me paie même parfois. Ici, dans le Petit Edimbourg, c'est la Rolls que j'aime, le clavecin dans le boudoir chinois, la dépense garnie de victuailles rares, la cave à vins, le cabinet de liqueurs où je me sers à volonté. Tout ça, pour donner aux voleurs l'illusion qu'un vieux fantôme savant hante les lieux. Vous vous rendez compte? Mes propriétaires ne reviennent de Floride qu'en mars et nous ne sommes qu'en octobre, c'est merveilleux! Je suis aujourd'hui un vagabond de grande classe, ce qui est une fort bonne chose, car j'ai toujours eu la vocation. Au printemps prochain, j'occuperai un manoir du Glebe où les vins ont, paraît-il, des vertus miraculeuses. Il n'y a plus rien de trop beau pour moi maintenant.

Pour mon plaisir, il a interrompu sa conversation drôle et érudite pour se mettre au clavecin. Ma foi, il joue très bien et cette musique lui ressemble tellement. Puis, je m'y suis assise à mon tour et il a récité des poèmes des *Fleurs du mal*, de sa belle voix grave. On ne vit pas deux fois de beaux moments comme celui-là. Non, décidément, je ne permettrai jamais qu'on dise du mal de Pigeon devant moi : c'est un beau vieux, un homme exquis, et il ne se prend pas au sérieux comme le voudraient certains.

Il m'a demandé où j'avais appris à jouer. Je lui ai répondu que j'avais pris des leçons pendant quatre ans chez Maud Gallant.

– L'amie de Jude.

– Oui, je sais.

– Vous saviez aussi qu'elle attend un enfant? Le père

est un ancien moujahidine afghan qui a ouvert un restaurant au Marché By. Il ne rentrera pas dans son pays, la guerre est finie là-bas, les siens ont gagné. Il a quitté Maud dès qu'il l'a sue enceinte.

– Ah?

– Ne vous inquiétez pas pour elle, elle se débrouillera. C'est une fille solide.

– Trop solide pour Jude?

– Non, non, ce n'est pas ça. Elle aimait Jude sincèrement, mais il y a des secrets chez lui qu'elle n'est jamais venue à bout de percer, et quand bien même y serait-elle arrivée, on ne sait jamais avec lui... Remarquez que c'est un homme d'une sensibilité extrême, un cœur d'or, mais imprévisible. Moi-même, qui l'aime comme un père, je ne le comprends pas tout à fait parfois. Mais je sais tout de même certaines blessures qui ne guériront jamais tout à fait. Par exemple, la mort de son frère jumeau, Benjamin. Ils étaient presque identiques, ils s'adoraient, ils faisaient les quatre cents coups ensemble. Quand Jude est entré à l'université, son jumeau a suivi son père sur la terre. Il a abandonné ses études pour travailler les champs, un garçon si doué, c'est criminel. C'était aussi un garçon aimable, tendre : il admirait le courage et la réussite de son frère, il ne l'enviait pas, au contraire. Il venait souvent le voir à Ottawa, en cachette de son père, qui ne pardonnait pas à Jude de lui avoir désobéi. Benjamin aurait souhaité une réconciliation entre les deux, mais c'était impossible, vous pensez bien. Jude et son père sont taillés de la même étoffe, ils sont trop pareils pour s'entendre.

«Le père de Jude s'est enrichi dans la spéculation immobilière à Ottawa. Quand il s'est cru suffisamment à l'aise pour ne plus avoir à travailler, il a liquidé ses affaires et acheté une ferme près d'Orangetown, à une centaine de kilomètres d'Ottawa. Il voulait, prétendait-il, vivre de la terre parce que c'était la seule vie saine au monde, disait-il. Il a voulu emmener toute sa famille avec lui. Certains ont trouvé des empêchements, comme l'aîné qui était au séminaire et qui voulait se faire prêtre; dès qu'il a achevé son baccalauréat, il s'est fait enseignant quelque part dans le sud de l'Ontario, et on ne l'a jamais revu. Jude, lui, s'est rebellé ouvertement. Il voulait entrer à l'université, devenir ce que vous savez : le père l'a chassé et lui a interdit de remettre les pieds sous son toit. Il ne lui a pardonné que lorsqu'il est devenu célèbre, car il trouvait alors incommode de le renier. Le pauvre Benjamin, lui, est resté.

«Le père de Jude a reconstitué sur sa ferme une sorte de paradis terrestre, avec un potager, un verger, une belle terre à blé, du bétail de race. Grâce à ses moyens considérables, il a toujours vécu en gentleman-farmer, mais il a toujours prétendu qu'il vivait de sa terre, ce qui est faux, évidemment, il lui aurait fallu une plus grosse exploitation agricole, surtout quand on sait l'état misérable de notre agriculture. Il a toujours persisté à répandre cette illusion, refusant d'admettre qu'il vivait du bien acquis en ville, un peu comme le pudibond qui vante la famille et refuse de dire comment on fait des enfants. Dans toute cette entreprise, Benjamin était son homme de peine. Le père aimait dire : "Ce sont mes enfants, c'est moi qui les ai faits, je peux en faire ce que j'en veux! Pis s'il y en a un qui me dit le contraire, je lui pète la gueule en sang!" Oui, c'est ainsi qu'il raisonne et qu'il discute, le bonhomme.

«Un moraliste vous dirait peut-être, ma petite Véronique, que c'est un homme méchant. Moi qui suis un être sans morale, je ne saurais quoi vous dire. Je ne le juge pas, je suis un témoin sidéré de sa dureté, c'est tout. Pour votre part, vous êtes libre de penser ce que vous voulez. N'est-ce pas, Véronique? Mais je crois tout de même utile de vous dire de quelle race Jude est issu, puisque vous semblez lui vouer un certain attachement. Vous le comprendrez mieux et ne l'en aimerez que davantage. Vous verrez.

«Sachez d'abord que si Jude est allé si loin dans la vie, c'est qu'il vient de très loin. C'est un maudit de l'Histoire qui a résolu de se venger. Sa mère descend des Acadiens jadis déportés en Louisiane, les ancêtres anonymes de son père ont été tués lors de la Rébellion du métis Louis Riel en Saskatchewan. Vous me direz que c'est une explication romanesque, fantaisiste, et vous avez peut-être raison, mais c'est la seule qui me contente.

«Quand la guerre a éclaté, des milliers de jeunes gens, privés d'avenir dans leurs campagnes, sont venus s'établir en ville pour y gagner leur vie. La mère de Jude en était : elle a fui son Acadie miséreuse pour venir travailler dans une usine de munitions près d'Ottawa. Elle découvrait la vie, l'argent, le jazz, la liberté. Il y en avait des milliers comme elle, je m'en souviens très bien. J'habitais alors dans la paroisse Saint-Jean-Baptiste, qui est aujourd'hui un petit quartier chinois sympathique, et je me rappelle que toutes ces petites expatriées faisaient le bonheur des soldats transplantés dans la capitale. Dans l'imminence des tueries d'Europe, on faisait fête tous les soirs à Ottawa, le croiriez-vous? On s'enivrait virilement dans les buvettes, on allait au cinéma voir des films de Laurel et Hardy. Le samedi soir, j'enfilais mon uniforme d'officier réserviste pour séduire les petites campagnardes au bar du *Lord Elgin*, du *Château Laurier*, dans mon bel uniforme qui n'a jamais servi, ni à séduire les belles qui me trouvaient pédant, ni à combattre puisque la guerre était finie. La mère de Jude a vécu comme moi ces belles années.

Son père a un prénom comme nom de famille, Raphaël : c'était la coutume chez les Indiens et les Métis de prendre des prénoms chrétiens pour patronymes. Son père est né enfant naturel, abandonné par sa jeune mère métisse dans un village français de l'Alberta. Il a d'abord fait l'orphelinat, mais comme il ne cessait de s'enfuir, on l'a confié quand il a eu six ans à une bonne famille qui lui a toujours rappelé qu'il était aussi un bâtard métis. On l'a mis au travail quand il avait douze ans alors que les enfants de la famille étaient mis au collège pour se faire instruire; une injustice que le père n'a jamais pardonné à personne.

«Il avait seize ans quand le Canada est entré en guerre. Il s'est engagé tout de suite dans les commandos canadiens, une troupe d'élite où l'on apprend à tuer avec efficacité et à ne jamais faire de prisonniers. Il a été parachuté vingt-sept fois aux points les plus chauds de l'Europe. Il n'a jamais hésité, se vantait-il à ses proches, à tuer un homme dans un combat au corps à corps, à violer une femme ennemie, à incendier tout ce qu'il voyait. Quand on fait la guerre, il faut la faire pour ôter à l'ennemi le goût de recommencer, disait-il à ses fils. Ce tueur, ce violeur, a été décoré huit fois pour bravoure devant l'ennemi.

«Retourné à contrecœur à la vie civile, il s'est établi à Ottawa où il a appris un métier dans la construction. Puis il a fondé une entreprise de sous-traitance qui vivait des petits marchés de l'État. Tous ses employés le craignaient comme des chiens battus : sa force surhumaine et son instinct de tueur entraîné lui permettait de défier quiconque au combat à mains nus, concurrent déloyal ou employé rebelle, et il ne perdait jamais la mise. Un homme honnête cependant : l'engager, c'était avoir la certitude de voir les travaux achevés à temps et sans hausse de prix; travailler pour lui, c'était l'assurance d'être payé et bien. C'était un homme impie également, le seul de la paroisse capable de dire au curé : «J'irai à la Saint-Vincent-de-Paul faire des petits travaux pour vos pauvres, mais vous, vous pouvez manger de la marde! vous aurez rien!» Ses enfants ont souffert de sa rétivité aux choses religieuses à cette époque où rien ne se faisait sans le clergé. Heureusement qu'il y avait la mère, toujours pieuse, qui était là pour réparer les pots cassés.

«Oui, la mère, Rachel, heureusement qu'elle était là. Mais même elle, avec la charité de son cœur trop grand, ne pouvait se résoudre à l'aimer. Elle gardait tout pour les enfants, ce qui n'arrangeait pas les choses avec le père, qui était déjà un grand jaloux. Cette pauvre femme, tout ce qu'elle a dû endurer avec lui! Un de ses jeux préférés avec elle était de l'humilier en public, ou devant ses enfants. Il racontait à tous qu'il l'avait épousée malpropre. Pendant nos belles années de guerre, la malheureuse avait été amoureuse d'un aviateur néo-zélandais en entraînement dans la région : un beau petit amour juvénile, romantique, comme il y en avait tant, et qui s'est achevé tragiquement par la mort du bel aviateur, abattu au-dessus de l'Allemagne. Elle avait aimé cet homme, et le père de Jude, qui l'a appris après son mariage, lui a fait payer chèrement ce moment de bonheur. Il le lui a fait regretter à chaque minute de leur vie conjugale. Quand il était soûl, il ressassait cette vieille histoire, sa colère montait à chaque minute et ça se terminait généralement par une volée de gifles et de coups de pied.

«Toutes les humiliations étaient bonnes pour la faire souffrir. Un jour que la mère était gravement malade des poumons, le père a engagé une bonne pour les enfants. Tous les matins, les petits la retrouvaient couchée avec le père sur le divan-lit du salon. "Pis dites-le pas à votre mère, qu'il disait, vous la feriez mourir de peine!"»

Monsieur Pigeon est un des rares à savoir ces choses sur Jude parce qu'il a été longtemps son seul vrai ami, à part madame Élizabeth bien sûr. Il a déjà rencontré le père, d'ailleurs. C'était chez le gouverneur général, quand Jude a été reçu compagnon de l'Ordre du Canada, et le bonhomme avait tenu à assister à la cérémonie. Il a impressionné tout le monde par sa seule apparence : un homme imposant de deux mètres, en costume très simple, sans cravate, la chevelure encore noire, épaisse, des yeux qui ôtent l'envie de discuter. À son arrivée, il a remarqué un bac de pierre chargés de géraniums qui gênait un peu l'entrée des invités. Il a dit à son fils : «Regarde bien, mon petit gars, on va leur montrer à tes amis comment je m'appelle!» Il n'a fait ni une ni deux, il a simplement empoigné le bac et l'a déplacé de trois mètres sans même paraître forcer. Les deux gendarmes de faction sont restés au garde-à-vous dans leurs belles tuniques rouges empesées. On n'adresse pas de reproches à un homme capable de soulever cent cinquante kilos l'air de rien, capable de déchirer un jeu de cartes comme si c'était une feuille de papier, ou qui tient une voiture pendant qu'un collègue change un pneu. À voir le regard ébahi des deux gendarmes, on aurait cru qu'ils savaient tout cela instinctivement.

Dans les salons de Rideau Hall, cependant, le bonhomme a été parfait. Il avait été présenté au gouverneur général, à des ambassadeurs, à des femmes de ministres, à des journalistes; il a été très poli avec tout le monde et il est reparti sans passer par le bar ou le buffet. Pendant tout ce temps, Jude était mort de peur, il craignait l'esclandre. Il n'y a eu qu'un seul moment de tension, quand il a apostrophé Jude de sa voix puissante après la remise des décorations : «Ce monde-là, ils savent-ti qui c'est, ton père? J'te gage que tu leur as dit que t'étais né en dessous d'un chou? Viens avec moi, mon petit gars, tu vas me présenter pis tu vas leur dire que je suis ton père, O.K.?» Jude a obéi. Les présentations faites, le bonhomme est reparti dans son vieux camion qui sentait la porcherie et les navets pourris. Tout un spectacle pour ces dames et ces messieurs endimanchés, coupes de champagne et canapés à la main. Et moi qui avais toujours vu Jude sûr de lui comme trois hommes, a dit Pigeon, pour la première fois de ma vie, j'ai lu la peur dans son regard. À côté de son père, le grand Jude avait l'air d'un nain.

La mère est morte il y a une vingtaine d'années, peu après le déménagement à la campagne. La pauvre avait souffert de dépression chronique toute sa vie. Une nuit de février, en pleine crise, elle est sortie pour aller prier au grand crucifix planté à l'autre bout de la terre. On l'a retrouvée au matin morte d'un arrêt cardiaque, complètement gelée, dans le champ de seigle. Elle a été enterrée au plus vite, et le père n'a même pas voulu qu'on prévienne Jude : il était en expédition dans l'Arctique, il a appris le décès de sa mère un mois plus tard, par pur hasard. Un an plus tard, on a retiré au père la garde des enfants qui lui restaient pour cause de brutalité. Comme on le connaît, ce fut toute une histoire. Malgré cela, Benjamin est resté avec lui. Pour son malheur, le pauvre.

Oui, ce fut une très belle journée, qui avait commencé par un déjeuner galant et qui s'est terminé tard dans la nuit. J'ai appris tant de choses sur Jude. La bouteille de marc était vide et le smoking du professeur Pigeon ne suffisait plus à habiller sa gentilhommerie refaite. Il fallait partir, même s'il aurait bien voulu que je reste pour la nuit. J'étais moi-même un peu paf, mieux valait partir, parce que quand on a bu, on ne sait pas toujours ce qu'on fait.

Grand monsieur même dans l'ivresse, il s'est excusé de ne pouvoir me reconduire chez moi et il a voulu appeler un taxi, mais j'ai refusé. Je préférais rentrer à pied pour me dégriser dans la nuit d'octobre. «Revenez samedi prochain, m'a-t-il dit en me raccompagnant, il y aura fête chez madame Élizabeth, et il vous faut absolument la rencontrer.» J'ai accepté.

6

Avant la fête, le professeur m'a emmenée manger le couscous chez le Marocain de la rue Preston. Un petit souper encore plus charmant que le repas précédent à la différence que mon hôte a bu un peu moins. «Je ne fais plus de folies comme avant», m'a-t-il expliqué.

Encore là, il n'a été question que de Jude, qui, décidément, prenait dans ma vie une place beaucoup plus grande que je ne l'aurais cru. Je ne m'en défendais pas, je me laissais volontiers prendre au jeu. Cette fois, j'ai appris des choses qui m'ont un peu mieux expliqué la conduite récente de Jude à mon égard.

Ainsi, Pigeon m'a révélé que Jude avait eu une passion au cours de l'été en la personne d'une comédienne du nom d'Hélène, qu'on dit très séduisante. «Mais elle est moins bien que vous», a tenu à préciser le professeur. Il faut dire que Jude aime avec fougue et extravagance. Dernièrement, il lui a même offert un magnifique bracelet d'or et de perles pour son anniversaire. C'est cette passion, me suis-je dit, qui explique sa tiédeur envers moi. Il m'aurait peut-être témoigné plus d'intérêt s'il n'y avait pas eu Hélène.

«Mais vous savez, je ne crois pas que ça dure bien longtemps», a-t-il ajouté. «Elle voit un autre homme, paraît-il.»

La fête chez madame Élizabeth était exquise; décidément, je devenais mondaine, et je devais faire petite coquette avec mon beau Pigeon à mon bras, mon cher Pigeon qui a quitté le costume d'Einstein pauvre dernièrement pour prendre l'allure dandy de Maurice Chevalier avec ses cheveux coupés court et son smoking. Nous faisions un beau couple, et je me moquais éperdument de l'opinion d'autrui.

J'étais heureuse de revoir madame Élizabeth, qui m'a fait l'amitié de me croire responsable du changement qui s'est opéré chez Pigeon. Je lui ai répondu qu'il n'en était rien, que je ne faisais que passer; elle m'a conseillé de me méfier de lui, ce qui m'a fait un peu sourire parce que je suis tout de même assez grande pour me défendre. On dirait qu'elle lui en veut pour une raison quelconque, par contre, lui ne cesse de l'encenser.

Tout le monde était empressé autour de madame Élizabeth, et la dame disait à chacun sa reconnaissance, heureuse qu'elle était de revoir son monde. Quand j'ai demandé au professeur le motif de la fête, il m'a confié d'une voix chagrinée : «Ma pauvre Élizabeth n'est pas bien, elle croit qu'elle va mourir d'un jour à l'autre, et elle a tenu à voir tous ses amis pour leur dire adieu. Fidèle à son habitude, elle a tenu à ce que la maison fût ouverte à tous pour l'occasion. J'ai voulu la dissuader de faire cette fête parce que je la trouvais trop fatiguée, mais elle n'a pas voulu m'écouter. Elle ne m'a jamais écouté.» Cela dit, il avait raison : elle n'avait pas l'air bien du tout.

Puis Jude est entré avec éclat, élégamment vêtu. Il a eu la gentillesse de venir me saluer après avoir embrassé madame Élizabeth. «On a un petit rendez-vous tous les deux», qu'il m'a dit, mais sans me regarder. «Oui, un de ces jours.» Nous avons vite été séparés par des amis à lui qui tenaient à faire la conversation au grand homme.

Une heure plus tard, je m'apprêtais à partir quand la porte du salon s'est ouverte pour donner le passage à un couple. C'était Hélène, qui est comédienne, comme me l'ont expliqué charitablement mes deux voisins du moment, messieurs Amédée et Théophile. L'homme qui l'accompagne, ont-ils ajouté, est restaurateur, il est d'origine afghane, il s'appelle Babrak. J'ai alors regardé Jude dans le coin opposé au mien, son visage ne bronchait pas. L'entrée d'Hélène était très remarquée, chacun s'extasiait sur son dernier succès dans *la Double Inconstance* de Marivaux. On félicitait aussi l'Afghan qu'on dit très prospère.

Tout à coup, la fête a pris un tour différent. Babrak frappait dans ses mains et réclamait l'attention générale.

«Chère madame Élizabeth, permettez-moi de profiter de l'occasion pour dire mon amour à ma fiancée, Hélène, puisque vous êtes un peu sa famille ici, à Ottawa.» Et il a tiré de sa poche un écrin de feutre qu'il a remis à la belle Hélène. Elle en a sorti un collier d'or et de perles du même modèle que le bracelet qu'elle portait, cadeau de Jude. L'Afghan lui offrait ce bijou pour compléter l'ensemble et sceller leur amour. Tout le monde a applaudi.

Alors l'Afghan a tenu à se faire photographier avec sa belle. Je ne sais trop comment, mais l'appareil photo a abouti entre mes mains. Les invités se sont déplacés de telle façon qu'Hélène et Babrak se sont retrouvés dans le même coin d'où Jude n'avait toujours pas bougé. J'ai pris la photo avec Hélène et ses bijoux entre Jude et l'Afghan : l'un qui faisait un visage de bois et l'autre qui souriait de toutes ses dents. Le beau ménage à trois.

Dans un coin éloigné, on entendait le professeur Pigeon ricaner, c'était plus fort que lui. Jude est sorti peu après.

7

Nous nous sommes revus à l'enterrement de madame Élizabeth qui est décédée le onze novembre. Arraché de toute urgence à ses cours, Jude l'a retrouvée couchée dans son jardin, entourée de quelques vagabondes du refuge d'en face, avec Pigeon agenouillé à côté d'elle, gémissant comme un désespéré. Les funérailles ont été célébrées à l'église Saint-Marc rue Elgin : Jude tenait absolument à lui donner une sépulture religieuse et il a choisi pour l'occasion son propre temple protestant. Jude a quitté le catholicisme pour l'Église unie du Canada il y a de cela deux ans, non par goût de la double minorisation franco-protestante, mais pour les beaux yeux de l'organiste attitrée de Saint-Marc. C'est Emmanuelle Terreblanche, Sud-Africaine de vieux lignage huguenot, banquière portefeuilliste établie à Ottawa depuis quelques années pour y gérer quelques capitaux frileux de l'apartheid en déroute. Je l'ai vue à l'enterrement : il a du goût, Jude.

Il m'a téléphoné le soir même, à ma grande surprise, moi qui le croyais plutôt consolé ailleurs. Je suis allée le rejoindre à son appartement du musée où je l'ai retrouvé dans le désordre de celui qui déménage. «Il faut que je parte, le musée ferme le logement de fonction du conservateur. C'est pas grave : je repars en mission début décembre, j'aurai le temps de trouver quelque chose au printemps. T'as faim? J'ai des baklavas et du thé russe. Viens, assieds-toi, je vais te servir.» Nous avons causé une partie de la nuit : de tout et de rien au début, puis de madame Élizabeth qui l'a tant aidé dans la vie, de son Institut arctique qui va si bien, de son ami Pigeon dont les excentricités le rendent si attachant. Il m'a aussi interrogé sur mes parents, mes rêves, mes idées, et jamais de ma vie, je n'ai eu l'impression d'être aussi bien écoutée et comprise. Je l'ai quitté à regret vers deux heures du matin, le laissant parmi ses boîtes de livres à moitié pleines.

Le lendemain, je lui ai fait une petite lettre pour lui dire que je partageais sa peine pour le décès de madame Élizabeth. Il en a été très touché, et il est venu me le dire en personne à la résidence étudiante, dans ma petite chambre. Quand je l'ai revu avec son beau visage triste, je n'ai pu me retenir de lui dire que je le désirais : c'est moi qui l'ai embrassé et serré contre mon corps. Il m'a rendu mes caresses, il m'a promis que nous nous retrouverions bientôt. Alors je me suis dit : tant pis pour les Hélène, les Emmanuelle Terreblanche, je veux être à lui.

Le soir où il est venu me chercher, je fêtais la Sainte-Catherine avec mes compagnes de la résidence; on se faisait de la tire à la mélasse et on riait comme des folles à l'idée de rester vieilles filles. Quand il est apparu, j'ai tout lâché pour le suivre. Je lui ai demandé où on allait et il a seulement répondu qu'il devait passer prendre des choses chez madame Élizabeth.

La maison avait un air hanté : des boîtes partout, des vieux meubles poussiéreux, des chats affamés qui rôdaient dans leur puanteur. Jude a donné à manger aux chats et les a chassés. Puis nous sommes montés à l'étage où il voulait me montrer la suite de madame Élizabeth avec son lit à baldaquin. Tout à coup, pendant que je regardais un tableau, j'ai entendu l'eau qui coulait dans la baignoire à côté; je lui ai demandé ce qu'il faisait, et il est ressorti de la salle de bain avec des draps. Il s'est mis à faire le lit sans me parler. Puis il a sorti une bouteille de champagne rosé de son sac. J'avais compris mais je n'étais pas sûre. «Viens, on va prendre un bain ensemble, après on boira une coupe. Il faut bien faire les choses!» J'avais très peur. Il m'entourait de ses bras, il me disait de ne pas m'inquiéter, que ça se passerait bien même si c'était la première fois. Je trouvais sacrilège de faire l'amour dans la chambre d'une morte, il a insisté.

Il aurait tant voulu que j'y prenne plaisir, que je lui dise mon bonheur, mon amour pour lui, rien à faire, j'avais perdu l'usage de la parole. Ses caresses étaient lentes et habiles, il prenait bien soin de ne pas me brusquer. Il me disait des mots rassurants : «Il n'y a pas de femmes frigides, il n'y a que des hommes maladroits.» Il me disait de ne pas m'inquiéter pour les contraceptifs, il a subi la vasectomie. Rien à faire. Je n'arrivais pas à être là de tout mon corps. Après le viol au cimetière, j'ai accepté le bain dans l'eau tiédie, j'en avais besoin.

Il voulait que je reste pour la nuit. Je me suis rhabillée, je suis partie. J'ai passé le reste de la nuit à marcher dans les rues de la Côte-de-Sable. Les bons citoyens avaient mis leurs ordures dehors pour l'enlèvement du lendemain. Rue Daly, je suis restée un bon moment complètement hébétée à regarder le spectacle des chats errants et des ratons laveurs éventrant les sacs d'ordures pour y prendre les meilleurs morceaux, laissant quelques miettes derrière eux pour les rats et les écureuils. Le banquet clandestin de la nuit.

8

Les dix jours qui ont suivi étaient plus réussis. À toutes les heures, je trouvais sur mon répondeur un message de lui. J'allais le retrouver tous les soirs au musée et nous faisions l'amour sur le lit de camp qui lui restait. C'était mieux, beaucoup mieux.

Un après-midi, il m'a emmenée chez Maud Gallant qui allait accoucher d'un jour à l'autre. Je ne voulais pas; après tout, il l'a tant aimée, c'était connu, et j'étais gênée à l'idée de me retrouver chez mon ancienne maîtresse de musique avec lui. On ne le décourage pas facilement quand il a une idée dans le crâne; il a gagné. «T'en fais pas, elle est comme une sœur pour moi maintenant. Elle attend un enfant. Ce sera un fils, je le sens. On l'appellera Adam, je lui servirai un peu de père. Il ne manquera jamais de rien.» Je lui ai demandé alors pourquoi il n'avait jamais eu d'enfant avec elle, ou avec une autre. Il m'a expliqué qu'il avait été donneur à une clinique californienne qui recueille la semence d'hommes d'élite, des prix Nobel, des chercheurs reconnus, des athlètes olympiens, etc. Il aimait l'idée de féconder anonymement des femmes intelligentes et belles, loin d'ici, qui mettraient au monde des êtres hors de l'ordinaire. Après plusieurs dons, il a subi la vasectomie. Il a peut-être des fils et des filles qui se promènent à la surface du monde et qui, demain, découvriront le remède contre le cancer, ou alors, au contraire, commettront des crimes contre l'humanité. Il aime cette incertitude.

La visite chez Maud s'est bien passée; elle nous a accueillis chaleureusement, sauf qu'elle ne cessait de me regarder avec un petit air amusé mais tout de même aimable. Au moment de partir, toutefois, il s'est produit un incident que j'ai honte de raconter parce qu'on ne fait pas un coup pareil à une femme au bord de l'accouchement et qu'on dit avoir aimée. Nous nous étions levés après avoir pris le thé quand il a dit : «Maud, je voulais te dire : Véronique et moi, on va se marier. Au printemps, à mon retour.» Première nouvelle pour moi! Je n'ai osé rien dire, elle n'a pas bronché non plus. Elle nous a simplement félicités. J'avais hâte de partir.

À peine sortis de l'immeuble, je lui ai demandé ce qui lui avait pris de dire une chose pareille. Il n'avait jamais été question de mariage entre nous! Je veux bien qu'on s'aime, mais tout de même! J'étais hors de moi! «Pourquoi, Jude?» Il m'a alors prise par les épaules et m'a dit qu'il comptait effectivement m'épouser et qu'il voulait le lui dire avant son prochain départ pour l'Arctique; il a cherché à m'embrasser mais je l'ai repoussé. «La prochaine fois que tu veux m'épouser, demande-moi mon avis avant! T'es vraiment un drôle de gars!» On s'est quittés fâchés.

Le lendemain, je lui avais pardonné. Je craignais même qu'il oublie de me rappeler. Mais non, il est venu et il m'a même demandé pardon pour la scène de la veille; il a reparlé de mariage, il m'a dit que j'étais la femme de sa vie et qu'on se marierait à son retour au printemps. Si j'étais d'accord, bien sûr. Je n'ai pas dit non. «Pour l'instant, profitons du temps qu'on a, Jude, on en reparlera.»

C'était samedi, il faisait soleil. On était en décembre et il n'y avait toujours pas de neige dans les rues : un beau froid ensoleillé. J'avais envie de campagne, lui aussi. Il a eu l'idée d'aller à la ferme de son père à Orangetown, pas loin d'Ottawa. «Je veux absolument que tu le rencontres. Il va être heureux de faire ta connaissance.» Pourquoi pas.

Le village est plutôt moche, les habitants ont tous l'air vieux, on se croirait en Floride mais avec de la neige. À l'entrée, il y a une petite taverne avec un écriteau sur la porte où on lit : *No French spoken here.* Tous les vieux cons d'Orangetown sont membres de l'*Alliance for the Preservation of English in Canada* : dans ce coin de l'Ontario, les gens croient que le français est la langue du diable et qu'on risque de contracter la syphillis à l'apprendre.

Pigeon a raison. C'est vrai que c'est le paradis terrestre; si on aime la campagne, bien sûr. Son père a bâti une maison québécoise en pierre des champs comme autrefois, au beau milieu d'une sapinière. On ne voit pas la maison de la route, elle est bien cachée. Les bâtiments de ferme sont éloignés de la maison; c'est donc la campagne sans les odeurs de fumier, c'est parfait. Et puis il y a les champs autour : des cultures de toutes sortes, il y a des serres aussi. Le père de Jude cultive de tout : du tabac, des petits fruits, du seigle, du blé, des pommes de terre, des légumes; il rêve même d'avoir un jour sa propre vigne. Les animaux sont gras et beaux; les moutons et les faisans surtout. Au-delà des champs, le long du Saint-Laurent, il y a une érablière et d'autres conifères; des animaux sauvages y prospèrent, des cerfs et des canards.

Le père n'y était pas, Jude était déçu. La dame dans la maison a à peine ouvert la porte. C'était une femme dans la trentaine, aux cheveux longs, en robe paysanne et en sabots. Elle n'avait pas l'air accueillante, c'est le moins qu'on puisse en dire. Jude a dit qu'il repasserait. À vrai dire, je ne tenais pas tant que ça à rencontrer son père, mais j'avais encore très envie de la promenade sur la ferme.

Il m'a emmenée à l'autre bout de la terre, au petit bois qui borde le fleuve. Parfois, il s'arrêtait dans le champ gelé pour parler : il avait l'air si grand, si majestueux. Dans le bois, il m'a montré les fumées des cerfs, des nids déserts; dans le froid, sa voix avait un son enfantin, c'était drôle. Puis, nous nous sommes promenés le long du fleuve, presque immobilisé par le gel et luisant de soleil. J'étais heureuse de rien.

Il m'a expliqué qui était la dame de la maison. «C'est

Suzanne, la gouvernante de mon père, si tu comprends ce que je veux dire... Oui, elle est beaucoup plus jeune que lui. Elle est ici depuis une quinzaine d'années. C'était la fiancée de mon frère jumeau, Benjamin, autrefois. Ma mère était morte depuis quelques années quand Benjamin l'a rencontrée : c'était une pauvre fille en fugue, son père avait abusé d'elle, elle s'était enfuie du foyer où elle avait été placée. Elle a rencontré Benjamin un jour qu'il faisait des courses à Ottawa. Ils se sont mis à se voir; c'était la première amie de mon frère, qui n'était jamais beaucoup sorti, pris qu'il était, ici, à la ferme. Pauvre lui! Il s'était entré dans la tête qu'il avait l'obligation sacrée de veiller sur mes parents parce que mes frères, mes sœurs et moi, on voulait pas rester et perdre notre vie dans un trou de campagne. Lui, il serait le dernier des justes, celui qui garde le fort, celui qui honore père et mère afin de vivre longuement... Il devait être heureux ici, j'imagine : il était bien le seul à pouvoir supporter les colères de mon père, il espérait sans doute hériter de la terre un jour, y faire sa vie, loin de la ville... Qu'est-ce que je disais? Ah oui, Suzanne. Elle vivait cachée chez une tante, et Benjamin, généreux comme toujours, lui a proposé de venir vivre sur la ferme. Ils se marieraient, ils auraient des enfants, ils réinventeraient le bonheur. Tu vois le genre? Des rêves comme en font les malheureux. Mon père a accepté de les laisser s'installer sous son toit. Je te laisse deviner la suite. Au bout de quelques mois, Benjamin a découvert que le père délaissait les travaux si bienfaisants des champs le jour pour venir conter fleurette à Suzanne, qui se laissait faire. Il aimait la surprendre quand elle prenait son bain le matin. Le bonhomme la comblait de petits cadeaux, mais de toute manière, la petite aurait eu du mal à lui résister; quand il est contrarié, il peut tuer. Elle est devenue sa maîtresse, à moitié consentante, disons.

«Le jour où Benjamin s'est aperçu que Suzanne le trompait avec le père, il s'est enfui; il a disparu pendant deux semaines; puis il est revenu réclamer à mon père le salaire de toutes les années qu'il lui avait données sur la terre. Mon père l'a payé, grassement en plus, mais il a gardé la fille. Pour la première fois de sa vie, Benjamin est sorti dans le monde; il n'avait pas l'habitude, le choc a été violent. Il avait dix mille dollars dans ses poches : il en a bu la moitié en Floride, et l'autre moitié dans un petit hôtel de Québec. Quand il a dégrisé, il s'est mis à travailler, dans la construction surtout, à Toronto et à Calgary où les salaires étaient bons. Un jour, je lui ai proposé de prendre des vacances à ma propriété de Terre-Neuve, il a accepté; il y a passé tout un hiver seul, sans voir personne. Il était heureux là-bas, je crois. Quand je l'ai revu au printemps, l'intérieur de la maison était refait de fond en comble; c'était un excellent ouvrier, comme notre père. Mais il fallait bien qu'il sorte de là, il ne pouvait pas vivre en ermite longtemps comme ça, jeune comme il était. Alors il est parti, il s'est remis à travailler dans la construction, en nomade mercenaire. Pour son malheur, il est revenu ici un bon matin, à cheval sur une moto flambant neuve. Il a fait comme si de rien n'était : il est entré dans la maison, il a salué le père et embrassé Suzanne. Il s'est mis à table, il a mangé, il a bu, beaucoup. C'était en juillet, la canicule, on crevait de chaleur. Il a décidé d'aller se baigner au fleuve en fin d'après-midi.

«On a retrouvé ses vêtements ici, près des sapins, à la fin de la journée. Plus de trace de Benjamin. Je me trouvais au Labrador en expédition; mon père a réussi à me rejoindre, lui qui ne m'avait pas parlé depuis des années : "Viens nous aider à chercher ton jumeau, il est dans le fond du fleuve, dépêche-toi. J'ai pas envie que ça traîne, cette histoire-là!" Le lendemain, j'arrivais avec le plongeur finlandais Lars Salminen; c'est lui qui l'a trouvé deux jours plus tard, nu comme un bébé, accroché à un tronc d'arbre. Je me trouvais sur la plage, à l'endroit où nous sommes, quand on l'a tiré de l'eau. Je l'ai pris dans mes bras, je l'ai embrassé sur la bouche, mon frère, mon jumeau malheureux...»

Jude ne pouvait plus continuer, ses larmes l'étouffaient. De ma vie, je n'avais jamais vu un homme plus beau que lui. Je me suis sentie comme si j'avais été là, avec lui, quinze ans auparavant, assistant à cette scène d'amour mort. Ses yeux embués brillaient sous la lumière du soleil, on aurait dit que le fleuve lumineux passait dans ses yeux. J'aurais voulu être une ondine pour l'arracher à la misère de son souvenir encore vif. «Avec moi, Jude, tu seras plus jamais malheureux!» Il m'a prise dans ses bras. À ce moment-là, à ce moment-là précis, j'ai su que je l'aimais pour la vie, mon beau Jude malheureux dans sa mémoire. Je le lui ai dit. «Moi aussi, je t'aime, tu sais pas comment», qu'il a répondu.

Nous sommes rentrés lentement, sous le soleil qui s'en allait. À la maison, le père n'était toujours pas là, mais Suzanne nous avait préparé un panier de victuailles : deux faisans fumés, du confit de canard, des pots de marinades et des confitures, un pain de ménage, du fromage de chèvre. «Au moins, vous serez pas venus pour rien...» Nous sommes allés marcher encore un peu, sur le chemin, pour profiter à plein de la journée. Jude m'a encore dit : «Le soir où nous l'avons retrouvé, mon père a fait embrocher deux moutons pour nourrir les gens qui étaient venus nous aider; il a fait percer aussi deux barils de bière et deux barils de vin, le repas de funérailles a vite viré en cène païenne. J'ai alors pensé à Benjamin qui n'aurait pas voulu que ce soit autrement, lui qui avait calligraphié sur un parchemin, dans son hiver oisif chez moi à Terre-Neuve : "La vie est belle pareil." Mon Benjamin qui aimait la vie a eu droit à la plus belle fête des morts. Longtemps après, par amour pour lui, j'ai essayé de pardonner à mon père toutes les misères qu'il nous a causées. J'ai pardonné mais sans oublier. Je n'y arrive pas, mais peut-être qu'un jour... un jour... on sait pas.» Je l'ai rassuré : un jour, il pardonnera, il oubliera et il sera tout à fait heureux, avec moi. Nous nous sommes encore embrassés dans le froid.

Rentrés à Ottawa, le soir, nous sommes allés fêter le Noël hollandais avec des amis à lui, au *Café Wim*. Il partait le lendemain pour Londres; en janvier, il retournait au complexe d'Iberville. Au printemps, nous fêterions dignement son retour, nous irions passer l'été à Terre-Neuve. Tout notre avenir était cartographié, je me laissais faire, c'était si agréable. Je le laissais parler, en me contentant de vivre au jour le jour. Demain, on verrait bien; il y avait le temps.

Il est parti le lendemain. Les nuits d'adieu, c'est fini pour moi, plus jamais. C'est trop dur, après.

9

Il n'est jamais revenu. Il ne reviendra jamais. C'est plus la peine. Ça sert à rien de croire. Il y a aujourd'hui un an jour pour jour que nous nous sommes fait l'amour et je suis toujours sans nouvelles de lui. Ça doit pas être la première fois qu'il fait le coup à une fille, il doit avoir l'habitude. Seulement, moi, j'étais pas habituée, et je dois avouer que j'ai trouvé ça dur. Maintenant, ça va.

Au début, je ne m'inquiétais pas de son silence parce que je le savais en mouvement. C'est un homme si peu commun, me disais-je, qu'écrire doit lui paraître banal; il est tellement occupé, il ne doit pas avoir le temps, pauvre lui. Il pouvait téléphoner, mais alors, la ligne de l'Arctique devait être tellement mauvaise que ça n'en valait pas la peine. En tout cas, il n'avait pas à inventer d'excuses; je me creusais déjà le crâne à lui en trouver moi-même.

Pourtant, il aurait dû savoir que je tenais à lui; je ne me suis jamais retenue de le lui dire. S'il ne voulait plus de moi tout à coup, il n'avait qu'à me le dire; c'est simple, quoi! Je ne lui aurait pas fait de scène, c'est pas mon genre. Je lui ai écrit cinquante-deux lettres : il n'a pas répondu à une seule, pas un mot.

Pourtant, Dieu sait que j'ai mis tout mon cœur et toute mon âme à les lui faire, ces lettres! J'ai tenté de me dépeindre à lui telle que j'étais, je lui ai dit mes rêves, mes ambitions, je lui ai dit tous mes secrets pour qu'il me connaisse parfaitement. Je lui ai tout dit. Je lui ai avoué que j'avais cru au Père Noël jusqu'à l'âge de dix ans, que je n'ai jamais donné aux pauvres le billet de cinq dollars que j'avais piqué à la femme de journée portugaise et que j'ai acheté des bonbons avec, je lui ai dit tous mes mensonges, tous mes petits délits.

Je lui ai même dit pour Pigeon et moi : je lui ai expliqué que j'avais beaucoup bu la première fois et que je m'étais un peu laissée faire, mais que j'étais retournée de mon plein gré chez lui après. De toute façon, je ne regrettais rien, ça s'était passé, c'était hier, ç'avait été très agréable, merci beaucoup! Et puis, lui-même, Jude, n'était pas disponible dans ces jours-là; Monsieur aimait Hélène, alors moi, j'étais libre. Je le lui ai dit tout de même pour Pigeon, parce que j'aime les situations nettes et honnêtes. Voilà. C'est ce que j'ai mis dans ma première lettre parce que je voulais commencer par le plus important.

En tout cas, j'ai bien supporté janvier parce que c'était encore récent, mais en février, je me suis mise à me poser des questions. Alors j'ai pris des renseignements à gauche et à droite qui n'ont fait qu'aggraver ma confusion. Untel le disait toujours en Europe, un autre affirmait qu'il était désormais installé à New York et qu'il avait cédé son institut à l'Université de Chicago. Ses étudiants chuchotaient qu'il avait accepté un poste ailleurs : il est recteur d'une université des Maritimes, disaient les uns, il est entré au service d'une commission internationale de quelque chose qui s'occupe des affaires polaires, selon les autres. Pigeon ne savait rien. J'étais dans le noir complet.

Un jour que je bouquinais dans une librairie marxiste-féministe du Glebe, j'ai vu Maud Gallant qui a emménagé dans le quartier. Elle m'a montré son bébé, nous avons causé un peu, puis nous sommes allées prendre un verre dans le bar-laverie d'à côté où sa lessive l'attendait. C'est un endroit charmant, fréquenté par les meilleurs dandys du Glebe, les mêmes qui manifestaient hier pour le Vietnam. On l'appelle le *Bar-Lavoir* en l'honneur de Zola et on y prend l'apéritif en faisant son lavage, c'est exquis.

Nous avons passé un beau moment ensemble. Elle m'a parlé de son récent déménagement. Son seul regret est que la venue du bébé l'a contrainte à se défaire de son piano : elle l'a vendu à un juge qui avait une vieille mère à égayer. Elle l'aurait vendu de toute façon parce qu'à l'automne, elle ira s'installer aux Bermudes pour quelques années. Ses parents sont retraités et vivent là-bas depuis un bout de temps. Ils ont invité leur fille et leur petit-enfant à venir y vivre avec eux. Quand je lui ai demandé si elle avait accepté leur offre pour éviter l'aide de Jude, elle a ri : «Jude! M'aider? C'est pas sérieux. Il ne m'a jamais offert son aide. Mais il ne faut pas lui en vouloir d'avoir dit ça : tu le connais, c'est un homme qui a cent idées dans la tête et il trouve toujours le moyen d'en réaliser la moitié, ce qui est déjà beaucoup, mais il y a des fois où il promet un peu trop. Dis-toi bien aussi que je n'aurais pas voulu accepter l'aide de quiconque. C'est mon enfant, c'est moi qui l'ai voulu. Je suis pas dans la rue, tu sais, et puis je me suis toujours débrouillée, je vais continuer.»

Je lui ai demandé si elle savait quelque chose. Les promesses de mariage à n'en plus finir, puis son silence inexpliqué, je ne comprenais rien. Elle n'a pas pu m'aider. «Je sais pas, je peux rien te dire que tu saches pas déjà à son sujet. Moi, c'était il y a longtemps, il a peut-être changé depuis, c'est possible. En tout cas, moi, il ne m'a jamais invitée dans sa famille, contrairement à toi, qui a eu cet honneur. Non, je pourrais rien te dire, même si je le voulais. Va falloir que tu te débrouilles toute seule pour le comprendre. Mais j'ai confiance, tu y arriveras...» Je l'ai remerciée quand même; on a causé encore un peu et on s'est quittées les meilleures amies du monde.

Je ne l'ai revue qu'une fois, la veille de son départ l'été dernier. Elle était heureuse de partir. Peut-être qu'elle va revenir un jour : elle m'est très sympathique, et elle a la plus adorable des enfants. Une petite fille : elle s'appelle Clio.

10

Toujours pas de nouvelles. Un an déjà. Jude est parti, l'hiver a passé, les examens du printemps sont venus; j'ai travaillé tout l'été comme stagiaire sur le parquet de la Bourse à Toronto, c'était fascinant; puis septembre, l'université; demain, les examens de Noël. Depuis mon retour à Ottawa, je vis avec mon amie Anne et sa petite fille qui a trois ans. Nous partageons un immense appartement qui appartient à son père, l'écrivain aveugle, qui est très gentil.

Je me suis découvert une passion dernièrement : le japonais. Quand j'aurai terminé le baccalauréat, je ferai la maîtrise en finances publiques dans une bonne université, en tout cas, là où on voudra de moi, et après : direction Tokyo! Je veux tout apprendre du Japon, des Japonais, de leur génie de l'industrie et des affaires, et après, je battrai les Nippons sur leur propre terrain, loyalement. En attendant, l'étude du japonais, c'est prenant. Je vais me mettre au judo bientôt, je veux tout savoir. Le Japon...

Je vois quelqu'un aussi. Il s'appelle Aaron, il est géologue et philatéliste. Il est gentil.

Il s'en est passé des choses depuis que Jude a disparu, il y a un an. Le mur de Berlin est troué, il n'y a plus de communistes à l'Est, il n'y a plus de Yankees en Amérique centrale. Les grands blocs dégèlent, l'Arctique aussi d'ailleurs, tout s'en va, plus rien n'est pareil, et c'est tant mieux.

J'oublie Jude. C'est vrai qu'il a quitté l'Université d'Ottawa; c'est vrai aussi qu'il a cédé l'Institut arctique et toutes ses richesses à une université de la Colombie-Britannique. Sur les publications de l'Institut, on voit à côté de son nom une petite mention : fondateur. Il fait autre chose maintenant, mais personne ne sait quoi au juste. Il serait à l'emploi de quelque commission internationale. On ignore où il vit : Bruxelles, New York, Stockholm. On ne sait pas non plus s'il a fini par épouser Emmanuelle Terreblanche, sa banquière sud-africaine. Chose certaine, elle ne touche plus l'orgue à l'église Saint-Marc, c'est le recteur lui-même qui me l'a dit. Elle a quitté Ottawa.

Il m'arrive de le réimaginer tel que je l'ai vu sur sa ferme de Terre-Neuve, près de l'Anse-aux-Meadows. Il avance dans la fumée d'un feu de feuilles mortes : habillé de caribou, armé de son arc et de son carquois, un poignard à la ceinture, à la chasse à l'ours ou au phoque. Sur son épaule, un faucon qu'il a lui-même dressé. Souverain esseulé, debout sur la falaise, il regarde la mer, angoissé : il craint de voir apparaître à l'horizon les premières voiles des drakkars ressuscités de l'Histoire, avec à leur bord les hommes du Nord venus féconder son sérail d'Hyperboréennes, avec le dessein de peupler les terres de ce roi sans sujets. La nuit tombe :

son Amérique restera privée d'Europe un jour de plus. Il est tranquille, il demeure roi incontesté jusqu'à demain. Son mirage virginal reste intact. Soudain, le faucon déploie ses ailes et s'envole, peut-être pour toujours. Jude reste le maître absolu de sa terre vaine, devant la mer sans hommes. La Terre-Neuve n'est possédée que par lui. Il est seul, probablement heureux.

* * *

Encore ce matin, au café, le père d'Anne m'a demandé si j'avais des nouvelles. Non.

Qu'importe, puisque je ne l'aime plus.

Achevé d'imprimer au Canada
Imprimerie Gagné Ltée Louiseville